INTELIGENCIA GENIAL

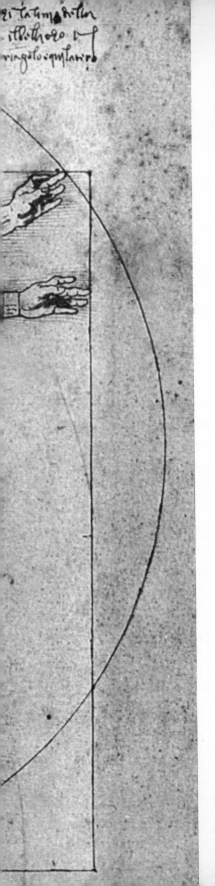

Inteligencia genial

**7 principios claves
para desarrollar
la inteligencia, inspirados
en la vida y obra de**

Leonardo da Vinci

MICHAEL J. GELB

Traducción, Margarita Valencia

GRUPO
EDITORIAL
norma
INTERES GENERAL

Edición original en inglés:
HOW TO THINK LIKE LEONARDO DA VINCI
Seven steps to Genius Every Day
de Michael J. Gelb.
Una publicación de Delacorte Press
división de Bantam Doubleday Dell Publishing Group, Inc.
1540 Broadway, Ñueva York. NY 10036. U.S.A.
Copyright © 1998 por Michael J. Gelb.

Copyright © 1999 para Amèrica Latina
por Editorial Norma S.A.
Apartado Aéreo 53550, Bogotá, Colombia
Reservados todos los derechos.
Prohibida la reproducción total o parcial de este libro,
por cualquier medio, sin permiso escrito de la Editorial.
Impreso por Banco de Ideas Publicitarias Ltda.
Impreso en Colombia – Printed in Colombia
Septiembre de 2007

Edición, Patricia Torres y Amalia de pombo
Dirección de arte, María Clara Salazar
Armada electrónica, Andrea Rincón G.
El diseño de la cubierta y las paginas interiores de este libro
ha sido adaptado del original, de
Jorge Martínez y Ellen Cipriano, respectivamente.

Este libro se compuso en caracteres Granjon y Cochin

ISBN 958-04-4918-X
ISBN 978-958-04-4918-8

*Este libro está dedicado
al espíritu "davinciano",
manifestado en la vida y obra
de Charles Dent.*

Contenido

TERCERA PARTE

PREFACIO: "NACIDO DEL SOL"

Piense en sus héroes y heroínas, en los modelos que lo han inspirado. Si tiene suerte, quizás la lista incluya a su madre y a su padre. O quizás sean las grandes figuras de la historia las que lo inspiran. Al sumergirse en la vida y obra de los grandes artistas, los líderes, los estudiosos y los maestros espirituales se obtiene un rico sustento para la mente y el corazón. Lo más probable es que usted haya escogido este libro porque reconoce en Leonardo a un arquetipo del potencial humano y se siente atraído por la posibilidad de una relación más íntima con él.

Cuando niño, mis héroes eran Supermán y Leonardo da Vinci. Mientras que el hombre de acero desapareció con el paso del tiempo, mi fascinación por Leonardo da Vinci no cesó de crecer. En la primavera de 1994 fui invitado a Florencia, a hablar ante una prestigiosa asociación de directivos de compañías, famosa por sus altísimos estándares de exigencia. "¿Podría preparar algo para nuestros miembros sobre cómo ser más creativo y equilibrado profesional y personalmente?", me preguntó el presidente del grupo. "¿Algo que los ayude a convertirse en hombres y mujeres del Renacimiento?" De inmediato le respondí con mi sueño: "¿Qué tal algo sobre cómo llegar a pensar como Leonardo da Vinci?"

No se trataba de una tarea que pudiera tomar a la ligera. Mis estudiantes ya habrían pagado una suma significativa para asistir a esta "universidad" de seis días, una de las diversas oportunidades que la sociedad les ofrece cada año a sus miembros para reunirse en las grandes ciudades del mundo y explorar la historia, la cultura y los negocios, mientras trabajan en su desarrollo personal y profesional. Ante la oportunidad de escoger entre varios cursos simultáneos —el mío se llevaba a cabo al mismo tiempo que otros cinco, incluyendo uno a cargo del ex presidente de la Fiat, Giovanni Agnelli— se invitó a los miembros a calificar a los conferencistas en una escala de uno a diez y se les instó a salirse de las presentaciones que no les gustaran. En otras palabras, si uno no les gusta, ¡lo vuelven papilla y lo escupen!

No obstante mi fascinación de toda una vida con el tema, sabía que tenía trabajo por delante. Mi preparación incluyó, además de lecturas intensivas, una peregrinación que comenzó con una visita al *Retrato de Ginebra Benci,* de Leonardo, en la Galería Nacional de Washington. Luego, en Nueva York, logré dar alcance a la exposición itinerante del "Codex Leicester", patrocinada por Bill Gates y Microsoft. Seguí a Londres para ver los manuscritos en el Museo Británico y *La virgen y el niño con santa Ana,* en la Galería Nacional, y al Louvre, en París, para pasar unos días con la *Mona Lisa* y *San Juan el Bautista.* Pero el momento más importante de esta peregrinación fue la visita al castillo de Clox, cerca de Amboise, donde Leonardo pasó sus últimos años. En la actualidad el castillo es un museo que exhibe réplicas sorprendentes de los inventos de Leonardo, fabricadas por los ingenieros de IBM. Al caminar por los mismos terrenos por donde él caminó, al sentarme en su estudio y pasearme por su habitación, al ver por la ventana el mismo paisaje que él miró todos los días, sentí mi corazón rebosante de asombro, respeto, fascinación, tristeza y gratitud.

Acto seguido visité Florencia, por supuesto, y allí, poco después, dicté mi charla a los empresarios. La diversión comenzó cuando la persona encargada de presentarme confundió mis datos biográficos con el ensayo que yo había entregado sobre Da Vinci. Dijo —y no lo estoy inventando—, "Señoras y señores, tengo el privilegio de presentarles hoy a una persona cuya experiencia sobrepasa cualquier cosa que yo haya visto jamás: anatomista, arquitecto, botánico, urbanista, diseñador de escenografías y de vestuario, chef, ingeniero, caballista, inventor, geógrafo, geólogo, matemático, científico militar, músico, pintor, filósofo, físico

y narrador... Señoras y señores, permítanme presentarles al señor...
¡Michael Gelb!"

Ah, si tan sólo...

Pues bien, la charla fue todo un éxito (nadie se salió) y dio origen
al libro que usted tiene en sus manos.

Antes de esa inolvidable introducción, uno de los asistentes al curso
se acercó y me dijo: "No creo que uno pueda aprender a ser como
Leonardo da Vinci, pero voy a ir a su conferencia de todas maneras". Es
posible que usted esté pensando algo parecido: ¿Acaso la premisa de este
libro es que todos los niños nacen con las habilidades y los dones de
Leonardo da Vinci? ¿Acaso el autor cree realmente que todos podemos
ser genios de la estatura de Da Vinci? La verdad es que no. A pesar de
los años dedicados al descubrimiento de la plenitud del potencial humano y a cómo despertarlo, yo estoy de acuerdo con Francesco Melzi, el
discípulo de Da Vinci que escribió a la muerte del maestro: "La pérdida
de un hombre como él es llorada por todos, pues no está en el poder
de la naturaleza crear otro". A medida que aprendo más sobre Da Vinci,
mi sensación de asombro y de curiosidad se multiplica. Todos los grandes genios son únicos y Leonardo fue, quizás, el más grande de los
genios.

Pero la pregunta fundamental persiste: ¿Podemos identificar los
elementos claves de la manera como Leonardo concebía el aprendizaje y
el cultivo de la inteligencia y ponerlos en práctica para inspirarnos y
orientarnos en la realización de nuestro propio potencial?

Sobra decir que mi respuesta a esta pregunta es ¡sí! Los principios
claves de la forma como Leonardo da Vinci concebía el aprendizaje y el
cultivo de la inteligencia son muy claros y se pueden estudiar, emular y
aplicar.

¿Acaso es arrogancia imaginar que podemos aprender a ser como el
más grande de los genios? Quizás. Es mejor pensar que su ejemplo nos
puede servir de guía para ser más de lo que verdaderamente somos.

Las hermosas palabras del poeta sir Stephen Spender resultan el prefacio perfecto para iniciar nuestro viaje a través de la mente más elevada de nuestra historia:

PIENSO SIN CESAR EN AQUELLOS QUE FUERON VERDADERAMENTE GRANDES

Pienso sin cesar en aquellos que fueron verdaderamente grandes.
En quienes desde el vientre recordaban el alma de la historia
a través de corredores de luz donde las horas son soles,
interminables y cantantes. Cuya adorable ambición
era que sus labios, aún tocados por el fuego,
pudieran hablar del espíritu vestido de canto de pies a cabeza.
Y que desde las ramas primaverales atesoraban
los deseos que caían a través de sus cuerpos como retoños.
Lo que es precioso es no olvidar jamás
el deleite de la sangre tomada de fuentes sin edad
que atravesaban rocas en mundos anteriores al nuestro;
no negar jamás el placer por la simple luz de la mañana
o sus severas exigencias de amor al atardecer;
no permitir jamás que el tráfico asfixie poco a poco
el florecimiento del espíritu con ruido y niebla.

Cerca de la nieve, cerca del sol, en el campo más alto,
ved cómo aquellos nombres son festejados por el pasto ondulante,
y por los rayos de nube blanca,
y los susurros del viento en el cielo que escucha;
los nombres de aquéllos que en sus vidas pelearon por la vida,
que llevaron el núcleo del fuego en sus corazones.
Nacidos del sol, viajaron un breve trecho hacia el sol.
Y dejaron el aire vívido firmado con su honor.

Vivimos en un mundo en el que el ruido, la niebla y el tráfico no tienen precedentes. Pero también nosotros nacimos del sol y viajamos hacia él. Este libro es una guía para ese viaje, que se inspira en una de las mentes más grandes de la historia. Es una invitación a respirar el aire vívido y a sentir el fuego en el centro de nuestros corazones, con miras al pleno florecimiento de nuestro espíritu.

MICHAEL J. GELB

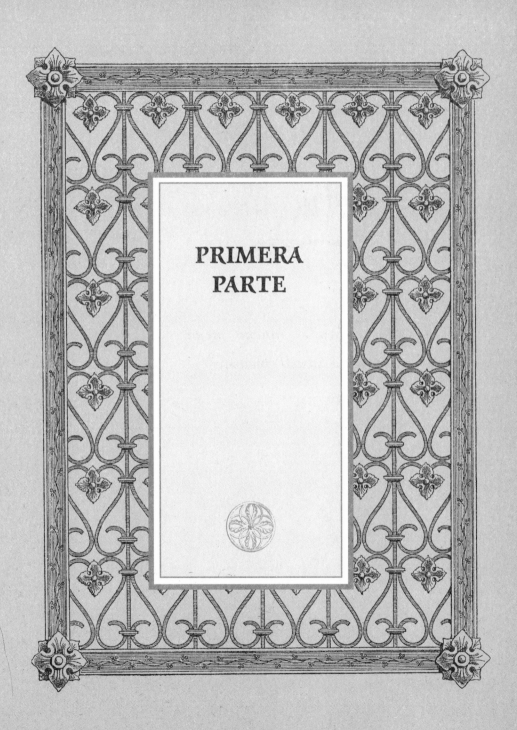

PRIMERA
PARTE

Introducción:

Su cerebro es mucho mejor
de lo que usted piensa.

*A*unque es difícil exagerar cuando se habla de lo brillante que era Leonardo da Vinci, investigaciones científicas recientes indican que probablemente subestimamos nuestras propias capacidades. Hemos sido dotados de un potencial creativo y de aprendizaje prácticamente ilimitado. El noventa y cinco por ciento de lo que sabemos sobre la capacidad del cerebro humano ha sido descubierto en los últimos veinte años. Nuestras escuelas, nuestras universidades y organizaciones apenas empiezan a poner en práctica esta reciente comprensión del potencial humano. Para aprender a pensar como Leonardo deberíamos comenzar por traer a escena la concepción actual de la inteligencia y algunos resultados de la investigación acerca de la naturaleza y extensión del potencial del cerebro.

La mayor parte de nosotros crecimos con un concepto de inteligencia que se basaba en la tradicional prueba del coeficiente intelectual (CI). Fue Alfred Binnet (1857-1911) quien ideó la prueba del CI para medir objetivamente la comprensión, el razonamiento y el juicio. Un arrollador entusiasmo por la naciente disciplina de la psicología, así como el deseo de superar los prejuicios culturales y de clase que imperaban en Francia a finales del siglo diecinueve, motivó a Binnet a la hora de evaluar el potencial académico de los niños. Si bien el concepto tradicional del CI representó una innovación en el momento en que fue formulado, la investigación actual ha demostrado que tiene dos fallas importantes.

La primera es la idea de que la inteligencia se determina desde el nacimiento y es inmutable. Si bien las personas están genéticamente dotadas con más o menos talento en áreas específicas, investigadores como Buzan, Machado, Wenger y muchos otros han demostrado que el CI puede mejorar significativamente con un entrenamiento adecuado. A partir de un reciente examen estadístico de más de doscientos estudios de CI publicados en *Nature*, Bernard Devlin concluyó que los genes no explican sino el 48 por ciento del CI; el otro 52 por ciento es función del cuidado prenatal, el ambiente y la educación.

La segunda debilidad del concepto corriente de inteligencia es la idea de que las habilidades verbales y de razonamiento matemático que miden las pruebas de CI (y las pruebas de aptitud escolar) son la condición esencial de la inteligencia. Esta estrecha concepción de la inteligencia ha sido completamente desbancada por la investigación psicológica contemporánea. En el ya clásico libro *Frames of Mind* [Marcos mentales] (1983), el psicólogo Howard Gardner introdujo la teoría de las inteligencias múltiples, teoría que plantea que cada uno de nosotros posee al menos siete inteligencias mensurables (en una publicación posterior Gardner y sus colegas clasificaron veinticinco subinteligencias diferentes). Las siete inteligencias y algunos genios ejemplares de cada una de ellas (además de Leonardo da Vinci, que fue un genio en todas estas áreas) son:

- ✦ Lógica-matemática — Stephen Hawking, Isaac Newton, Marie Curie
- ✦ Lingüístico-verbal — William Shakespeare, Emily Dickinson, Jorge Luis Borges
- ✦ Mecánico-espacial — Miguel Ángel, Georgia O'Keeffe, Buckminster Fuller
- ✦ Musical — Mozart, George Gershwin, Ella Fitzgerald
- ✦ Quinestésico-corporal — Morihei Ueshiba, Muhammad Ali, F.M. Alexander
- ✦ Social-interpersonal — Nelson Mandela, Mahatma Gandhi, Isabel I
- ✦ Intrapersonal (autoconocimiento) — Viktor Frankl, Thich Nhat Hanh, Teresa de Calcuta

La teoría de las inteligencias múltiples es ampliamente aceptada en la actualidad y cuando se la combina con la convicción de que es posible desarrollar la inteligencia a lo largo de la vida, se convierte en una poderosa fuente de inspiración para quienes aspiran a ser hombres y mujeres del Renacimiento.

Además de ampliar la comprensión de la naturaleza de la inteligencia y de sus alcances, la investigación psicológica contemporánea ha revelado datos sorprendentes sobre nuestro potencial. Podríamos resumir los resultados en la siguiente frase: Su cerebro es mucho mejor de lo que usted piensa. Al reconocer nuestra extraordinaria dotación cortical estaremos dando un maravilloso primer paso hacia un estudio práctico del pensamiento davinciano. Piense en lo siguiente: su cerebro

✦ es más flexible y multidimensional que cualquier
  supercomputador.
✦ puede aprender siete datos por segundo cada segundo por el
  resto de su vida y aún tendrá espacio disponible para aprender
  más.
✦ mejorará con la edad si lo usa adecuadamente.
✦ no está sólo en su cabeza. De acuerdo con la doctora Candace
  Pert, conocida neuróloga, "la inteligencia no sólo está
  localizada en el cerebro sino en células distribuidas por todo el
  cuerpo... Ya no es válido, como se hacía tradicionalmente,
  separar los procesos mentales, incluidas las emociones, del
  cuerpo".
✦ es único. Entre los seis billones de personas que viven actualmente y los más de noventa billones de personas que han
  existido, nunca ha habido nadie como usted, a menos que usted
  tenga un gemelo idéntico. Sus dotes creativas, sus huellas
  dactilares, sus expresiones, su ADN, sus sueños son únicos y no
  tienen precedentes.

✦ es capaz de una cantidad prácticamente ilimitada de conexiones sinápticas o de patrones potenciales de pensamiento.

Esto último fue establecido por Pyotr Anokhin, de la Universidad de Moscú, discípulo del legendario pionero de la psicología Ivan Pavlov. Anokhin hizo tambalear a toda la comunidad científica cuando publicó en 1968 una investigación en la que demostraba que la cantidad mínima de patrones potenciales de pensamiento que un cerebro promedio puede llevar a cabo es el número 1 seguido de 10,5 millones de kilómetros de ceros mecanografiados.

Anokhin comparó el cerebro humano con un "instrumento musical multidimensional que pudiera tocar simultáneamente un número infinito de piezas musicales". Puso énfasis en el hecho de que todos hemos sido dotados al nacer con un potencial prácticamente ilimitado. Y aseveró que ningún hombre o mujer, pasado o presente, ha explorado plenamente su capacidad cerebral. Sin embargo, Anokhin probablemente estaría de acuerdo con nosotros en que Leonardo da Vinci podría ser el ejemplo más inspirador para aquellos de nosotros que deseamos explorar todas nuestras capacidades.

¿Qué le sucede al cerebro a medida que usted envejece? Muchos suponen que las habilidades mentales y físicas necesariamente disminuyen con la edad; que después de los veinticinco años, perdemos a diario una parte significativa de nuestra capacidad mental. Lo cierto es que el cerebro promedio puede mejorar con la edad. Las neuronas son capaces de llevar a cabo conexiones cada vez más complejas a medida que transcurren los años. Y nuestra dotación neuronal es tan grande que incluso si perdiéramos mil neuronas al día todos los días por el resto de nuestra vida, esto no sumaría más del uno por ciento del total. (¡Por supuesto que es importante no perder el uno por ciento que en realidad usamos!)

CÓMO APRENDER DE LEONARDO

Los paticos aprenden a sobrevivir imitando a sus madres. El aprendizaje a través de la imitación es fundamental para muchas especies, incluyendo los humanos. A medida que nos volvemos adultos, ganamos una ventaja única: podemos escoger a quién y qué imitar. También podemos escoger conscientemente nuevos modelos para reemplazar a aquéllos que hemos dejado atrás. Lo lógico, por lo tanto, es elegir los mejores modelos para que nos inspiren y nos guíen hacia la realización de nuestro potencial.

Leon Battista Alberti (1404-1472) fue el *uomo universale* original y uno de los modelos de Leonardo. Alberti fue arquitecto, ingeniero, matemático, pintor y filósofo, además de atleta y músico.

De manera que si usted quiere ser mejor golfista, debe estudiar a Ben Hogan, a Jack Nicklaus y a Tiger Woods. Si quiere convertirse en líder, estudie a Winston Churchill, a Abraham Lincoln o a Isabel I. Y si quieren convertirse en un hombre o una mujer del Renacimiento, debe estudiar a Leon Battista Alberti, a Thomas Jefferson, a Hildegard von Bingen y, sobre todo, a Leonardo da Vinci.

En *The Book of Genius* [El libro de la genialidad], Tony Buzan y Raymond Keene intentan por vez primera clasificar a los grandes genios de la historia. Califican a los sujetos escogidos en categorías tales como "originalidad", "versatilidad", "dominio de su campo", "universalidad de la visión" y "fuerza y energía", y el resultado es la siguiente lista de los mejores diez:

10. Albert Einstein
 9. Fidias (arquitecto de Atenas)
 8. Alejandro el Grande
 7. Thomas Jefferson

6. Sir Isaac Newton

5. Miguel Ángel

4. Johann Wolfgang von Goethe

3. Los constructores de la gran pirámide de Egipto

2. William Shakespeare

¿Y cuál es el genio más grande de todos los tiempos de acuerdo con la investigación exhaustiva de Buzan y Keene? Leonardo da Vinci.

En la versión original de su libro *Vidas de los más excelentes pintores, escultores y arquitectos,* Giorgio Vasari escribió: "El cielo en ocasiones nos envía a unos seres que no representan tan sólo a la humanidad sino a la divinidad misma, de forma que al tomarlos como modelos e imitarlos, lo mejor de nuestra inteligencia se acerca a las altas esferas celestiales. La experiencia demuestra que aquéllos que deciden estudiar y seguir las huellas de estos genios maravillosos pueden, incluso si la naturaleza les ha dado poca o ninguna ayuda, acercarse al menos a las obras supernaturales que participan de su divinidad".

Nuestra creciente comprensión de la multiplicidad de la inteligencia y de las capacidades del cerebro sugiere que la naturaleza nos presta más ayuda de lo que hubiéramos imaginado. En *Inteligencia genial* "estudiaremos y seguiremos las huellas" del más maravilloso de todos los genios, para que su sabiduría y su inspiración nos acompañen todos los días de nuestra vida.

UN ACERCAMIENTO PRÁCTICO AL GENIO

En las páginas que siguen a continuación usted aprenderá una manera práctica, y probada, de aplicar los principios esenciales del genio de Leonardo al enriquecimiento de su vida. Descubrirá una forma divertida y original de ver el mundo y disfrutar de él, mientras desarrolla estrategias poderosas de pensamiento creativo y nuevas formas de expresarse. Aprenderá técnicas probadas para agudizar sus sentidos, liberando su inteligencia única y armonizando el cuerpo y el alma. Con Leonardo como inspiración, convertirá su vida en una obra de arte.

Aunque es posible que usted conozca la vida y obra de Da Vinci, al terminar este libro podrá apreciar a esta enigmática figura desde una perspectiva fresca y sentirá por él una admiración más profunda. Al ver el mundo desde su punto de vista, quizás llegue a saborear la soledad que trae consigo el genio. Pero le garantizo que usted se sentirá estimulado por su espíritu, inspirado por su búsqueda y exaltado por su asociación con él.

El libro comienza con un breve repaso del Renacimiento y un paralelo con nuestra época, seguido de un bosquejo biográfico de Leonardo y un resumen de sus principales logros. El núcleo del libro es la discusión de los "siete principios davincianos". Estos principios surgen de un profundo estudio del hombre y de sus métodos. Los he bautizado en italiano, la lengua original de Leonardo. La buena noticia es que los principios de Leonardo son intuitivamente obvios: usted no tiene que

Giorgio Vasari (1511-1574), arquitecto de los Uffizi de Florencia y discípulo de Miguel Ángel, publicó originalmente sus *Vidas de los más excelentes pintores, escultores y arquitectos* en 1549. Los estudiosos consideran que con ese libro Vasari inventó la disciplina de la historia del arte. *Vidas* sigue siendo la referencia más importante del arte italiano del Renacimiento. Con asombroso olfato, Vasari presenta la vida y obra de más de doscientos pintores, escultores y arquitectos, incluyendo a Giotto, Masaccio, Brunelleschi, Donatello, Botticelli, Verrocchio, Rafael, Miguel Ángel, Tiziano y, por supuesto, Leonardo.

tratar de inventárselos en su vida. Más bien, como prácticamente todo lo relacionado con el sentido común, debe tratar de recordarlos, desarrollarlos y aplicarlos.

Los siete principios davincianos son:

Curiosità — La actitud de acercarse a la vida con una curiosidad insaciable y la búsqueda continua del aprendizaje.

Dimostrazione — El compromiso de poner a prueba el conocimiento a través de la experiencia, la persistencia y la disposición a aprender de nuestros errores.

Sensazione — El continuo refinamiento de los sentidos, especialmente de la vista, como medio para animar la experiencia.

Sfumato (literalmente "esfumarse") — La voluntad de aceptar la ambigüedad, la paradoja y la incertidumbre.

Arte/Scienza — El desarrollo del equilibrio entre la ciencia y el arte, la lógica y la imaginación. Pensar con todo el cerebro.

Corporalita — El cultivo de la gracia, la ambidestreza, la condición física y el porte.

Connessione — El reconocimiento de la interconexión de todas las cosas y de todos los fenómenos. Pensar en términos de sistemas.

Al haber leído hasta este punto usted ya ha aplicado el primero de los principios davincianos. La Curiosità —la búsqueda continua del aprendizaje— viene primero porque el deseo de saber, de aprender y de crecer es el motor del conocimiento, de la sabiduría y del descubrimiento.

Si usted está interesado en pensar por usted mismo y en liberar su mente de los hábitos limitantes y de las preconcepciones, entonces va camino del segundo principio: Dimostrazione. En su búsqueda de la verdad, Da Vinci insistió en cuestionar la sabiduría convencional. Usó la palabra *dimostrazione* para expresar la importancia de aprender por uno mismo a través de la experiencia práctica.

Ahora haga una pausa y trate de recordar los momentos del año pasado cuando se sintió más intensamente vivo. Lo más probable es que en esos momentos sus sentidos estuvieran más despiertos. Nuestro tercer principio —Sensazione— se basa en la agudización consciente de los sentidos. Leonardo creía que el refinamiento de la percepción sensorial era la clave para el enriquecimiento de la experiencia.

A medida que sus sentidos se agudicen, y usted explore las profundidades de la experiencia y despierte su capacidad casi infantil de preguntar, se topará cada vez más con la incertidumbre y la ambigüedad. La "tolerancia a la confusión" es el rasgo más característico de las personas altamente creativas, y Leonardo probablemente tenía más de ese rasgo que cualquiera que haya vivido jamás. El principio número cuatro —Sfumato— es una guía para que usted se sienta más a gusto con lo desconocido, para que se familiarice con la paradoja.

Para que el equilibrio y la creatividad surjan de la incertidumbre es necesario el quinto principio —Arte/Scienza—, que supone pensar con todo el cerebro. Pero Da Vinci creía que el equilibrio no era solamente mental, ejemplificó y reafirmó la importancia del principio número seis —Corporalita—, el equilibrio del cuerpo y de la mente. Y si usted reconoce los patrones, las relaciones, las conexiones y los sistemas, entonces está poniendo en práctica el principio número siete: Connessione. La Connessione lo reúne todo.

> "Al aprender de él, lo respetamos".
> — Freud, sobre da Vinci

Cada principio será ilustrado con extractos de los cuadernos del maestro y con sus bosquejos o pinturas. Posteriormente propondremos algunas preguntas destinadas a estimular la reflexión y la autoevaluación. Estas preguntas fueron diseñadas para estimular su pensamiento y ani-

Retrato del maestro

marlo a aplicar los principios. Después de las preguntas encontrará un programa de ejercicios prácticos cuyo propósito es cultivar el renacimiento personal y profesional. Para obtener mayores beneficios de *Inteligencia genial*, le aconsejamos que lea primero todo el libro, sin hacer los ejercicios. Sólo reflexione sobre las preguntas y úselas para hacerse una autoevaluación. Y después de esta primera aproximación, vuelva a leer la explicación de cada principio y haga los ejercicios. Algunos son fáciles y divertidos, mientras que otros exigen un trabajo interior profundo. Todos están diseñados para que el espíritu del maestro penetre en su vida cotidiana. Además de estos ejercicios, usted encontrará una lista de lecturas y de recursos, con comentarios que lo guiarán en la exploración y aplicación de cada principio. La lista de lecturas incluye textos sobre el Renacimiento, la historia de las ideas, la naturaleza del genio y, por supuesto, la vida y la obra de Leonardo.

En la última sección del libro usted encontrará el "Curso de dibujo para principiantes de Leonardo da Vinci" y también descubrirá cómo participar en un proyecto que cambiará la historia y que encarna la esencia del espíritu davinciano.

El Renacimiento:
Entonces y ahora

Al otro lado del río Arno, no muy lejos de la transitada ruta turística florentina, usted encontrará la iglesia de Santa María del Carmine. Entre, cruce a la izquierda y luego otra vez a la izquierda, y se encontrará en la capilla Brancacci, rodeado por los frescos de Masolino y Masaccio. El primer fresco a la izquierda es la evocación de Masaccio de la expulsión de Adán y Eva del paraíso. Allí es donde comienza el Renacimiento. A diferencia de las figuras bidimensionales y ultramundanas de las pinturas medievales, el Adán y la Eva de Masaccio parecen seres humanos verdaderos. Sus posturas afligidas y sus rostros abatidos expresan emociones reales. Las figuras de Masaccio, en tres dimensiones y con los pies sólidamente afincados en el suelo, anuncian una nueva era de promesas y de potenciales humanos.

Para apreciar esta nueva era y sacar el mayor provecho de nuestro estudio de Leonardo da Vinci, debemos primero aprender un poco sobre el período que la precedió. En *A World Lit Only by Fire: The Medieval Mind and the Renaissance* [Un mundo iluminado sólo por el fuego: La mente medieval y el Renacimiento], William Manchester asegura que la Europa prerrenacentista se caracterizaba por "una mezcla de guerras incesantes, corrupción, anarquía, obsesión con mitos extraños y una insensatez casi impenetrable". Al describir el período comprendido entre la caída del Imperio Romano y el inicio del Renacimiento, Manchester dice:

La "expulsión" de Masaccio resulta ser un tema irónico para la que probablemente es la primera pintura renacentista verdadera. Tanto Miguel Ángel como Leonardo pasaron muchas horas estudiándola. "Con la perfección de su trabajo, Masaccio demostró que aquéllos que se inspiran en un modelo distinto de la naturaleza, ama que supera a todos los amos, trabajan en vano", comentó Leonardo.

"En todo ese tiempo nada verdaderamente importante mejoró o declinó. No hubo inventos significativos, excepto la rueda hidráulica en el 800 y el molino de viento en el 1100. No surgieron nuevas y sorprendentes ideas ni se exploraron territorios por fuera de Europa. Todo era como había sido desde que el más viejo europeo pudiera recordar. El centro del universo tolemaico era el mundo conocido: Europa con la Tierra Santa y África del Norte en el límite. El sol se movía a su alrededor todos los días. El Cielo estaba sobre la inconmovible Tierra, en algún lugar en el arco del firmamento; el Infierno ardía lejos, bajo sus pies. Los reyes reinaban para complacer al Todopoderoso; todos los demás hacían lo que se les ordenaba... La Iglesia era indivisible y la otra vida, una certeza; ya se conocía todo el conocimiento. Y nada cambiaría jamás".

La palabra *Renacimiento* viene del latín *renasci*, que significa 'volver a nacer'. Después de siglos de servidumbre y superstición, el ideal de la capacidad del hombre y de su potencial volvió a nacer. Giotto anunció la renovación de este ideal clásico; Brunelleschi, Alberti y Masaccio la iniciaron y Leonardo, Miguel Ángel y Rafael la llevaron a su plena expresión. Esta dramática transformación de la manera de ver el mundo en el medioevo surgió de la mano de una serie de descubrimientos, innovaciones e invenciones, entre las cuales se cuentan:

+ *La prensa* — Puso el conocimiento a disposición de un sinnúmero de personas, aparte de los miembros del clero y de las clases dominantes. En 1456 había menos de sesenta copias de la Biblia de Gutenberg, el primer libro impreso en Europa. A fines de siglo había más de quince millones de libros impresos en circulación.
+ *El lápiz y el papel barato* — Gracias a ellos el ciudadano común pudo escribir y tomar notas y, por lo tanto, registrar el conocimiento.

✦ *El astrolabio, la brújula y las naves de gran tamaño* — Dieron como resultado una tremenda expansión del tránsito en el océano, del comercio internacional y del intercambio de información. Cuando Colón y Magallanes probaron que el mundo era redondo, gran parte de la sabiduría tradicional perdió su sustento.

✦ *El cañón de largo alcance* — Aunque las catapultas, los mandrones y los cañones pequeños se usaban desde hacía años, no podían abrir troneras en las murallas de las fortificaciones. El pionero del poderoso cañón de largo alcance fue un ingeniero húngaro llamado Urban, a mediados del siglo quince. A medida que la nueva tecnología se fue difundiendo, la fortaleza feudal y, por lo tanto, el feudalismo, fue perdiendo su impenetrabilidad. El escenario estaba listo para la entrada en escena de la moderna nación-Estado.

✦ *El reloj mecánico* — Estimuló el comercio al permitir que la gente experimentara el tiempo como un bien controlable. En la Edad Media la gente no tenía el mismo concepto de tiempo que tenemos ahora. La mayoría de las personas no sabían qué año era o en qué siglo vivían.

El espíritu empresarial, el deseo de bienes de consumo y una fiebre de hacer dinero se convirtieron en el motor de muchas de estas grandes obras maestras e innovaciones. *En Worldly Goods: A New History of the Renaissance* [Bienes mundanales: una nueva historia del Renacimiento], Lisa Jardine muestra, con magníficas ilustraciones y un texto incisivo y detallado, cómo el capitalismo en expansión impulsó las transformaciones culturales e intelectuales del Renacimiento. Sugiere que "esos impulsos que hoy rechazamos por 'consumistas'" estaban presentes en la actitud mental renacentista que produjo las obras y los avances que hoy atesoramos. Incluso el mercantilismo desempeñó un papel: "La reputación de un pintor dependía de su habilidad para estimular el interés comercial en sus obras de arte, no de un criterio intrínseco de valor intelectual".

Sin embargo, queda por resolver la pregunta de por qué se inició el Renacimiento cuando lo hizo. Durante los mil años que lo precedieron, los logros europeos en los campos de la ciencia y la exploración fueron insignificantes. A lo largo de la Edad Media casi toda la energía y el esfuerzo intelectual de los hombres se invirtió en minucias doctrinales y en la guerra "santa". En lugar de explorar nuevos territorios, innovaciones e ideas, las mejores mentes se dedicaron a discutir cuántos ángeles caben en la cabeza de un alfiler y la Iglesia no dudaba en torturar a quienquiera que cuestionara su dogma. Esto, obviamente, desalentó un poco el pensamiento independiente.

Mi colega Raymond Keene y yo creemos que el acontecimiento fundamental que condujo al Renacimiento ocurrió en el siglo catorce, cuando la peste negra azotó a Europa. Prácticamente la mitad de la población murió rápida y horriblemente. Los sacerdotes, los obispos, los nobles y los caballeros murieron en la misma proporción que los campesinos, los siervos, las prostitutas y los comerciantes. La devoción, la piedad y la lealtad a la Iglesia no protegieron a la gente y su fe perdió estabilidad. Las familias pudientes se vieron disminuidas de la noche a la mañana, lo que hizo que la riqueza se concentrara en manos de los afortunados sobrevivientes. Mientras que previamente habrían gastado sus excedentes en la Iglesia, los ricos se volvieron más precavidos después de la peste y empezaron a invertir en el saber independiente. En lo que

> Este extraordinario florecimiento de la conciencia de la capacidad del hombre se refleja deliciosamente en los cambios de las reglas del ajedrez. Antes del Renacimiento, la reina sólo podía moverse un cuadro a la vez; pero a medida que se amplió la percepción de los horizontes humanos y de su potencial, se ampliaron sus poderes hasta alcanzar el punto en el que se encuentran hoy.

originalmente fue un cambio de conciencia sutil y casi imperceptible, empezaron a buscarse las respuestas por fuera de la oración y del dogma. La creciente energía intelectual, contenida durante un milenio dentro de los muros de la comunidad eclesiástica, comenzó a fluir a través de la brecha abierta por la pestilencia.

Quinientos años después del Renacimiento, cuando las naciones y las empresas rivalizan con la Iglesia por la lealtad de la gente, el mundo está experimentando una expansión aún más dramática del conocimiento, el capital y la interconexión de todas las cosas. El transporte aéreo —realización de uno de los sueños y profecías de Da Vinci—, el teléfono, la radio, la televisión, el cine, los aparatos facsimilares, los computadores personales y, ahora, Internet, se combinan para tejer una red cada vez más compleja de intercambio de información global. Los revolucionarios avances en la agricultura, la automatización y la medicina no sorprenden a nadie. Hemos llevado hombres a la Luna y máquinas a Marte, liberado el poder del átomo, descifrado el código genético y descubierto muchos secretos de la mente humana. Este dramático desarrollo en la comunicación y la tecnología estimula las energías del capitalismo y de la sociedad libre y erosiona el totalitarismo.

No podemos ignorar que el cambio se acelera. Nadie sabe cómo lo afectarán personal y profesionalmente estos cambios. Pero, al igual que aquellos pensadores que vivieron el final de ese cambio cataclísmico causado por la peste negra, tenemos la obligación con nosotros mismos de preguntarnos si nos podemos dar el lujo de permitir que las autoridades de nuestro tiempo —ya sea la Iglesia, el gobierno o la empresa— piensen por nosotros.

Sin embargo, no nos equivocamos al afirmar que la velocidad del cambio y la creciente complejidad multiplican el valor del capital intelectual. La capacidad individual de aprender, adaptarse y pensar independiente y creativamente está en su mejor momento. Durante el Renacimiento, aquellos individuos con una forma de pensar medieval se quedaron atrás. Ahora, en la Era de la Información, los pensadores del medioevo y de la era industrial están bajo amenaza de extinción.

El Renacimiento se inspiró en los ideales de la antigüedad clásica —conciencia del poder humano y de su potencial y pasión por el descubrimiento—, pero también los transformó para hacer frente a los retos de su tiempo. Ahora nos podemos inspirar en los ideales del Renacimiento, transformándolos para enfrentar nuestros propios retos.

Quizás, como muchos de mis amigos, usted considera que su mayor reto es vivir una vida equilibrada y gratificante, que le permita enfrentarse al estrés que ataca por todos lados. Como ya vimos, nuestros ancestros medievales no tenían concepto del tiempo; nosotros, por otra parte, corremos el peligro de ser controlados por el reloj. En la Edad Media, una persona común y corriente no tenía acceso a la información y los pocos libros que existían estaban en latín, una lengua que sólo era enseñada a la elite. Ahora vivimos inmersos en un flujo de datos incesante y sin precedentes. En quinientos años hemos pasado de un mundo en donde todo era seguro y nada cambiaba a un mundo donde nada parece seguro y todo cambia.

Leonardo da Vinci —santo patrón de los pensadores independientes— invita a avanzar a aquellos buscadores que quieren ir a lo esencial y profundizar más en el significado, la belleza y la calidad de la vida.

La velocidad del cambio ha inspirado un florecimiento jamás visto del interés por el crecimiento personal, el despertar del alma y las experiencias espirituales. La sola disponibilidad de información acerca de las tradiciones esotéricas del mundo ha generado una oleada de buscadores. Por otra parte, ese exceso de información contribuye a la persistencia del cinismo, de la fragmentación y de la sensación de impotencia. Tenemos más posibilidades, más libertad, más opciones que la mayor parte de los habitantes del pasado. Pero nunca antes hubo tanta basura, tanta mediocridad y tanta chatarra obstruyendo nuestra elección.

El hombre moderno del Renacimiento

El hombre ideal del Renacimiento, o *uomo universale*, era una persona equilibrada, completa, que se sentía cómoda tanto con las artes como con las ciencias. El currículo de las artes liberales de las universidades de todo el mundo es un reflejo de este ideal. En una era de creciente especialización, lograr el equilibrio implica ir contra la corriente. Además de poseer amplios conocimientos de las artes liberales clásicas, el *uomo universale* moderno también:

+ Conoce los computadores — Aunque Leonardo quizás tendría dificultades programando una videograbadora, el hombre moderno del Renacimiento está sintonizado con el desarrollo de la tecnología informática y pasa cada vez más tiempo en casa, conectado a Internet.

+ Conoce su cerebro — Tal como se planteó anteriormente, el 95 por ciento de lo que sabemos sobre el cerebro humano ha sido descubierto en los últimos veinte años. Tony Buzan acuñó el término "alfabetismo mental" para referirse a la familiaridad con la creciente comprensión de los mecanismos de la mente humana. Esto empieza con el reconocimiento del vasto potencial de la mente y de las múltiples inteligencias, e incluye el desarrollo de la velocidad de aprendizaje y del pensamiento creativo, de los cuales hablaremos más adelante.

+ Tiene conciencia global — Además de percatarse de los lazos mundiales en la comunicación, la economía y los ecosistemas, el moderno *uomo universale* se siente cómodo en diversas culturas. El racismo, el sexismo, la persecución religiosa, la homofobia y el nacionalismo son considerados vestigios de una etapa primitiva de la evolución. Los renacentistas modernos de Occidente cultivan un afecto particular por la cultura oriental y viceversa.

La vida de
Leonardo da Vinci

S i usted alguna vez ha llenado una solicitud de empleo o elaborado su *curriculum*, disfrutará especialmente de esta carta que Leonardo le escribió a Ludovico Sforza, regente de Milán, en 1482. Da Vinci redactó la más sobresaliente carta de solicitud de empleo que se haya escrito jamás:

`` *Deseo hacer milagros...*"

–LEONARDO DA VINCI

Mi ilustrísimo señor, habiendo visto y reflexionado ampliamente sobre las pruebas de todos aquellos que se consideran maestros e inventores de instrumentos de guerra, y habiendo descubierto que su invención y su uso de dichos instrumentos no difiere en nada de la práctica común, me siento animado, sin que ello perjudique a ninguna otra persona, a ponerme en comunicación con su Excelencia para informarlo acerca de mis secretos, y ofrecerme, a su placer, para demostrarle efectivamente en cualquier momento que sea conveniente, todos aquellos asuntos que se registran brevemente a continuación.

1. Tengo planos de puentes muy ligeros y fuertes, y que se pueden cargar con mucha facilidad...

2. Cuando un lugar está bajo asedio, sé cómo cortar el agua desde las trincheras y cómo construir una cantidad infinita de escaleras y otros instrumentos...

3. Si, a causa de la altura del terraplén y de la impenetrabilidad del lugar o de su ubicación, fuese imposible bombardearlo para redu-

Autorretrato en tiza roja.

cirlo, conozco métodos para destruir cualquier ciudadela o fortaleza, incluso si ha sido construida sobre una roca.

4. Tengo planos para hacer cañones, muy convenientes y fáciles
   de transportar, con los cuales se podrían lanzar piedritas muy
   pequeñas, casi a la manera del granizo.

5. Y si sucediera que el encuentro es en el mar, tengo planos para
   construir muchas máquinas muy apropiadas para el ataque o la
   defensa, y naves que puedan resistir el fuego de los más pesados
   cañones, y la pólvora y el humo.

6. También tengo formas de llegar a un cierto punto a través de
   cavernas y pasajes secretos, construidos sin ruido aunque sea me-
   nester pasar debajo de... un río.

7. También puedo construir carros cubiertos, seguros e inexpugna-
   bles, que puedan romper las apretadas filas del enemigo con artillería, y no hay compañía de hombres armados tan poderosa que
   no pueda ser destruida de esta manera. Y detrás de la artillería,
   la infantería puede entrar sin daño y sin oposición.

8. También, si fuere necesario, puedo fabricar cañones, morteros y
   artillería ligera, con formas muy hermosas y útiles, muy diferentes de las de uso común.

9. Allí donde no sea posible emplear cañones, puedo suministrar
   catapultas, mandrones, trampas y otras máquinas de maravillosa
   eficiencia que no son de uso general. En resumidas cuentas, puedo suministrar, en la medida en que las diversas circunstancias así
   lo requieran, una cantidad infinita de máquinas de ataque y defensa.

10. En tiempos de paz, creo que puedo satisfacerlo tan completamente
    como cualquier otro en la arquitectura, en la construcción de
    edificios tanto públicos como privados, y en la conducción del
    agua de un lugar a otro.

11. También puedo ejecutar esculturas en mármol, bronce o arcilla, y pinturas, en lo cual mi trabajo aguanta la comparación con el de cualquier otro, quienquiera que sea.

12. Es más: me comprometo a llevar a cabo el trabajo del caballo de bronce que habrá de darle a la auspiciosa memoria de su padre, el Príncipe, y de la ilustre casa de los Sforza, gloria inmortal y honor eterno.

Y si cualquiera de las cosas anteriormente mencionadas pareciera imposible o impracticable a alguien, me ofrezco para hacer demostración de ellas en su parque o en cualquier lugar que a su Excelencia le plazca, y a usted me encomiendo con toda la humildad posible.

Leonardo consiguió el empleo. Sin embargo, de acuerdo con Giorgio Vasari, la positiva recepción que se le brindó probablemente se explica mejor por su encanto cortesano y sus talentos como músico y organizador de fiestas. Es difícil imaginar a alguien de la estatura de Da Vinci dedicado al diseño de representaciones teatrales, bailes, disfraces y otras nimiedades, pero como lo señala Kenneth Clark, "era lo que se esperaba de los artistas del Renacimiento, entre una madonna y otra".

Según un documento preparado por su abuelo, Leonardo había nacido treinta años antes, a las 10:30 de la noche de un sábado, el 15 de abril de 1452. Su madre, Caterina, era una campesina de Anchiano, un pueblecito cercano a la pequeña ciudad de Vinci, aproximadamente a cuarenta millas de Florencia. Su padre, Piero da Vinci, quien no estaba casado con su madre, era un próspero contador y notario de la ciudad de Florencia. El joven Leonardo fue separado de Caterina a los cinco años de edad y criado en el hogar de su abuelo, quien también era notario. Dado que a los niños nacidos fuera del matrimonio no se les

"*El conocimiento de todas las cosas es posible*".

– LEONARDO DA VINCI

permitía ingresar al gremio de los notarios, Leonardo no pudo seguir los pasos de su padre y de su abuelo. De no ser por esta argucia del destino, ¡habría sido el más grande contador de todos los tiempos!

Afortunadamente fue enviado en cambio como aprendiz al estudio del maestro escultor y pintor Andrea del Verrocchio (1435-1488). El nombre de Verrocchio se puede traducir del italiano como "ojo verdadero", nombre que se le dio en reconocimiento de la penetrante percepción de su trabajo y un título perfecto para el maestro de Leonardo (la obra maestra de Verrocchio es el monumento ecuestre del general Colleoni en Venecia, popularmente conocido por el *Putto con delfín,* que se encuentra en el patio del Palazzo Vecchio en Florencia, y su estatua de David en el Bargello). La primera pintura que se sabe que fue hecha por Leonardo es el ángel y un pedazo del paisaje en la esquina inferior izquierda del *Bautismo de Cristo,* de Verrocchio.

En el quattrocento florentino era habitual que un maestro les permitiera a sus alumnos más dotados terminar ciertos detalles de una pintura. Domenico Ghirlandajo, Pietro Perugino y Lorenzo di Credi fueron algunos de los aprendices de Leonardo en el taller de Verrocchio.

En las *Vidas de artistas*, Giorgio Vasari asegura que cuando Verrocchio vio la delicadeza, la exquisitez y la calidad sobrenatural del trabajo de su pupilo, juró "nunca tocar el color de nuevo". Aunque esto puede sonar a humildad reverencial o a desesperación por sus propias limitaciones, es muy probable que Verrocchio haya decidido dejar a su talentoso pupilo la mayor parte de las comisiones de pinturas y concentrar sus propias habilidades en la práctica más lucrativa de la escultura.

El precoz talento de Leonardo llamó la atención del patrón de Verrocchio, Lorenzo de' Medici, Il Magnifico. Leonardo fue introducido en el maravilloso ambiente de filósofos, mate-

El biógrafo de Da Vinci, Serge Bramly, autor del brillante libro Discovering the
Life of Leonardo da Vinci *[Descubriendo la vida de Leonardo da Vinci], comenta
las diferencias entre el trabajo del joven Leonardo y el de su maestro: "Las
radiografías del* Bautismo de Cristo *dejan ver las sorprendentes diferencias entre su
técnica y la de Verrocchio. En tanto que el maestro aún marca los relieves resaltando
los contornos con plomo blanco (que bloquea los rayos X y por tanto aparece
claramente en las radiografías), Leonardo superimpone delgadísimas capas de pintura
que no ha sido mezclada con blanco; su aplicación es tan suave y fluida que no se
pueden ver las pinceladas. Los rayos X atraviesan esta sección; el rostro del ángel
aparece completamente en blanco". Como si verdaderamente hubiera creado un ángel.*

máticos y artistas que Lorenzo cultivaba. Todo parece indicar que durante el período de su aprendizaje, el joven Leonardo vivió en la casa de
Medici.

Después de seis años con Verrocchio, Leonardo fue admitido en
1472 en la Compañía de San Lucas, un gremio de apotecarios, médicos

Busto de Lorenzo de' Medici, Il Magnifico, elaborado por Verrocchio.

y artistas, cuyo centro de operaciones era el Ospedale Santa Maria Nuova. Es probable que haya aprovechado la oportunidad que le brindaba la ubicación del gremio para profundizar sus estudios de anatomía. Los estudiosos más informados calculan que su evocación de San Jerónimo que se encuentra en la Galería del Vaticano —sobresaliente desde el punto de vista de la anatomía, y su *Anunciación* que se encuentra en los Uffizi, en Florencia, pertenecen a este período.

Podemos imaginar al joven Leonardo, que acaba de cumplir los veinte años, caminando por las calles de Florencia con sus medias de seda y sus largos rizos castaños claros que le caían como una cascada sobre los hombros de su túnica de terciopelo color rosa. Vasari exaltó "el

La Anunciación, *de Leonardo da Vinci. El fondo nublado, los detallados estudios botánicos y el cabello rizado y luminoso son señales tempranas del estilo del maestro.*

esplendor de su apariencia, que era extremadamente hermosa y tornaba serena un alma en pena". Famoso por su gracia, su belleza, su talento como narrador de historias, como humorista, mago y músico, es probable que Leonardo haya pasado gran parte de sus años mozos disfrutando de la vida. Pero este período de ligereza llegó a su fin abruptamente cuando, poco antes de cumplir veinticuatro años, fue arrestado y obligado a comparecer ante un comité del gobierno florentino para responder al cargo de sodomía. Podemos imaginar las brutales consecuencias, en alguien tan sensible, de ser acusado de lo que entonces era considerado una ofensa capital y ser encarcelado. Como él lo anotó: "Cuanta más sensibilidad, más sufrimiento... mucho sufrimiento".

Si bien con el tiempo los cargos fueron retirados por insuficiencia de pruebas, las semillas para la partida de Leonardo de Florencia ya habían sido sembradas. No obstante, en los años siguientes recibió varias comisiones, incluyendo algunas del gobierno florentino. La obra más significativa de este primer período florentino es, de lejos, *La adoración de los magos*, realizada por encargo de los monjes de San Donato a Scopeto.

San Jerónimo, *de Leonardo da Vinci.*
Esta pintura fue descubierta en el siglo
diecinueve. Estaba en dos pedazos, uno
de los cuales servía de mesa.

En 1482 Leonardo se trasladó a Milán. Bajo el patronato de Ludovico Sforza, El Moro, creó su obra maestra, *La última cena.* Pintada en la pared del refectorio de Santa Maria delle Grazie entre 1495 y 1498, esta obra captura con sorprendente fuerza psíquica el momento en el que Cristo proclama que "uno de vosotros me traicionará". Cristo aparece solo, resignado y sereno, en el centro de la mesa, mientras los discípulos se agitan confundidos a su alrededor. En esta composición geométricamente perfecta, en la que los discípulos se hacen contrapeso —a la izquierda y a la derecha, arriba y abajo— en cuatro grupos de tres, Leonardo logra traer a la vida lo que es característico y único de cada una de estas almas. La tranquilidad de Cristo, lograda a través del inconsútil sentido del orden y de la perspectiva de Leonardo, contrasta con la emoción humana y el caos que lo rodea para lograr un momento de trascendencia sin paralelo en la historia del arte. Aunque la pintura está

El crítico de arte Bernard Berenson calificó La adoración de los magos *(a la derecha) de "verdadera obra maestra", y añadió: "Quizás el quattrocento no produjo nada más grandioso". Trabajo preparatorio para* La adoración *(abajo).*

La última cena, *de Leonardo da Vinci. Imagine esta pintura vista a través de los ojos de los monjes que la encargaron. "Nunca antes había parecido tan cercano y tan real el episodio sagrado", comenta el historiador del arte E. H. Gombrich.*

considerablemente deteriorada, a pesar de —y en algunos casos a causa de— los repetidos intentos de restauración, sigue siendo, en palabras del historiador del arte E. H. Gombrich, "uno de los grandes milagros del genio humano".

Cuando no estaba cautivando con su encanto a la corte de Ludovico o creando pinturas trascendentales, Leonardo se dedicaba a estudiar anatomía, astronomía, botánica, geología, vuelo y geografía; hacía planos de sus inventos o ideaba innovaciones militares. Además, recibió de El Moro la importante comisión de construir un monumento ecuestre para honrar a su padre, Francesco Sforza, el anterior gran duque de Milán.

Después de realizar exhaustivas investigaciones acerca de la anatomía de los caballos y de sus movimientos, Da Vinci ideó un plan para crear un monumento ecuestre que habría sido el más espléndido jamás producido, en opinión de los críticos. Luego de más de una década de trabajo, Leonardo construyó un modelo de veinticuatro pies de alto. Vasari escribió que "nunca hubo nada más hermoso o más soberbio". Leonardo calculó que para fundir esta pieza necesitaría más de ochenta toneladas de bronce fundido. Este, sin embargo, no abundaba pues Ludovico lo necesitaba para construir cañones que lo ayudaran a mantener a raya a los invasores. Ludovico fracasó y en 1499 los franceses abatieron Milán y obligaron a Sforza a exiliarse. En un despliegue histórico de mal gusto y barbarie, sólo equiparable al del ejército otomano cuando voló la

*"Sobre el caballo no diré nada, pues conozco los tiempos".
De la carta de Leonardo a Ludovico, al enterarse de que no le suministrarían el bronce para el monumento.*

Dibujo de Leonardo de La Virgen y el Niño con santa Ana.

Ludovico Sforza, El Moro, regente de Milán y patrón de Leonardo.

nariz de la Esfinge o al de la flota veneciana que disparó un proyectil de mortero en el Partenón, los arqueros franceses destruyeron el modelo usándolo para practicar tiro al blanco.

La derrota de Ludovico significó que Leonardo ya no tenía patrón ni hogar. Regresó a Florencia en 1500 y al año siguiente reveló su dibujo preparatorio de *La Virgen con el Niño, santa Ana y san Juanito,* comisionado por los frailes servite. Al describir la reacción del público, Vasari escribe que la pintura "no sólo fascinaba a los artistas, sino que cuando fue exhibida... hombres y mujeres, ancianos y niños se agolparon durante dos días para verla, como si fuera época de festival, y se maravillaron en demasía". Aunque Leonardo nunca terminó la pintura para los servites, sus dibujos se convirtieron en la base de una obra posterior, la exquisitamente tierna *Virgen y Niño con santa Ana* que se encuentra ahora en Louvre.

En 1502 Leonardo abandonó la evocación sublime de la divina feminidad para convertirse en el jefe de ingenieros del escandaloso comandante de los ejércitos papales, César Borgia. Viajó extensamente todo el

Versión de Pedro Pablo Rubens de La batalla de Anghiari, *de Leonardo da Vinci.*

año siguiente, para hacer seis mapas notablemente precisos de Italia central, encargados por su nuevo patrón. A pesar de su acceso a los mapas y a las innovaciones militares de Leonardo, César Borgia vio cómo su fortuna en el campo de batalla menguaba. La Signoria de Florencia envió a Nicolás Maquiavelo para que aconsejara a Borgia en su lucha, pero ni siquiera el gran estratega logró impedir el colapso de las fuerzas de Borgia. Maquiavelo se hizo amigo de Leonardo en este período, amistad que le valió al maestro una importante comisión de la Signoria de Florencia después de su regreso, en abril de 1503.

Durante la misma época en que se dedicó a pintar *La batalla de Anghiari*, Leonardo hizo, según Vasari, un retrato de la tercera esposa de un noble florentino, Francesco del Giocondo. Madonna Elisabetta, llamada la Mona Lisa, sería inmortalizada en el más famoso y misterioso retrato de la historia. Leonardo llevó el retrato consigo cuando volvió a Milán, esta vez al servicio de Charles d'Amboise, virrey de Luis XII. Durante su segunda estadía en Milán, Leonardo se concentró en sus estudios de anatomía, geometría, hidráulica y vuelo, mientras diseñaba y decoraba palacios, planeaba monumentos y construía canales para su patrón. Leonardo también se las arregló para pintar su *San Juan y Leda y el cisne.*

En 1512, Maximiliano, el hijo de Ludovico, sacó a los franceses de Milán y estableció un breve reinado antes de ser depuesto. Leonardo huyó a Roma, donde buscó la protección de León X, el nuevo papa mediciano, cuyo hermano arregló las cosas para que Leonardo recibiera un estipendio y alojamiento en el Vaticano. Aunque el papa era un amante del arte, estaba demasiado preocupado con las comisiones que ya había otorgado a Miguel Ángel y a Rafael para prestarle demasiada atención a un Da Vinci de sesenta años de edad. En este período Leonardo raras veces tomó un pincel, y se concentró principalmente en sus estudios

William Manchester comenta lo siguiente sobre la falta de apoyo papal a Da Vinci: "De todos los grandes artistas del Renacimiento, sólo Da Vinci estaba destinado a caer en desgracia ante el Papa... En un sentido más amplio, él era una amenaza peor para la sociedad medieval que cualquier Borgia. César sólo mataba hombres. Da Vinci, como Copérnico, amenazaba la certeza de que el conocimiento había sido eternamente fijado por Dios, rígida perspectiva que no dejaba lugar para la curiosidad o la innovación. La cosmología de Leonardo era, de hecho, un mortal instrumento contra la fatuidad que, entre otras cosas, había permitido que una mafia de papas profanos deshonrara la cristiandad".

Francisco I, rey de Francia y patrón de Leonardo.

de anatomía, óptica y geometría. Sin embargo, sí conoció al joven Rafael, sobre quien ejerció una influencia notable.

El apoyo poco entusiasta del Vaticano desapareció del todo con la muerte de su protector en 1516. Antes de salir de Roma, Leonardo afirmó desencantado: "Los Medici me hicieron y me destruyeron".

Rodeado de su pequeña corte de pupilos y asistentes, Leonardo se abrió camino a través de Milán hasta Amboise, en el valle del Loira, seguro de que jamás regresaría a su tierra natal. Los últimos años de su vida los pasó bajo el patrocinio de Francisco I, rey de Francia. Aunque Da Vinci tuvo muchos patronos y admiradores a lo largo de su vida, el rey francés fue quizás el único que reconoció y apreció la singular naturaleza del genio de Leonardo. Francisco I le dio a Leonardo un her-

Damas y caballeros, ¡prepárense para la pelea! Bienvenidos a la Sala del Gran Consejo del Palazzo Vecchio para el Campeonato Mundial de Pintura, pesos pesados. En la pared de la izquierda, con la bata raída y la nariz rota, el retador, Miguel Ángel Buonarroti, pintará *La batalla de Cascina*, y en la pared opuesta, con su característica túnica color rosa y su rubia, rizada y bien cuidada barba, el campeón, Leonardo da Vinci, pintará *La batalla de Anghiari*.

Realmente esto sí sucedió, gracias en gran parte a la influencia de Maquiavelo. La Batalla de las Batallas es el evento florentino por antonomasia y refleja la actitud competitiva y aguda de los padres de la ciudad, claramente interesados en su legado. Infortunadamente, sólo conocemos ambos trabajos a través de bocetos, copias y descripciones escritas. Leonardo intentó un experimento para fijar la pintura a la pared y fracasó; abandonó el trabajo sin terminar cuando comenzó a deteriorarse y regresó a Milán en 1506. Miguel Ángel fue llamado a Roma por el papa Julio II y sólo dejó bocetos. Sin embargo, estos dos trabajos inconclusos ejercieron una profunda influencia en el futuro del arte. De acuerdo con Kenneth Clark, "los dibujos de las batallas de Leonardo y de Miguel Ángel son el punto culminante del Renacimiento... dan comienzo a dos estilos que la pintura del siglo XVI habrá de desarrollar: el barroco y el clásico".

¿Quién ganó la Batalla de las Batallas? Clark se maravilla ante el diseño barroco de Leonardo y exalta su inigualada versión de los caballos y de los rostros humanos individuales, a la vez que pone énfasis en el hecho de que probablemente sus contemporáneos favorecieron a Miguel Ángel a causa de la incomparable belleza de sus desnudos clásicos. Sabemos que Miguel Ángel copió partes del diseño de Da Vinci en su cuaderno y que Leonardo fue influenciado por su rival más joven para darle a sus propios desnudos una pose más heroica. Digamos que fue un empate.

moso castillo y un generoso estipendio y dejó al maestro en libertad para pensar y trabajar a su antojo. Aunque su título oficial era "pintor, ingeniero y arquitecto del rey", su obligación primordial era conversar, divagar y filosofar con su majestad. Según Benvenuto Cellini, Francisco I "afirmó que nunca había existido en este mundo un hombre que supiera tanto como Leonardo, y no sólo de escultura, pintura y arquitectura, pues además era un gran filósofo".

Bajo la protección del rey Francisco I, Leonardo perseveró en sus estudios, pero el tiempo se agotaba. Los años de exilio habían minado su vitalidad. Cuando un grave síncope le costó el uso de la mano derecha, Leonardo se dio cuenta de que moriría sin realizar su sueño de unificar todo el conocimiento. Sus últimos días, como casi toda su vida, están rodeados de misterio. "Así como un día bien empleado trae consigo el sueño anhelado, así una vida bien vivida trae consigo una muerte bendecida", escribió alguna vez. Sin embargo, en otra parte anotó: "No es sin gran disgusto que el alma abandona el cuerpo, y su tristeza y sus lamentaciones no son infundadas". Vasari nos cuenta que a medida que la muerte se acercaba, Leonardo, que nunca fue religioso pero siempre fue profundamente espiritual, "deseaba ser escrupulosamente informado de las prácticas católicas y de la buena y santa religión cristiana".

Leonardo da Vinci murió a la edad de sesenta y siete años, el 2 de mayo de 1519. Vasari asegura que en sus últimos días estaba lleno de arrepentimiento y se disculpaba "con Dios y con el hombre por haber dejado tantas cosas sin hacer". Sin embargo, hacia el final también escribió: "Seguiré adelante" y "Nunca me canso de ser útil". Vasari recuerda que Leonardo observaba y describía, con detalle científico, la naturaleza y los síntomas de su enfermedad mientras moría en brazos del rey francés. Aunque algunos estudiosos aseguran que hay documentos que prueban que Francisco I se encontraba en otra parte en el momento de la muerte de Da Vinci, la evidencia no es concluyente y Vasari podría estar en lo correcto. No resulta descabellado creer que el maestro, incluso en

Nicolás Maquiavelo. El príncipe de Maquiavelo es una obra maestra del pragmatismo y uno de los libros más influyentes del canon occidental.

César Borgia. Un estudio de la familia Borgia hace que la más escandalosa de las telenovelas modernas parezca discreta.

Este boceto de Leonardo del valle del río Arno, fechado 5 de agosto de 1473, rebosa con las fuerzas de la naturaleza.

el momento de su muerte, seguiría adelante con su proceso de aprendizaje y estudio.

La vida de Leonardo da Vinci es un misterioso tapiz, tejido de paradojas y teñido de ironía. Nadie ha intentado tanto en tantas áreas, y sin embargo gran parte de su trabajo quedó inconcluso. Nunca terminó *La última cena*, ni *La batalla de Anghiari*, ni el caballo de los Sforza. Sólo existen diecisiete pinturas suyas y varias de ellas están incompletas. Aunque sus cuadernos contienen información maravillosa, nunca los organizó ni los publicó, como pretendía.

Los estudiosos han ofrecido explicaciones de tipo social, político, económico y psicosexual sobre el hecho de que Da Vinci dejara tantas obras inconclusas. Algunos incluso lo han calificado de fracasado por haber dejado tanto sin terminar. No obstante, no deberíamos ignorar el argumento del profesor Morris Philipson en el sentido de que esto equivaldría a criticar a Colón por no haber descubierto la India.

Philipson y otros estudiosos están de acuerdo en señalar que el ejemplo del hombre mismo es más importante que cualquiera de sus logros específicos. Leonardo ofrece la inspiración suprema para el que mucho abarca y poco aprieta.

PRINCIPALES LOGROS

Se necesitaría una enciclopedia para hacerle justicia al vasto espectro cubierto por las obras de Leonardo. Sin embargo, podemos atisbar algunos de sus más notables logros en los campos del arte, la invención, la ingeniería militar y la ciencia.

Leonardo *el artista* cambió el rumbo del arte. Fue el primer artista occidental en hacer del paisaje el tema principal de la pintura. Fue pionero en el uso de los óleos y en su aplicación de la perspectiva, del claroscuro, del *contrapposto*, del *sfumato* y de muchos otros métodos innovativos e influyentes.

La *Mona Lisa* y *La última cena* de Leonardo son reconocidas universalmente como dos de las más grandes pinturas jamás producidas. Sin duda

En una expresión que más tarde volveremos a encontrar en Freud, Dmitry Merezhkovsky, autor de *The Romance of Leonardo da Vinci* [El romance de Leonardo da Vinci], comparó a Leonardo con "un hombre que se levanta demasiado temprano, cuando aún no amanece, y a su alrededor todo duerme".

Se cree que la figura de Platón, rey de los filósofos, en la obra maestra de Rafael
La escuela de Atenas, *se basa en la apariencia de Leonardo.*

son las más famosas, pero Leonardo también creó otras obras maravillosas como *La Virgen de las rocas*, *La Virgen y el Niño con santa Ana*, *La Adoración de los magos*, *San Juan Bautista* y su *Retrato de Ginebra Benci,* que está en la Galería Nacional de Washington, D.C.

Aunque las pinturas de Leonardo son escasas, sus dibujos son abundantes e igualmente magníficos. Al igual que la *Mona Lisa*, el *Canon de proporciones* de Leonardo se ha convertido en un ícono universal y familiar. Sus estudios para *La Virgen y el Niño con santa Ana* y las cabezas de los apóstoles en *La última cena*, así como sus dibujos de flores, de anatomía, de caballos, de vuelo y de agua que fluye son incomparables.

Leonardo también fue famoso como arquitecto y escultor. Gran parte de su trabajo arquitectónico se concentró en los principios generales del diseño, pero fue consejero en diversos proyectos prácticos como las catedrales de Milán y Pavía y el castillo del rey francés en Blois. Se cree que colaboró en muchas esculturas, pero los expertos están de acuerdo en afirmar que las únicas esculturas definitivamente tocadas por la mano del maestro son los tres bronces de la puerta norte del Baptisterio de Florencia. El *San Juan Bautista predicando a un levita y a un fariseo* fue creado en colaboración con el escultor Rustici.

Leonardo *el inventor* hizo los planos de una máquina voladora, de un helicóptero, de un paracaídas y de muchas otras maravillas incluyendo la escalera de extensión (que utilizan hasta el día de hoy los departamentos de bomberos), un aparato de cambios de tres velocidades, una máquina para cortar los hilos de las hélices, una bicicleta, una llave inglesa ajustable, un esnórquel, un gato hidráulico, el primer escenario giratorio del mundo, esclusas para un sistema de canales, una rueda hidráulica horizontal, muebles plegables, una prensa para aceitunas, una serie de instrumentos musicales automáticos, un reloj de alarma accionado con agua, un asiento terapéutico de brazos y una draga para limpiar vallados.

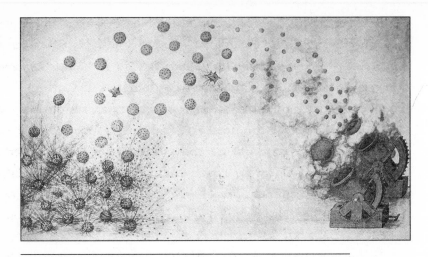

El diseño de Leonardo para un mortero rebosa de creatividad.

Cuadriga con guadaña y "tanque".

Más que por cualquiera de sus inventos, Leonardo merece crédito por ser pionero en el concepto de la automatización. Diseñó miles de máquinas que ahorraban trabajo e incrementaban la productividad. Aunque muchas eran caprichosas e imprácticas, otras, como los telares automáticos, eran portentos de la revolución industrial.

Como *ingeniero militar,* Da Vinci ideó armas que serían desplegadas cuatrocientos años después, como el tanque blindado, la ametralladora, el misil dirigido y el submarino. Sin embargo, hasta donde sabemos, nada de lo que él diseñó fue utilizado en su vida para hacerle daño a alguien más. Era un hombre de paz que se refería a la guerra como la *pazzia bestialissima,* "la locura furiosa", y que consideraba que el derramamiento de sangre era "infinitamente atroz". Sus instrumentos de guerra fueron diseñados "para preservar el don más precioso de la naturaleza, que es la libertad", escribió. En ocasiones los compartió con renuencia y uno de sus diseños iba acompañado de una nota escrita que nos permite adivinar su ambivalencia: "No deseo divulgar o publicar esto a causa de la naturaleza maligna del hombre".

Leonardo *el científico* es el tema de una incesante discusión entre los estudiosos. Algunos sugieren que si hubiera organizado sus pensamientos científicos y los hubiera publicado, habría tenido una influencia enorme en el desarrollo de la ciencia. Otros aseguran que estaba tan adelantado a su tiempo que su trabajo no hubiera sido apreciado incluso si hubiera llegado a formular teorías generales comprensibles. Si bien la faceta de Leonardo como científico se puede apreciar mejor por su valor intrínseco como expresión de su búsqueda de la verdad, muchos estudiosos están de acuerdo en que se le debe dar crédito por sus significativas contribuciones a diversas disciplinas:

Anatomía

+ Fue pionero de la anatomía comparativa moderna.
+ Fue el primero en dibujar partes del cuerpo en sección transversal.

- Dibujó las representaciones más detalladas y completas de humanos y de caballos.
- Llevó a cabo estudios científicos sin precedentes sobre el niño en el vientre.
- Fue el primero en hacer moldes del cerebro y de los ventrículos del corazón.

Botánica

- Fue pionero de la botánica moderna.
- Describió el geotropismo (atracción gravitacional de la Tierra sobre ciertas plantas) y el heliotropismo (atracción de las plantas hacia el Sol).
- Descubrió que la edad de un árbol corresponde al número de anillos de la sección transversal de su tronco.
- Fue el primero en describir el sistema de la organización foliar en las plantas.

Geología y física

- Hizo descubrimientos significativos sobre la naturaleza de la fosilización y fue el primero en documentar el fenómeno de la erosión del suelo. En sus palabras, "el agua roe las montañas y llena los valles".
- Sus estudios de física fueron el preludio de las modernas disciplinas de la hidrostática, la óptica y la mecánica.

Las investigaciones de Leonardo lo llevaron a anticipar muchos grandes descubrimientos, incluyendo los adelantos de Copérnico, Galileo, Newton y Darwin.

40 años antes de Copérnico — Da Vinci escribió, en letras grandes para destacarlo, *"IL SOLE NO SI MUOVE"*, "el Sol no se mueve". "La Tierra no está en el centro del círculo del Sol ni en el centro del universo", añadió.

60 años antes de Galileo — Sugirió que se empleara una "gran lente de aumento" para estudiar la superficie de la Luna y otros cuerpos celestes.

200 años antes de Newton — Anticipándose a la teoría de la gravedad, Leonardo escribió: "Todo peso tiende a caer hacia el centro por la ruta más corta posible". Y en otra parte añadió que dado que "toda sustancia pesada hace presión hacia abajo y no puede sostenerse erguida perpetuamente, la Tierra toda debe volverse esférica".

400 años antes de Darwin — Ubicó al hombre en la misma amplia categoría de los micos y los gorilas y escribió: "El hombre no se diferencia de los animales excepto en lo que es accidental".

Pero más valioso que cualquiera de sus logros científicos específicos fue la perspectiva desde la cual Leonardo se acercó al conocimiento y que preparó la escena para el pensamiento científico moderno.

SEGUNDA PARTE

Los siete
principios
davincianos

Curiosità

Una aproximación a la vida
marcada por una incesante
búsqueda del aprendizaje continuo.

odos llegamos al mundo llenos de curiosidad. La curiosità se construye sobre ese impulso natural, el mismo que lo llevó a usted a voltear la última página: el deseo de aprender más. Todos lo tenemos; el reto consiste en usarlo y desarrollarlo para nuestro propio beneficio. En los primeros años de vida nuestra mente está motivada por una sed insaciable de saber. Desde el nacimiento —e incluso antes, dirían algunos—, todos y cada uno de los sentidos del bebé están enfocados hacia la exploración y el aprendizaje. Como pequeños científicos, los bebés experimentan con todo lo que los rodea. Tan pronto como aprenden a hablar, los niños comienzan a articular una pregunta tras otra: "¿Cómo funciona esto?" "Mamá, ¿cuándo nací?" "Papá, ¿de dónde vienen los bebés?"

> *"El deseo de aprender es natural en los hombres buenos".*
> —Leonardo da Vinci

Cuando niño, Leonardo poseía esta intensa curiosidad acerca del mundo que lo rodeaba. La naturaleza lo fascinaba, demostró tener un extraordinario talento para el dibujo y amaba las matemáticas. Vasari dejó constancia de que el joven Leonardo interrogaba a su maestro de matemáticas con tal originalidad que, "como dudaba continuamente y creaba tantas dificultades, el maestro que le enseñaba con frecuencia se confundía".

Las grandes mentes siguen haciendo preguntas que confunden con la misma intensidad durante toda su vida. El asombro infantil de Leonardo y su insaciable curiosidad, la amplitud y la profundidad de su interés y su intención de cuestionar el saber aceptado nunca menguaron. La curiosità fue el combustible que alimentó la fuente de su genio a lo largo de su vida adulta.

¿Cuáles eran los motivos de Leonardo? En su libro *The Creators: A History of Heroes of the Imagination* [Creadores: Historia de los héroes de la imaginación], Daniel Boorstin, ganador del premio Pulitzer, nos cuenta cuáles no eran. "A diferencia de Dante, no sentía pasión por una mujer. A diferencia de Giotto, de Dante o de Brunelleschi, no parece haber tenido lealtades cívicas. Ni devoción hacia la Iglesia o hacia Cristo. Aceptó gustosamente comisiones de los Medici, los Sforza, los Borgia o los reyes franceses —de los papas y de sus enemigos. Carecía de la mundanalidad sensual de un Boccaccio o de un Chaucer, de la temeridad de un Rabelais, de la piedad de un Dante o de la pasión religiosa de un Miguel Ángel". La lealtad, la devoción y la pasión de Leonardo, en cambio, estaban dirigidas hacia la búsqueda de la belleza y de la verdad. Tal como lo sugirió Freud, "transmutó su pasión en curiosidad".

La curiosidad de Leonardo no se limitaba a sus estudios formales; acompañaba y ampliaba su experiencia cotidiana del mundo que lo rodeaba. "¿No vemos acaso cuán extensos y variados son las actos del hombre? ¿No vemos acaso cuántas clases diferentes de animales hay, y también de árboles y de plantas y de flores? ¿Qué variedad de lugares montañosos y planos, de arroyos, de ríos, de ciudades, de edificios públicos y privados; de instrumentos aptos para uso humano; de costumbres diversas, de ornamentos, de artes?", dice en uno de sus cuadernos.

"Estuve vagando por el campo en busca de respuestas a las cosas que no entiendo", añadió en otra parte. "Por qué hay conchas en las cimas de las montañas, junto con huellas de corales y de plantas y de algas que usualmente se encuentran en el fondo del mar. Por qué el trueno se demora más que aquello que lo causa y por qué en el momento mismo de su creación el rayo se vuelve visible al ojo en tanto que el trueno necesita tiempo para llegar. Cómo se forman varios círculos de agua alrededor del punto donde ha caído una piedra, y por qué se sostiene un pájaro en el aire. Estas cuestiones y otros extraños fenómenos ocupan mi pensamiento a lo largo de mi vida".

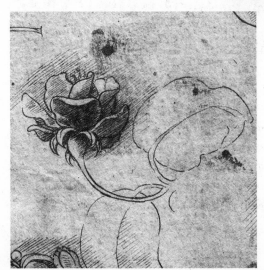

Flor vista desde tres puntos de vista,
de Leonardo da Vinci.

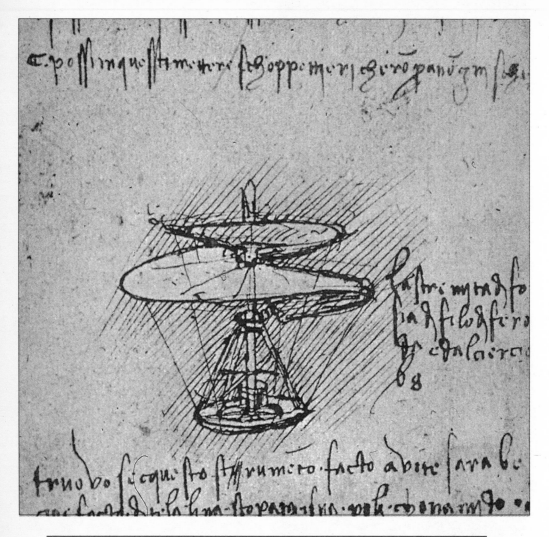

Además del helicóptero y de otras máquinas voladoras, Leonardo también desarrolló un paracaídas: "Si un hombre tuviese una carpa hecha de lino, cuyas aberturas estén todas obstruidas y que fuese de doce codos de longitud y doce de profundidad, podría arrojarse desde cualquier gran altura sin hacerse daño". El trabajo de Leonardo en el paracaídas es particularmente asombroso: nadie hasta ese momento había podido volar y él diseñó un sistema para botarse de una máquina voladora. Lo más increíble es que las proporciones de Leonardo para un paracaídas fueron las únicas que realmente funcionaron.

El intenso deseo de Leonardo de entender la esencia de las cosas lo condujo a desarrollar un estilo investigativo tan notable por la profundidad de su estudio como por la amplitud de sus temas. Kenneth Clark, quien dijo de él que era "el hombre más curioso que jamás haya existido", describe así la búsqueda inexorable de Da Vinci: "No le servía que le respondieran que sí". En sus investigaciones anatómicas, por ejemplo, Leonardo hizo la disección de cada una de las partes del cuerpo desde por lo menos tres ángulos diferentes. Y escribió:

> Esta descripción del cuerpo humano será tan clara como si tuviéramos al hombre natural al frente; y la razón es que si uno quisiera conocer a fondo las partes del hombre, anatómicamente, uno, o nuestros ojos, debe verlo desde diferentes aspectos, examinarlo por debajo y por encima y por los lados, dándole vueltas y buscando el origen de cada miembro... Por lo tanto a partir de mis dibujos podremos reconocer cada una de las partes, y en todas sus expresiones, desde tres puntos de vista de cada parte.

Pero su curiosidad no cesaba allí: Da Vinci estudió todo con el mismo rigor. Si era posible entender el cuerpo con más profundidad gracias a las perspectivas múltiples, también ellas lo ayudarían a evaluar sus intentos de compartir ese conocimiento. El resultado: capa sobre capa de rigurosos exámenes, todos diseñados para refinar no sólo su comprensión sino su expresión, tal como lo explica en su *Tratado de pintura*:

> Sabemos bien que es más fácil detectar los errores en los trabajos de los demás que en los propios... Cuando estamos pintando debemos usar un espejo plano y mirar con frecuencia nuestro trabajo reflejado en él, y allí lo veremos al revés, y parecerá que fue hecho por la mano de algún otro maestro y entonces podremos juzgar mejor sus fallas que de cualquier otra manera.

No contento con una sola estrategia para evaluar su trabajo objetivamente, añade: "También es un buen plan alejarse y relajarse un poco de vez en cuando; al regresar al trabajo nuestro juicio será más certero, pues al trabajar constantemente perdemos el poder de juicio".

Y por último sugiere: "También es aconsejable alejarse a una cierta distancia, porque allí la obra parecerá más pequeña y se podrá ver más de ella en una sola mirada y se podrá notar con más presteza cualquier falta de armonía o de proporción en las diferentes partes y en los colores de los objetos".

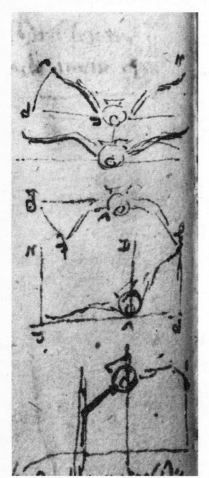

Estudio de pájaros volando, de Leonardo da Vinci.

Su incansable búsqueda de la verdad también lo inspiró a mirar la realidad desde perspectivas inusuales y extremas. Lo llevó bajo el agua (diseñó un esnórquel, un equipo de inmersión y un submarino) y al cielo (diseñó un helicóptero, un paracaídas y su famosa máquina voladora). En su pasión por entender bajó a profundidades jamás exploradas y se elevó a alturas previamente inimaginables.

"Pues en verdad el gran amor nace de un gran conocimiento del objeto amado".

–Leonardo da Vinci

La fascinación de Leonardo con el vuelo —sus estudios de la atmósfera, de los vientos y, especialmente, de los movimientos de los pájaros— es una metáfora ineludible de su vida y de su obra. En una página de sus cuadernos se puede ver un pájaro en una jaula acompañado del siguiente comentario: "Los pensamientos vuelan hacia la esperanza". Observa poéticamente que una madre jilguero, al ver a sus hijos enjaulados, los alimenta con un trozo de una planta venenosa. "Mejor muertos que sin libertad", anota.

Giorgio Vasari nos informa que durante sus frecuentes paseos por las calles de Florencia, Leonardo se topaba a cada rato con vendedores de pájaros enjaulados. Da Vinci tenía la costumbre de detenerse, pagar el precio exigido y después abrir la puerta de la jaula para liberar a los prisioneros hacia el infinito cielo azul. Para Leonardo, la búsqueda del conocimiento abría la puerta que conducía a la libertad.

LA CURIOSITÀ Y USTED

Las grandes mentes se hacen grandes preguntas. Las preguntas que ocupan nuestra mente a diario reflejan nuestras metas e influyen en la calidad de nuestra vida. Al cultivar una actitud mental davinciana, abierta e inquisitiva, ampliaremos nuestro universo y mejoraremos nuestra capacidad de viajar a través de él.

¿Usted ya ha abierto las puertas que lo conducen a la libertad? Los ejercicios que vienen a continuación fueron diseñados para ayudarlo a lograrlo. Pero antes deténgase un momento a reflexionar sobre la frecuencia y la eficiencia con que usted pone a trabajar su curiosità y cómo podría beneficiarse si lo hace más a menudo.

Considere el papel que la curiosità desempeña hoy en su vida. Pregúntese cuán curioso es. ¿Cuándo fue la última vez que buscó el conocimiento con el único propósito de perseguir la verdad? Y ¿qué ganó con ese esfuerzo? Piense en las personas que conoce. ¿Alguna de ellas personifica los ideales de la curiosità? ¿Cómo se ha enriquecido la vida de estas personas?

Las notas de Leonardo, escritas al revés, fueron pensadas para ser leídas en un espejo. Los estudiosos han discutido el propósito de esta "escritura en espejo". Algunos sugieren que servía para proteger la privacidad de sus pensamientos, mientras que otros afirman que no era más que una cuestión de conveniencia para un zurdo.

Desarrollar la curiosità y ponerla a funcionar es más fácil de lo que usted tal vez piensa. Primero debe responder el cuestionario de autoevaluación en la página siguiente; sus respuestas indicarán cómo la está usando y en dónde puede mejorar. Después debe intentar cultivar su curiosità con los sencillos ejercicios que siguen a continuación.

Curiosità:
Autoevaluación

❑ Mantengo un diario o un cuaderno donde registro mis percepciones y mis interrogantes.

❑ Dedico un tiempo suficiente a la contemplación y a la reflexión.

❑ Siempre estoy aprendiendo algo nuevo.

❑ Cuando enfrento una decisión importante, busco diferentes perspectivas.

❑ Soy un lector voraz.

❑ Aprendo de los niños pequeños.

❑ Soy hábil en la identificación y solución de problemas.

❑ Mis amigos me describirían como alguien abierto y curioso.

❑ Cuando oigo o leo una palabra o expresión nueva, la busco y la anoto.

❑ Sé muchas cosas sobre diferentes culturas y siempre estoy aprendiendo más.

❑ Hablo o estoy aprendiendo un idioma diferente de mi lengua materna.

❑ Pido información a mis amigos, a mis conocidos y a mis colegas.

❑ Adoro aprender.

Bill Gates pagó 30,8 millones de dólares en noviembre de 1994 por dieciocho páginas de los cuadernos de Leonardo.

Curiosità:
Aplicaciones y ejercicios

Mantenga un Diario o "Cuaderno"

"Ésta pretende ser una recopilación sin orden, de cosas tomadas de aquí y de allá que he copiado aquí con la esperanza de que después pueda organizarlas según los temas de los que se ocupan; y me parece que tendré que repetir lo mismo muchas veces; por lo cual, querido lector, no he de ser recriminado..."

—Tomado de la primera página de uno de los manuscritos de Leonardo sobre física

Leonardo da Vinci siempre llevaba un cuaderno consigo para poder anotar sus ideas, sus impresiones y sus observaciones a medida que éstas ocurrían. Sus cuadernos (existen siete mil páginas, pero la mayoría de los estudiosos consideran que esto es más o menos la mitad de lo que le dejó a Francesco Melzi en su testamento) contenían chistes y fábulas, observaciones y pensamientos de los personajes que admiraba, registros de sus finanzas personales, cartas, reflexiones sobre problemas domésticos, divagaciones filosóficas y profecías, planos de sus inventos y tratados de anatomía, botánica, geología, vuelo, agua y pintura.

Con frecuencia en la misma página aparecen notas sobre diferentes temas y muchas observaciones aparecen más de una vez, en diferentes secciones. Las páginas, por supuesto, están llenas de gloriosos bocetos, de garabatos y de ilustraciones. Si bien expresó su intención de organizar y publicar algún día, nunca lo hizo. Estaba demasiado ocupado buscando la verdad y la belleza. El proceso de registrar las preguntas, las observaciones y las ideas era de gran importancia para Da Vinci.

Usted puede, como Leonardo, llevar un diario o un cuaderno para practicar la curiosità. Lo más indicado es conseguir un cuaderno de tapa dura o un diario con las páginas en blanco. Cualquier cosa estará bien: desde la versión más barata hasta un cuaderno elegante con una imagen que lo inspire en la tapa. Lo importante es llevarlo a todas partes y escribir en él periódicamente. El cuaderno se podría complementar con libretas de anotaciones y archivos sobre temas diversos. También puede cortar y coleccionar artículos de periódicos y de revistas, o bajar información de Internet sobre cualquier asunto que le llame la atención: ciencia, arte, música, comida, salud...

Tal como lo hizo Leonardo, usted debe usar su cuaderno para registrar preguntas, observaciones y percepciones, chistes, sueños y divagaciones (la escritura en espejo es opcional).

El trajín de la vida ocupada y el trabajo y sus responsabilidades laborales hacen que a veces prefiramos las conclusiones definitivas y los resultados mensurables, pero la práctica davinciana de mantener un cuaderno exploratorio, libre, inconcluso y carente de juicios de valor estimula la libertad de pensamiento y la ampliación de los horizontes. Siguiendo el ejemplo del maestro, no se preocupe por el orden o la lógica, sólo por anotar todo lo que se le ocurra.

He aquí algunos ejercicios para la curiosità que usted puede practicar en su cuaderno:

Cien preguntas

Escriba en su cuaderno una lista de cien preguntas importantes para usted. Esta lista puede incluir cualquier tipo de pregunta en tanto que usted la considere significativa. Cualquier cosa desde "¿Cómo puedo ahorrar dinero?" o "¿Cómo puedo divertirme más?" hasta "¿Cuál es el sentido y el significado de mi existencia?" y "¿Cómo puedo servirle al Creador?"

Debe hacer la lista en una sola sentada y escribir rápidamente, sin preocuparse de la ortografía o de la gramática, o de repetir la misma pregunta en otras palabras (las preguntas recurrentes alertarán sobre los temas que van surgiendo). ¿Por qué cien preguntas? Las primeras veinte son lo primero que se le ocurre. En las siguientes treinta o cuarenta empiezan a surgir temas. Y en la última parte de la segunda mitad de la lista es posible que usted descubra material inesperado y profundo.

Cuando haya terminado, lea la lista y subraye los temas que han surgido. Esos temas deben ser analizados sin recurrir a juicios de valor. ¿La mayoría de las preguntas se refieren a las relaciones personales? ¿A los negocios? ¿A la diversión? ¿Al dinero? ¿Al significado de la vida?

Las primeras diez preguntas

Revise la lista de cien preguntas para escoger las diez que parezcan más significativas. Luego numérelas en orden de importancia, de uno a diez. (Claro que puede añadir nuevas preguntas o cambiar el orden cuando quiera.) No intente responderlas inmediatamente: ya ha hecho suficiente poniéndolas por escrito en un lugar donde las encontrará con facilidad.

Diez preguntas de rigor

Las siguientes preguntas han salido de la lista de las primeras diez de varias personas. Estas preguntas son catalizadores poderosos del crecimiento y la realización personal. Cópielas en su cuaderno para que reflexione sobre ellas:

+ ¿Cuándo me siento más yo mismo, al natural, sin artificios?
+ ¿Qué personas, lugares y actividades me permiten ser más yo mismo?
+ ¿Qué cosa puedo dejar de hacer, o empezar a hacer, o hacer de otro modo *a partir de hoy* para mejorar la calidad de mi vida?
+ ¿Cuál es mi mayor talento?
+ ¿Cómo puedo lograr que me paguen por hacer lo que me gusta hacer?

- ¿Qué personas son las que me sirven de modelo y más me inspiran?
- ¿Cómo puedo servirles más a los demás?
- ¿Cuál es el deseo más profundo de mi corazón?
- ¿Cómo me perciben mi mejor amigo, mi peor enemigo, mi jefe, mis hijos, mis compañeros de trabajo, etc.?
- ¿Cuáles son mis mayores privilegios?
- ¿Qué legado me gustaría dejar cuando muera?

¿Cómo vuela un pájaro?

Escoja uno de los siguientes temas, inspirados en el apasionado cuestionamiento de Da Vinci: un pájaro en vuelo, el agua que fluye, el cuerpo humano, un paisaje, la luz que se refleja, un nudo o una trenza. Y en su diario, formule al menos diez preguntas al respecto. Una vez más, no es necesario escribir las respuestas; en la curiosità, lo importante son las preguntas. Por ejemplo: ¿Cómo vuela un pájaro?

- ¿Por qué tiene dos alas?
- ¿Por qué tiene plumas?
- ¿Cómo "despega"?
- ¿Cómo desacelera?
- ¿Cómo acelera?
- ¿Qué tan alto puede volar?
- ¿Cuándo duerme?
- ¿Qué tan buena es su vista?
- ¿Qué come?

Tome luego un tema de su vida personal o profesional y haga el mismo ejercicio: formule diez preguntas sobre su carrera, sus relaciones, su salud. Anote las preguntas en el diario, pero sin responderlas; sólo las preguntas.

Observación con tema

Tener un tema puede resultar una herramienta poderosa a la hora de concentrar la curiosità. Una forma de empezar puede ser elegir un tema del día y anotarlo en el cuaderno. Usted podrá garrapatear sus pensamientos a lo largo del día o tomar notas mentales para escribirlas después, en un momento tranquilo antes de acostarse. Trate de hacer observaciones exactas y simples. No hay nada de malo en la especulación, la opinión y la teoría, pero las observaciones reales son el recurso más rico.

En la lista de las cien preguntas o en la de las preguntas de rigor habrá muchos temas para desarrollar este ejercicio. Usted puede, además, escoger cualquiera de los que vienen a continuación, o formular los suyos propios. Entre los temas favoritos están las emociones, la vista, el oído, el tacto, la estética y los animales. Haga este ejercicio por su cuenta o elija un tema con un amigo y compare notas al final del día.

Ejemplo de un ejercicio temático

Mi amigo Michael Frederick es director de teatro, instructor de actuación y maestro del método Feldenkrais, de la técnica Alexander y de yoga. Ha hecho trabajo temático durante más de veinticinco años. Gentilmente accedió a compartir el siguiente ejemplo inédito de su cuaderno:

Enero 10 de 1998. Tema: contacto con los objetos materiales

1) 7:40 a.m. Noté la sensación que me produjo el primer contacto de los pies con el piso. Éste me sostenía y me permitía seguir estirándome, mientras me levantaba por primera vez en el día.

2) 8:20 a.m. Mientras me cepillaba los dientes, advertí que agarraba con fuerza el cepillo de dientes con la mano derecha y esa tensión se difundía por mi brazo y mi hombro provocando tensión en el cuello. Después miré en el espejo y me di cuenta de que me estaba encorvando.

3) 11:30 a.m. Estoy sosteniendo el teléfono con el hombro derecho y la cabeza, y esa posición me causa dolor en el brazo y el hombro. Observación similar a la del cepillo de dientes. Me agarro de los objetos con un esfuerzo excesivo... como si mi vida dependiera de ello.

4) 4:30 p.m. Mientras me comía un emparedado de afán, noté que tragaba la comida sin prestar atención a lo que estaba comiendo. La velocidad era importante y eso me hizo perder contacto con el sabor e incluso con la clase de ingredientes que componían el emparedado.

5) 5:30 p.m. También me di cuenta de que hoy la puesta de sol y la tibieza de éste en contacto con mi cara me permitió bajar el ritmo y ver lo que tenía enfrente (y así me trajo más hacia el momento presente).

6) 9:30 p.m. Estoy revisando la correspondencia de hoy. Tener que dedicarle tiempo a la basura que llega por el correo, me hace sentir como si mi vida estuviera dedicada a seleccionar, archivar, arreglar y manipular objetos materiales. ¡Me convierto en el "guardián" de esos objetos!

7) 10:30 p.m. Con este bolígrafo en la mano me doy cuenta de cuán poco esfuerzo se necesita para escribir. El bolígrafo trabaja muy bien, y no tengo que hacer el esfuerzo adicional de empujar.

Ejercicio de contemplación

En una era de fragmentos de información, la contemplación se está convirtiendo en un arte extinto. El lapso de atención ha disminuido y el alma sufre. "Contemplar", tal como lo define el diccionario de la Real Academia Española, significa "poner la atención en alguna cosa material o espiritual". Viene del latín *contemplari,* que significa "mirar atentamente".

Elija cualquier pregunta del ejercicio anterior —la primera, por ejemplo: ¿Qué personas, lugares y actividades me permiten sentirme más completamente yo mismo?— y déle vueltas en la cabeza por un rato; por lo menos diez minutos. Una manera de hacerlo es tomar una hoja grande y escribir la pregunta con letras grandes y gruesas. Después,

+ Busque un lugar tranquilo y privado y cuélguela en la pared, frente a usted.
+ Relájese y respire profundamente, expulsando el aire con lentitud.
+ Simplemente siéntese a solas con su pregunta.
+ Cuando su mente empiece a dispersarse, tráigala de vuelta leyendo otra vez la pregunta en voz alta. Este ejercicio de contemplación es particularmente valioso antes de dormir y al despertar. Cuando lo practicamos con sinceridad, nuestra mente "incuba" percepciones durante la noche.

Ejercicio del flujo de conciencia

Un poderoso complemento de la contemplación, la escritura en flujo de conciencia es una herramienta maravillosa para sondear la profundidad de nuestros interrogantes. Escoja una pregunta y escriba sus pensamientos y asociaciones en el cuaderno, a medida que aparecen, sin editar.

Dedique al menos diez minutos a escribir sus respuestas. El secreto de una buena escritura en flujo de conciencia es *no dejar de mover el bolígrafo*, no alejarlo del papel ni detenerse a corregir la ortografía y la gramática: escribir continuamente.

Escribir en corriente de conciencia deja como resultado una cantidad de sin sentidos y de redundancias, pero puede llevarnos a una percepción y una comprensión profundas. No se preocupe si lo que escribe parece un galimatías: ello es señal de que usted ha superado los aspectos superficiales, habituales de su proceso de pensamiento. Si persevera y mantiene el bolígrafo sobre el papel, moviéndolo continuamente, con el tiempo abrirá una ventana a través de la cual brillará su inteligencia intuitiva.

+ Descanse brevemente después de cada sesión de flujo de conciencia.
+ Retome su cuaderno y lea en voz alta lo que ha escrito.
+ Resalte las palabras o las frases que tengan más significado para usted.

- Una vez más, busque temas, el comienzo de un poema y más interrogantes.
- Considere la metáfora en el lema del poeta: "Escribir borracho, revisar sobrio".

Los ejercicios de contemplación y de flujo de conciencia son herramientas excelentes para la solución de problemas personales y profesionales. Ahora veamos un poco más sobre el papel que desempeña la curiosità en la solución de problemas.

LA CURIOSITÀ Y LA SOLUCIÓN CREATIVA DE PROBLEMAS

Volvamos a nuestros días de colegio. Todos recordamos lo que la curiosidad le hizo al gato. Pero ¿qué le sucedió a los niños que hicieron demasiadas preguntas? Era común oír a las maestras irritadas y agotadas quejarse de cómo no tenían "tiempo suficiente para todas esas preguntas; tenemos un programa que cumplir". A los niños de hoy que insisten en hacer preguntas se les diagnostica un trastorno de atención o se les considera "hiperactivos" y se los trata con ritalina y otros medicamentos. Si el joven Leonardo viviera hoy y fuera a la escuela, posiblemente estaría en tratamiento.

Si bien todos empezamos la vida con una curiosidad insaciable, como la de Da Vinci, la mayoría aprendimos, al llegar a la escuela, que

¿Por qué es azul el cielo? He aquí la respuesta de Leonardo: "Yo digo que el azul que el aire nos hace ver no es su verdadero color, sino que este color proviene del aire tibio y húmedo que se ha evaporado en partículas minúsculas e imperceptibles y éstas, al ser tocadas por la luz del sol, se vuelven luminosas bajo la opacidad de la poderosa oscuridad que las cubre como una tapa".

las respuestas eran más importantes que las preguntas. En la mayoría de los casos la educación escolar no desarrolla la curiosidad, ni el gusto por la ambigüedad, ni la habilidad de hacer preguntas. La habilidad intelectual que se premia es la capacidad de producir la "respuesta correcta", es decir, la respuesta que conoce la persona que tiene el control, el maestro. Este patrón persiste en la universidad y en los posgrados, en particular en aquellos cursos en los que el profesor escribió el texto. (En un estudio ya clásico realizado en una famosa universidad, los graduados *summa cum laude* volvieron a presentar el examen final un mes después de la graduación y todos lo perdieron. El investigador Leslie Hart resumió así los resultados: "¡Los exámenes finales son realmente finales!"). Es posible que la educación dirigida hacia la complacencia de la autoridad, la supresión de las preguntas y el respeto de las reglas haya sido útil para dotar a la sociedad con trabajadores aptos para una línea de montaje y con burócratas, pero no nos preparará para un nuevo Renacimiento.

La vida de Leonardo da Vinci fue un continuo ejercicio de la solución creativa de problemas en campos de la mayor importancia. El principio de la *curiosità* nos suministra la clave fundamental para comprender su método. Se inicia con una curiosidad intensa y una mente abierta y continúa con una cascada de preguntas formuladas desde diferentes perspectivas.

Si afinamos nuestra habilidad para formular preguntas, ampliaremos nuestra capacidad de resolver problemas, tanto en el trabajo como en la casa. Para muchas personas esto supone dejar de poner énfasis en la búsqueda de la "respuesta correcta" y empezar a cuestionarse acerca de si "ésta es la pregunta correcta" y "¿de qué otras formas puedo considerar este problema?"

Para tener éxito en la solución de problemas con frecuencia es necesario replantear la pregunta o estudiarla desde otro ángulo. El ángulo desde el cual se plantean las preguntas puede variar, y la escogencia de uno u otro ángulo tendrá una influencia dramática en nuestra habilidad para encontrar soluciones. El psicólogo Mark Brown habla de una evolución en la manera de formular preguntas, que tuvo como consecuencia una transformación fundamental en las sociedades humanas. Las sociedades nómadas se basaban en la pregunta "¿Cómo llegamos al agua?", y se volvieron culturas estables y agrarias cuando empezaron a preguntarse, "¿Cómo hacemos que el agua llegue hasta nosotros?"

Algunos se complacen en divagar en torno del acertijo filosófico: "¿Cuál es el significado de la vida?" Pero los filósofos más prácticos se preguntan: "¿Cómo puedo hacer que mi vida tenga más significado?"

Buscando la pregunta

¿Cómo podemos pulir nuestra capacidad de hacer preguntas para que comiencen a llegarnos las soluciones? Habría que empezar por formular las preguntas simples, ingenuas, que las personas sofisticadas tienden a ignorar. Las preguntas que Da Vinci se hacía eran en ocasiones sorprendentemente sencillas, como cuando escribió: "Me pregunto por qué el golpe del martillo hace que la puntilla salte", o "¿Por qué es azul el cielo?"

Hágase preguntas extrañas, como, por ejemplo: ¿Por qué está desnudo el emperador? ¿Por qué es esto un problema? ¿Es ésta verdaderamente la cuestión esencial? ¿Por qué lo hemos hecho siempre de esta manera? Intente hacer preguntas que no hayan sido formuladas antes.

Escriba en su cuaderno una pregunta o un problema que lo preocupe en su vida personal o profesional y pregúntese: ¿Cuál? ¿Cuándo? ¿Quién? ¿Cómo? ¿Dónde? y ¿Por qué?

¿Cuál es el problema? ¿Cuáles son los temas subyacentes? ¿Cuáles las preconcepciones, los prejuicios o los paradigmas que pueden estar influyendo mi percepción? ¿Cuáles son las consecuencias si lo ignoro? ¿Y las opciones que no he considerado aún? ¿Y los problemas que surgirán a raíz de la solución de éste? ¿Cuáles son las metáforas de la naturaleza que me servirán para entenderlo mejor?

Una de las técnicas favoritas de Leonardo era buscar metáforas ilustrativas en la naturaleza. Cuando diseñó la magnífica escalera en espiral para el castillo del rey francés en Blois, por ejemplo, se inspiró en las conchas retorcidas de los caracoles que había recogido en la orilla noroccidental de Italia años antes. Su diseño de los tubos musicales, similar al de la flauta dulce, surgió de su estudio de la laringe humana.

Más recientemente, una escultura del oído inspiró a Alexander Graham Bell para que inventara el teléfono; los carditos que se prenden al pantalón durante los paseos por un bosque inspiraron al inventor del cierre de velcro; y el inventor de la tapa de las latas de aluminio se inspiró preguntándose a sí mismo lo siguiente: "¿Qué se abre fácilmente en la naturaleza?" En su mente surgió de inmediato la imagen de un banano, que a su vez generó la siguiente pregunta: "¿Cómo puede el diseño del banano servir de modelo en la tarea que me ocupa?"

¿**Cuándo** empezó? ¿Cuándo sucede? ¿Cuándo no sucede? ¿Cuándo se sentirán las consecuencias? ¿Cuándo tiene que estar resuelto?

¿**Quién** se preocupa por esto? ¿Quién se ve afectado? ¿Quién lo creó? ¿Quién lo perpetúa? ¿Quién puede ayudar a resolverlo?

¿**Cómo** sucede? ¿Cómo conseguir información objetiva? ¿Cómo considerarlo desde perspectivas diferentes? ¿Cómo cambiarlo? ¿Cómo sabré que ha sido resuelto?

¿**Dónde** sucede? ¿Dónde empezó? ¿Dónde no habré buscado? ¿Dónde ha sucedido lo mismo antes?

¿**Por qué** es importante? ¿Por qué empezó? ¿Por qué continúa?

Pregúntese por qué, por qué, por qué, por qué... para llegar al fondo de un asunto.

> "No le bastaba con dejar constancia de cómo funcionaba algo: quería averiguar además por qué. Fue esta curiosidad la que transformó al técnico en un científico".
>
> –Kenneth Clark, refiriéndose a Leonardo

LA CURIOSITÀ Y EL APRENDIZAJE CONTINUO

Leonardo conocía la importancia del aprendizaje continuo: "Así como el hierro se oxida cuando no lo usamos y el agua estancada se pudre, o cuando el frío se vuelve hielo, así nuestro intelecto se pierde cuando dejamos de usarlo". La búsqueda incesante del conocimiento es el motor del espíritu davinciano. Evidentemente es ese espíritu el que lo inspira a usted a leer este libro. Y aunque aspirar al dominio de todo el saber puede ser poco práctico, nos empaparemos más del espíritu davinciano si aprendemos una nueva disciplina.

En los últimos veinte años les he preguntado a miles de personas

CURIOSITÀ EN EL TRABAJO

Gran parte de las innovaciones en el mundo de los negocios se han inspirado en la pregunta, "¿Qué pasaría si...?". La economía multibillonaria de Silicon Valley se inspiró esencialmente en la pregunta, "¿Qué pasaría si los hiciéramos [los chips de computadores] más pequeños?" La locura de ofrecer rebajas como incentivo de ventas nació de la pregunta, "¿Qué pasaría si les pagáramos a nuestros clientes por comprar?" Esta clase de preguntas estimulan la imaginación y amplían nuestras perspectivas. Piense en cualquier producto o servicio que quiera ofrecer y pregúntese, ¿Qué pasaría si... lo redujera? ¿lo ampliara? ¿lo hiciera más liviano? ¿lo hiciera más pesado? ¿le cambiara la forma? ¿lo volviera al revés? ¿lo apretara? ¿lo aflojara? ¿le añadiera algo? ¿le quitara algo? ¿intercambiara piezas? ¿permaneciera abierto veinticuatro horas al día? ¿lo garantizara? ¿le cambiara el nombre? ¿lo hiciera reciclable, más fuerte, más débil, más blando, más duro, portátil, inamovible? ¿duplicara su precio? ¿le pagara a los clientes para que lo compraran? La gente más feliz del mundo se pregunta, ¿Qué pasaría si encontrara la manera de que me pagaran por hacer lo que me gusta hacer?

qué aprenderían si pudiesen aprender cualquier cosa. Las respuestas más usuales son: a interpretar un instrumento musical; a hablar otro idioma (Leonardo aprendió latín por sí mismo cuando tenía cuarenta y dos años); a bucear, a navegar o a hacer paracaidismo; a jugar tenis o golf; a dibujar, a pintar o a hacer escultura; a actuar; a cantar; a escribir poesía o novelas; a hacer yoga, a bailar o a practicar artes marciales. Yo he bautizado a estos pasatiempos como "ideales" o "soñados" y he descubierto que las personas que se dedican a ellos con pasión viven vidas más ricas, más satisfactorias.

Durante muchos años he estimulado a la gente para que empiece a practicar su pasatiempo ideal. En ese tiempo he oído toda clase de excusas para no hacerlo —y he desarrollado respuestas para cada una de ellas. Cuando me dicen, "Nunca seré lo suficientemente bueno", les digo que tienen que sobreponerse a eso: Da Vinci tampoco se sintió satisfecho con lo que hizo. Cuando me dicen, "Estoy muy ocupado con mi cónyuge y mis hijos", sugiero que intenten involucrarlos a ellos también. Cuando me dicen, "Las lecciones y el equipo son demasiado costosos", les digo que empiecen a ahorrar hoy, que abran una cuenta especial para su pasatiempo o que se ofrezcan como voluntarios para ayudar a un maestro que enseñe la disciplina que ellos quisieran aprender. Cuando aseguran, "Estoy demasiado ocupado en el trabajo y no puedo empezar hasta que las cosas no se calmen un poco", les advierto que las cosas nunca van a calmarse y que en su lecho de muerte agradecerán haber dedicado más tiempo a sus sueños. Y cuando dicen, "Ya no tengo edad; he debido empezar cuando era más joven", les recuerdo que nunca es demasiado tarde. Nuestra capacidad de aprendizaje puede mejorar con los años si despertamos el poder de la curiosità.

PRACTIQUE SU PASATIEMPO IDEAL

En el cuaderno, diseñe una estrategia para empezar a practicar su pasatiempo ideal ya mismo. Haga una lista de sus pasatiempos ideales (si no está seguro de cuáles son, invente algunos). Escoja uno y pregúntese:

+ ¿Qué beneficio específico puedo esperar de este intento?
+ ¿Cuáles son mis metas?
+ ¿Qué recursos necesitaré?
+ ¿Dónde puedo encontrar a un buen maestro?
+ ¿Cuánto tiempo pienso dedicarle?
+ ¿Qué obstáculos debo superar?

♦ La gente más creativa y satisfecha que conozco ha encontrado además la respuesta a la siguiente pregunta: ¿Cómo puedo lograr que me paguen por dedicarme a mi pasatiempo ideal?

Lograr que su pasatiempo ideal forme parte integral de su vida es una manera sencilla pero profunda de contribuir a su propio Renacimiento personal. Busque a un gran maestro o entrenador, programe diez lecciones y págueselas por anticipado; con ello evitará que la inercia y las excusas de último minuto interfieran con su decisión.

Al dedicarnos con pasión a un área de interés más allá del trabajo y de la familia, estaremos ampliando nuestras perspectivas y enriqueciendo todas las facetas de nuestra vida. En palabras de Joseph Campbell, "así perseguiremos nuestra felicidad".

Aprenda otro idioma

El aprendizaje de un idioma es un pasatiempo ideal muy popular y una forma maravillosa de cultivar la curiosità. Como Leonardo, usted puede aprender un nuevo idioma a cualquier edad. Todos sabemos que los bebés aprenden más rápido que todo el mundo. Su energía, su actitud desenfadada y su naturaleza juguetona les permite aprender idiomas con facilidad. Un bebé criado en un hogar donde se hablan tres idiomas aprenderá los tres sin dificultad. Las buenas noticias es que quienes están dispuestos a adoptar los elementos cla-

CURIOSITÀ PARA PADRES

¿Cómo hacer para conservar viva la natural curiosidad davinciana de nuestros hijos? Comience por pensar que usted es un estudiante: deje que sus hijos le sirvan de ejemplo en el proceso de redespertar su propia apertura y curiosidad mental. Y a medida que se sintonice con la pureza y el entusiasmo de su hijo frente al aprendizaje, usted mejorará su capacidad de cultivarlo. Desde luego, la continua tendencia de los niños a hacer preguntas puede poner a prueba su paciencia; pero si usted mantiene abierto su corazón, encontrará la energía necesaria. Además de convertirse usted mismo en un continuo aprendiz, también puede ser el "entrenador de la curiosidad" de sus hijos. Anímelos a usar el enfoque "cuál, cuándo, quién, cómo, dónde y por qué" para solucionar problemas en forma creativa. Elija un "genio del mes" y hable con sus hijos acerca del tipo de preguntas que los grandes genios de la historia se han hecho a lo largo de los tiempos. (¡Recomiendo a Leonardo para el primer mes! Mire libros sobre Leonardo con sus hijos e introdúzcalos a los magníficos descubrimientos del maestro.) Estimule a sus hijos a hacer preguntas y a seguir preguntando. Cuando lleguen a la casa de la escuela pregúnteles: "¿Qué pregunta hiciste hoy en el colegio?"

ves de la estrategia de aprendizaje del bebé progresarán con la misma facilidad y el mismo deleite. Como adulto, usted podrá aprovechar recursos que lo ayudarán a *aprender más rápido que un bebé*.

Supongamos, por ejemplo, que usted quiere aprender italiano, *la bella lingua*. He aquí algunos consejos para acelerar su aprendizaje:

+ Usted debe estar dispuesto a cometer muchísimos errores. A los niños no les preocupa verse bien o tener una pronunciación perfecta y un dominio de la gramática en minutos; ellos se lanzan y hablan. Su progreso será directamente proporcional a su disposición a jugar y a admitir el sentimiento de extrañeza y de ridículo.

✦ ¿Se ha fijado en cómo los bebés repiten una y otra vez una frase o una palabra que acaban de descubrir? Haga usted lo mismo: la repetición es el secreto para acordarse.

✦ Si es posible, empiece su proceso de aprendizaje con un "curso de inmersión". Así como los cohetes consumen la mayor parte de su energía en despegar y salir hacia la atmósfera, usted obtendrá mejores resultados si inicia sus esfuerzos con un programa intensivo. La intensidad le dará arranque a sus circuitos cerebrales para que se apresten a dominar una nueva lengua.

✦ Si no ha podido encontrar un programa formal de inmersión, entonces cree el suyo propio escuchando audiocasetes y películas italianas con subtítulos; aprendiendo la letra de las grandes canciones italianas, como *Rondini al Nido* y *Santa Lucia,* y cantándolas a dúo con Pavarotti; yendo a lugares donde la gente hable italiano; ordenando en los restaurantes italianos en la lengua original. Si usted le explica al mesero italiano que está tratando de aprender su idioma y le pide ayuda, probablemente obtendrá una lección gratis, mejor servicio y quizás una porción adicional de antipasto.

✦ Aprenda palabras y frases relacionadas con áreas que le interesen apasionadamente. Muchos programas de enseñanza son aburridos porque se concentran en asuntos cotidianos y necesarios como "¿Dónde es la estación?" y "Aquí está mi pasaporte". Además de estos temas, trate de familiarizarse con el lenguaje del romance, el sexo, la poesía, el arte, la buena comida y los vinos.

+ Marque todos los objetos de su casa con los nombres en italiano.

+ Pero lo más importante es que usted se abra a la sensación de una lengua y una cultura diferentes. Mientras habla, piense que es italiano (le recomiendo a Sofia Loren o a Marcello Mastroianni para empezar). Así adoptará los gestos y las expresiones faciales que corresponden a la lengua; será mucho más divertido y aprenderá mucho más rápidamente.

CREE SU PROPIO LÉXICO

Otra forma maravillosa de aprender continuamente es crear nuestro propio vocabulario. En el "Codex Trivulzianus" y en otras partes Leonardo anotó y definió palabras que le interesaban particularmente. Estas listas, organizadas en columnas, incluyen vocabulario nuevo, palabras extranjeras y neologismos.

En una de las listas hay palabras tales como:

arduo — difícil, penoso
alpino — de la región de los Alpes
archimandrita — líder de un grupo

Con una mezcla deliciosa de orgullo y humildad, Leonardo comentó después de definir más de nueve mil palabras: "Tengo tantas palabras en mi idioma nativo que en lugar de quejarme por la falta de palabras para expresar mis pensamientos adecuadamente debería hacerlo por no entender las cosas".

Este hábito es una forma sencilla y poderosa de emular al maestro y cultivar la curiosità. Un vocabulario amplio y rico está estrechamente relacionado con el éxito académico y profesional y nos ofrece una deliciosa cantidad de opciones para expresarnos. Cada vez que descubra una palabra o una expresión desconocida, busque su significado y anótelo en su diario. Después, no desaproveche ninguna oportunidad de usarla por escrito y en la conversación diaria.

Cultive su "inteligencia emocional"

Además de fortalecer su inteligencia verbal/lingüística al aprender latín por sus propios medios o crear su propio léxico, el maestro cultivaba su inteligencia emocional. Su curiosità al observar a los demás seres humanos era tan aguda como en su estudio de los caballos, los pájaros, el agua y la luz. "¡Quiera Dios que me sea permitido exponer la psicología de los hábitos del hombre de la misma manera como estoy describiendo su cuerpo!", escribió. El intenso interés de Leonardo por personas de todos los orígenes es la fuente de la profundidad de carácter con que iluminó a los personajes de sus dibujos y de sus pinturas. He aquí su consejo: "Cuando salimos a caminar, debemos observar y fijarnos en las posturas y las acciones de otros hombres mientras hablan, discuten, ríen o forcejean, y no sólo en sus acciones sino también en las de quienes los apoyan y los observan: y debemos tomar nota de éstas con unas cuantas pinceladas en nuestro cuadernito, el cual debemos llevar a todas partes".

Las agudas observaciones de Leonardo lo llevaron a la comprensión práctica del arte de llevarse bien con los demás, al mismo tiempo que complementó su inteligencia interpersonal con la dedicación al desarrollo de su inteligencia intrapersonal (el conocimiento de sí mismo). Aparte de la contemplación y la reflexión profundas, Leonardo cultivó el conocimiento de sí mismo buscando activamente la retroalimentación; por eso aconseja a sus lectores que se "muestren deseosos de oír con paciencia la opinión de los demás y de reflexionar y observar cuidadosamente si aquel que nos censura tiene razón para censurarnos".

Usted podrá fortalecer su curiosità y profundizar en el conocimiento de usted mismo si le pide a quienes lo rodean que le den retroalimentación permanentemente.

Cuando les pregunte sobre usted a quienes lo rodean, escuche atentamente las respuestas, en especial si no son lo que esperaba o quería oír. Escuche sin explicar, sin justificar, sin discutir. Anote las respuestas en su cuaderno para una meditación posterior.

Dimostrazione

Un compromiso para poner a prueba
el conocimiento a través de la experiencia,
la persistencia y la disposición a aprender
de los errores.

Piense en los mejores maestros que usted haya tenido. ¿Qué hace grande a un maestro? Más que cualquier otra cosa, la habilidad para ayudar al estudiante a que aprenda por sí mismo. Los maestros más eficaces saben que la experiencia es la fuente de la sabiduría. Y el principio de la dimostrazione es la clave para aprovechar nuestra experiencia al máximo. Eso fue lo que hizo Leonardo en el taller del maestro pintor y escultor Andrea del Verrocchio. El entrenamiento que el joven Leonardo recibió como aprendiz en el taller de Verrocchio ponía más énfasis en la experiencia que en la teoría. Da Vinci aprendió a preparar los lienzos y las pinturas y conoció los principios básicos de la perspectiva. Los secretos técnicos de la escultura, del fundido del bronce y de la orfebrería formaban parte del currículo y también fue estimulado para que estudiara, mediante la observación directa, la estructura de las plantas y la anatomía de los hombres y de los animales. Así pues, su educación tuvo una orientación eminentemente práctica.

La orientación práctica, la penetrante inteligencia, la curiosidad y el espíritu independiente de Leonardo lo llevaron a cuestionar muchas de las teorías aceptadas y el dogma de su tiempo. Por ejemplo, en el curso de sus investigaciones geológicas descubrió fósiles y conchas en la cima de las montañas de Lombardía. Por eso en el "Codex Leicester" plantea argumentos definitivos en contra de la opinión del momento —según la cual se trataba de depósitos del diluvio bíblico—, con base no en la teología sino en el pensamiento lógico y en la experiencia del mundo real. Leonardo demolió cada una de las presunciones en las cuales se basaba la sabiduría convencional y concluyó que "una opinión de esta naturaleza no puede existir en cerebros con un avanzado poder de razonamiento..."

Durante sus estudios de geología, Leonardo recorrió las colinas de Lombardía y sostuvo fósiles en sus manos. Cuando quiso aprender anatomía, disecó más de treinta cuerpos humanos e innumerables cuerpos de animales. Al igual que su investigación sobre la fosilización, su trabajo en anatomía lo enfrentó con las autoridades de su época. "Muchos pensarán que pueden culparme con razón, alegando que mis pruebas son contrarias a la autoridad de ciertos hombres tenidos en mucho respeto por sus juicios inexpertos, sin considerar que mis estudios son el resultado de la experiencia pura y simple, que es la verdadera maestra", escribió.

A lo largo de su vida se refirió orgullosamente a sí mismo como el *uomo senza lettere* (el hombre iletrado) y el *discepolo della esperienza* (discípulo de la experiencia). "A mí me parece que son vanas y equivocadas aquellas ciencias que no nacen de la experiencia, madre de todas las certezas; de la experiencia de primera mano, que en su origen, medio o fin ha pasado por uno de los cinco sentidos".

Leonardo fue el defensor de la originalidad y de la independencia de pensamiento. "Nadie debería imitar la costumbre de otro", insistió, "pues entonces merecería ser considerado como un nieto de la naturaleza, no su hijo. A juzgar por la abundancia de las formas naturales, es importante *ir directo a la naturaleza...*" Su disposición a rechazar las imitaciones, a cuestionar la autoridad y a pensar por sí mismo sería notable en cualquier época, pero resulta verdaderamente extraordinaria si recordamos que Leonardo era el heredero de una época que suponía, como lo resalta William Manchester, "que ya no hay nada por descubrir".

Además de ser uno de los pensadores menos piadosos de su tiempo, Leonardo también era uno de los menos supersticiosos. Consideraba que la popularidad de la alquimia y de la astrología era enemiga de la experiencia y del pensamiento independiente y deseaba que llegara el día en el que "se castre a todos los astrólogos".

Si bien su actitud ante las tradiciones escolástica y académica era crítica, Leonardo no las desechó sin examinarlas cuidadosamente. Por ejemplo, decidió aprender latín en 1494, a los cuarenta y dos años de edad, para estudiar a los clásicos con más profundidad. También tenía su propia biblioteca. En ella estaban, entre otros, la Biblia, Esopo, Diógenes, Ovidio, Plinio el Viejo, Dante, Petrarca y Ficino, y había textos sobre agricultura, anatomía, matemáticas, medicina y el arte de la guerra. El profesor Edward MacCurdy, especialista en Da Vinci, pone énfasis en el hecho de que "tenía la costumbre de estudiar los temas en los que estaba interesado en los textos de las autoridades medievales y clásicas que hubiese disponibles".

Leonardo se asoció con otras grandes mentes como Bramante, Maquiavelo, Luca Pacioli y Marcantonio della Torre. Consideraba que el trabajo de los demás era una "experiencia por interpuesta persona" que debía ser estudiada atenta y críticamente y, con el tiempo, examinada a través de la propia experiencia.

Para Leonardo era evidente que las preconcepciones y los "prejuicios librescos" limitaban los alcances de la investigación científica. Sabía que aprender de la experiencia también significaba aprender de los errores. "La experiencia nunca yerra", escribió, "es sólo nuestro juicio el que yerra al prometerse a sí mismo resultados que no surgen de nuestros experimentos".

Aunque es universalmente reconocido como el mayor genio de todos los tiempos, Leonardo cometió infinidad de errores colosales y de disparates asombrosos. Entre sus más notables pasos en falso están los experimentos trágicamente fallidos para fijar la pintura de *La batalla de Anghiari* y de *La última cena*; los desastrosos y ruinosos ensayos, patrocinados por la Signoria de Florencia, para desviar el río Arno y fabricar una máquina voladora que nunca despegó del suelo. Y está también el divertidísimo y fallido plan para automatizar la cocina de Ludovico Sforza. Cuando le pidieron que presidiera un banquete como chef principal, Leonardo ideó un grandioso plan para esculpir cada uno de los platos, diseñados como obras de arte en miniatura, que se les servirían a los más de doscientos comensales. Construyó una estufa nueva y más poderosa y un complejo sistema mecánico de correas transportadoras para llevar los platos por toda la cocina. También diseñó e instaló un sistema masivo de extinción de incendios, en caso de que hubiera uno. El día del banquete, todo lo que podía funcionar mal funcionó mal. Los miembros regulares del equipo de cocina de Ludovico no fueron capaces de esculpir con la finura exigida por Leonardo, de modo que el maestro invitó a más de cien de sus amigos artistas para que ayudaran. La cocina estaba increíblemente atestada de gente cuando el sistema de las correas transportadoras falló y se inició un incendio. Pero en cambio el sistema de extinción de incendios funcionó demasiado bien: ¡provocó una inundación que se llevó toda la comida y buena parte de la cocina!

A pesar de los errores, los desastres, los fracasos y las frustraciones, Leonardo nunca dejó de aprender, de explorar y de experimentar, haciendo gala de una persistencia hercúlea en su búsqueda del conocimiento. Al lado del dibujo de un arado, Leonardo proclamó en su cuaderno: "¡Yo no me alejo de mi surco!" En otra parte escribió: "Los obstáculos no me vencen" y "El rigor vence todos los obstáculos".

Martin Kemp, autor de *Leonardo da Vinci: The Marvellous Works of Nature and Man* [Leonardo da Vinci: Las maravillosas obras de la naturaleza y del hombre], comenta: "No hay dudas sobre el principio que definiría, de acuerdo con Leonardo, la verdadera dirección del surco que deseaba arar: Ese principio era lo que él denominaba 'experiencia'".

LA DIMOSTRAZIONE Y USTED

La verdadera importancia del Renacimiento radicó en la transformación de las presunciones fundamentales de la época, de las preconcepciones y de las creencias. El deseo de Leonardo de desafiar la visión dominante del mundo mediante la aplicación del principio de la dimostrazione lo puso a la vanguardia de esta revolución. Se dio cuenta de que si uno quiere desafiar la visión de mundo establecida debe enfrentar primero su propia visión y advirtió que "la mayor decepción de los hombres proviene de sus propias opiniones". Aprender a pensar como Leonardo supone que nos embarquemos en el trabajo revelador de cuestionar nuestras propias opiniones, presunciones y creencias.

¿Alguna vez lo han decepcionado sus propias opiniones? ¿Sus opiniones y creencias son verdaderamente suyas? Los ejercicios que siguen a continuación fueron diseñados para ayudarlo a pensar con más libertad y originalidad. Pero primero reflexione un poco sobre el papel que la dimostrazione desempeña hoy en su vida y cómo podría fortalecerla aún más. Evalúe su propia independencia: ¿Es usted un pensador independiente? ¿Cuándo fue la última vez que cambió una creencia fuertemente arraigada? ¿Cómo se sintió?

Piense en sus amigos y colegas. ¿En qué fuentes se basan para establecer sus opiniones y creencias? ¿Quién es el pensador más original e independiente que conoce? ¿Qué hace que esa persona sea original?

Piense por un momento en la forma como usted ha aprendido lo que sabe. ¿Aprende más de sus éxitos o de sus fracasos? ¿De los buenos tiempos o de los malos? Todos sabemos que el buen juicio es el resultado de la experiencia. Pero también sabemos que con frecuencia las apreciaciones incorrectas son fuente de experiencias. ¿Sabe usted cómo sacar el mayor provecho posible de sus errores?

Piense en los temas del cuestionario de autoevaluación de la página siguiente. Las preguntas no son nada fáciles, pero una reflexión honesta lo ayudará a concentrarse para sacar el mayor provecho posible de los ejercicios que siguen a continuación.

*D*imostrazione: *A*utoevaluación

❑ Vivo dispuesto a admitir mis errores.

❑ Mis amigos más cercanos estarían de acuerdo en que vivo dispuesto a admitir mis errores.

❑ Aprendo de mis errores y casi nunca cometo el mismo error dos veces.

❑ Cuestiono la "sabiduría convencional" y la autoridad.

❑ Es más probable que compre un producto si una persona famosa que admiro lo respalda.

❑ Puedo explicar coherentemente mis convicciones más fundamentales y las razones que las sustentan.

❑ He modificado una creencia fuertemente arraigada a causa de una experiencia práctica.

❑ Persevero ante las dificultades.

❑ Considero que la adversidad es una oportunidad para crecer.

❑ A veces soy susceptible a la superstición.

❑ Mis amigos y colegas dirían que ante las ideas nuevas soy:
    a) crédulo y tolerante,
    b) un cínico obcecado,
    c) un escéptico de mente abierta.

DIMOSTRAZIONE:
APLICACIONES Y EJERCICIOS

ANALICE SUS EXPERIENCIAS

Una hora en compañía de estas preguntas puede dar como resultado una vida de reflexiones sobre cómo la experiencia ha determinado sus actitudes y comportamientos. Explore en su cuaderno los siguientes interrogantes:

¿Cuáles han sido las experiencias más influyentes de su vida? En los próximos veinte a treinta minutos haga una lista de por lo menos siete, acompañada de una oración que resuma lo que aprendió de cada una de ellas.

Ahora deténgase unos cuantos minutos para reflexionar sobre cómo *aplica usted cotidianamente* lo que aprendió de esas experiencias influyentes.

Luego estudie su lista de experiencias significativas y pregúntese cuál es la experiencia más influyente de su vida. (Para algunos esta pregunta es fácil; otros consideran que no podrían destacar una sola experiencia. Si ése es el caso, elija cualquier experiencia de la lista.)

Ahora pregúntese durante algunos minutos cómo ha influenciado esta experiencia sus actitudes y percepciones. Intente escribir una o dos oraciones que describan el efecto de esta experiencia en su visión del mundo.

Por último, considere la posibilidad de repensar

algunas de las conclusiones de entonces. No se apresure a hacerlo; es mejor reflexionar sobre esta idea por un tiempo en su mente y en su corazón, y dejarla "marinar".

Revise sus convicciones y sus fuentes

Muchos de nosotros no somos conscientes de las fuentes a las que recurrimos para obtener información y verificarla. Sabemos que tenemos opiniones, presunciones y creencias sobre temas muy variados: la naturaleza humana, la ética, la política, los grupos étnicos, la verdad científica, la sexualidad, la religión, la medicina, el significado de la vida, el arte, el matrimonio, la paternidad, la historia, otras culturas, etc. Pero ¿sabe usted en qué se fundamentan esas convicciones? O ¿de dónde salió la información en la cual se basan?

Empiece con tres áreas cualesquiera: por ejemplo, la naturaleza humana, la política y el arte. Después escriba en su cuaderno tres ideas, opiniones, presunciones o creencias que usted tenga respecto de las áreas elegidas. Por ejemplo:

La naturaleza humana

✦ "Creo que la gente es esencialmente buena".
✦ "Creo que la genética es el factor determinante en el comportamiento".
✦ "Está en la naturaleza humana resistirse al cambio".

Después de haber hecho la lista de por lo menos tres convicciones acerca de las áreas escogidas, pregúntese lo siguiente:

+ ¿Cómo me formé esta idea?
+ ¿Qué tan firmemente creo en ella?
+ ¿Por qué persevero en esa creencia?
+ ¿Qué me haría cambiarla?
+ De mis convicciones, ¿cuáles me inspiran las emociones más intensas?

Ahora examine sus convicciones en las tres áreas escogidas y considere el papel que desempeñaron en su formación las siguientes fuentes:

+ Los medios masivos de comunicación: libros, Internet, la televisión, la radio, los periódicos y las revistas.
+ La gente: la familia, los maestros, los médicos, los líderes religiosos, los jefes, los amigos y los colegas.
+ Su propia experiencia.

¿Qué criterio utiliza usted para evaluar la validez de la información que recibe? ¿Acaso la mayor parte de sus ideas han surgido de los libros? ¿O usted ha sido básicamente influido por su familia? ¿Qué tanta credibilidad le concede a lo que lee en los periódicos o ve en la televisión? Es importante establecer, mediante la reflexión y la contemplación, la fuente principal de su información y los cimientos de sus creencias y opiniones. Fíjese en si algunas de sus convicciones no se fundamentan en la verificación experimental. ¿Hay forma de que pueda poner a prueba sus convicciones en la práctica?

Tres puntos de vista

Escriba en su cuaderno una declaración de su firme convicción en la creencia que, en el ejercicio anterior, le despertó las emociones más intensas.

En el capítulo de la curiosità aprendimos que cuando Leonardo buscaba el conocimiento objetivo —mediante la disección de un cadáver o la evaluación de una de sus pinturas—, se acercaba a su tema desde tres perspectivas diferentes. Haga lo mismo con sus creencias y opiniones. Así como el maestro recurría a un espejo para ver sus pinturas al revés, intente plantear el más fuerte argumento *en contra* de su convicción.

Leonardo también ganaba perspectiva al mirar sus cuadros desde la distancia. Intente mirar su creencia "desde la distancia", preguntándose lo siguiente: ¿Cambiarían mis puntos de vista acerca de esto si viviera en otro país? ¿Si mi medio religioso, racial, económico o de clase fuera otro? ¿Si fuera veinte años mayor o más joven? ¿Si fuera del sexo opuesto?

Por último, busque amigos y conocidos cuyos puntos de vista puedan ser diferentes de los suyos. Hable con ellos con el propósito de entender las cosas desde un punto de vista diferente.

Practique artes marciales internas y anticomerciales

Mientras usted lee este libro, miles de ejecutivos de publicidad excepcionalmente creativos e increíblemente decididos están gastándose altísimos presupuestos con el fin de influenciar sus valores, su autoimagen y sus hábitos de consumo. Los publicistas tratan de llegar (y lo logran con éxito) a sus objetivos demográficos gracias a las inseguridades o las fantasías sexuales de sus víctimas, o simplemente recurriendo a tácticas de intimidación basadas en la repetición incesante. Mantener la independencia de pensamiento ante esta embestida requiere de una disciplina similar a la desarrollada durante el entrenamiento en artes marciales. Practique los siguientes ejercicios de "autodefensa":

- Hojee su revista favorita y analice la estrategia y las tácticas de cada uno de los avisos.
- Analice de la misma manera los comerciales de sus programas favoritos en la radio y la televisión.
- ¿Cuáles comerciales lo afectan más y por qué?
- ¿Cómo lo afectó la publicidad a usted cuando era niño?
- Haga una lista de los tres mejores comerciales que haya visto: ¿Qué los hace tan buenos?
- Identifique diez productos que haya comprado en los últimos meses y pregúntese si la publicidad lo influyó de alguna manera.
- Haga una sesión de flujo de conciencia por escrito

sobre el tema "Papel de la publicidad en la formación de mis valores y mi autoimagen".

Una de las tácticas más brillantes y cínicas de los publicistas consiste en apropiarse de la imagen del pensador independiente y del individualismo. Basta ver sus intentos para hacer que el público consumidor se identifique con "el rebelde" y "el individualista" mediante gestos tan revolucionarios como conducir un vehículo por caminos destapados, o fumar un cigarro que cuesta mucho dinero, o usar una marca específica de jeans o de zapatos tenis, o una gorra de béisbol puesta al revés. Registre ejemplos de esta índole en su cuaderno.

APRENDA DE LOS ERRORES Y DE LA ADVERSIDAD

Explore su actitud hacia los errores a través de la meditación sobre las preguntas que vienen a continuación. Escriba en su cuaderno las reflexiones que ellas le despierten.

- ¿Qué aprendí en la escuela sobre cometer errores?
- ¿Qué me enseñaron mis padres sobre los errores?
- ¿Cuál es el peor error que he cometido?
- ¿Qué aprendí de él?
- ¿Qué errores he repetido en la vida?
- ¿Qué papel desempeña en mi vida diaria, tanto en el trabajo como en la casa, el miedo a cometer un error?

✦ ¿Soy más propenso a los errores por omisión o a los errores por acción?

Haga una sesión de flujo de conciencia por escrito sobre el tema "Qué haría yo de otra manera si no tuviera miedo de cometer un error".

Leonardo cometió muchos errores y tuvo que experimentar terribles calamidades en su búsqueda de la verdad y de la belleza. Aparte de las falsas acusaciones, de las invasiones, del exilio y de la imperdonable destrucción de una de sus más grandes obras, es probable que la desgracia más significativa del maestro fuera la soledad absoluta a la que estaba condenado por estar tan avanzado con respecto a su tiempo.

Aunque las dudas lo acosaron en muchas ocasiones y se interrogaba constantemente sobre el sentido de sus esfuerzos, jamás se dio por vencido. El valor de Leonardo y su persistencia ante la adversidad son increíblemente alentadores. Él fortaleció su deseo de seguir trabajando con afirmaciones que escribió en su cuaderno, tales como:

"No me aparto de mi surco".

"Los obstáculos no me vencen".

"El rigor puede vencer cualquier obstáculo".

"Seguiré adelante".

"Nunca me canso de ser útil".

Formule afirmaciones

El doctor Martin Seligman y otros han llevado a cabo estudios de largo plazo que demuestran que el factor determinante del éxito en los negocios y en la vida es la flexibilidad ante la adversidad. La actitud consciente, la meditación profunda y el sentido del humor son nuestros mejores amigos a la hora de aprender de las experiencias difíciles. Como Leonardo, podemos fortalecer nuestra flexibilidad inventando y formulando nuestras propias afirmaciones. Escriba en su cuaderno por lo menos una afirmación que le dé aliento frente a los retos más difíciles.

Las afirmaciones de muchas personas comienzan con la frase "Yo soy...": "Yo soy paciente conmigo mismo" o "Yo soy cada vez más paciente conmigo mismo". Aunque las afirmaciones que empiezan con "Yo soy" pueden ser de gran utilidad, tienden a generar una reacción básicamente intelectual, cognitiva. Podemos hacer que nuestras afirmaciones funcionen en un nivel más profundo si las planteamos de una manera más emocional, más centrada en el corazón. El experimento que viene a continuación le mostrará cómo hacerlo:

Repita la siguiente afirmación: *"Yo soy paciente conmigo mismo"*, prestándole atención a su reacción.

Ahora dígalo así: *"Siento que soy paciente conmigo mismo"*, y préstele nuevamente atención a su reacción. Cuando nos decimos a nosotros mismos cómo nos sentimos, no solamente cómo somos o cómo estamos, es más probable que sintamos lo que decimos, permitiendo así que nuestra afirmación encuentre su camino hacia un nivel más profundo.

Las siguientes afirmaciones fueron escritas en colaboración con mi amigo el doctor Dale Schusterman y fueron diseñadas para ayudarnos a acceder al centro de nuestro corazón, de manera que puedan surgir cambios más profundos.

Con respecto a las relaciones

+ Siento deseos de permitir que otra persona me llegue al corazón.
+ Siento curiosidad por averiguar qué podría cambiar en mi comportamiento que ayudara a mi pareja.
+ Siento las diferencias entre mi padre y mi esposo (madre/esposa).
+ Respeto y admiro la naturaleza femenina representada en mi esposa (novia).

Con respecto a la espiritualidad

+ Mi conexión con la divinidad (Cristo, Buda, Ser Superior, etc.) es mi prioridad principal (al decir esto visualice el trabajo, las relaciones, el dinero, las expectativas, la familia, los acontecimientos traumáticos del pasado, etc.).
+ Siento la presencia de la divinidad dentro de mí.
+ En mi corazón, siento que hay una voluntad divina interviniendo en mi vida.
+ Admito que hay lecciones que mi alma debe aprender de _____ (aquí debe nombrar a una persona o un acontecimiento).

Con respecto al dinero

+ Siento la diferencia entre mis deseos y mis necesidades.

+ Siento curiosidad por saber cómo permitir que la abundancia entre en mi vida.
+ Deseo que la abundancia entre en mi vida.
+ Siento que merezco la abundancia en mi vida.
+ Reconozco que ya hay abundancia en mi vida.

Con respecto al conocimiento

+ Mi inteligencia se manifiesta en formas que me sorprenden.
+ Reconozco mi capacidad de aprender intuitivamente.
+ Siento curiosidad por saber cómo _____ (se resuelve este problema, se aprende este asunto).
+ Confío en que el conocimiento estará aquí cuando lo necesite.

Con respecto a la carrera

+ Siento que mi contribución al mundo es valiosa.
+ Me siento conectado con mi fuerza interior cuando otros ven mi trabajo.
+ Siento curiosidad por saber cómo expresar mis propósitos interiores en el mundo exterior.
+ Me siento deseoso de expresar mis propósitos interiores en el mundo exterior.
+ Me siento feliz en cualquier situación (diga esto mientras visualiza una situación estresante).
+ Siento que merezco la felicidad.

Con respecto a la alegría de vivir

+ Me regocija la felicidad de los otros.
+ Mi alegría y mi felicidad surgen de mi interior.

DIMOSTRAZIONE PARA PADRES

¿Cómo se puede criar a un niño que piense por sí mismo, que aprenda de sus errores y que persevere ante la adversidad? Las respuestas no son fáciles, como ocurre con casi todo lo que se refiere a la crianza. Una de las claves es cultivar en nuestros hijos la seguridad en sí mismos. La seguridad, la fe en uno mismo y en sus propias habilidades es el secreto del éxito y la experiencia del éxito es la clave para la formación de esa seguridad. Podemos ir construyendo la seguridad en nuestros hijos si los guiamos hacia el éxito en el aprendizaje. Divida las tareas de sus hijos en quehaceres o elementos más simples, de manera que ellos alcancen una serie de éxitos pequeños en lugar de unos cuantos fracasos grandes.

En la formación de la seguridad en nuestros hijos nada reemplaza al amor incondicional. Dígales que los ama *por lo que son y no por lo que hacen*. El amor incondicional se debe complementar con el estímulo entusiasta. Estimule constantemente a sus hijos con frases como "Tú puedes lograr lo que te propongas", "Yo creo en ti" y "Sé que puedes hacerlo".

Considere los errores como oportunidades de aprendizaje. Cuando sus hijos fracasen, coménteles lo sucedido con gentileza pero sin ocultarles la realidad y anímelos a seguir adelante. Uno de los problemas de cierto tipo de educación basada en la "construcción de la autoestima" es que confunde el amor incondicional y el estímulo con una retroalimentación que tergiversa la realidad. Si les decimos a nuestros hijos que lo que hicieron estaba bien cuando no lo estaba, estaremos poniendo en peligro el desarrollo de una verdadera autoestima. Una retroalimentación precisa aterriza a nuestros hijos en la realidad y les comunica nuestro respeto por su habilidad para aprender.

Con respecto a la realización personal

◆ Confío en mi yo interior.

◆ Siento la presencia de la divinidad dentro de mí.

◆ Me permito entrar en contacto con mis sentimientos.

◆ Acepto mis sentimientos en relación conmigo mismo.

Aprenda de los "antimodelos de identificación"

Una de las formas más eficaces de aprender de los errores es dejar que alguien más los cometa por uno. Es maravilloso tener modelos de identificación como Leonardo, a quien podemos tratar de imitar. Pero también podemos aprender muchísimo si estudiamos antimodelos. Por ejemplo, casi todo lo que sé sobre entrenar y enseñar lo aprendí de mis peores entrenadores y maestros. Recuerdo estar sentado muerto del aburrimiento en un salón de clase, mientras un maestro recitaba con monotonía su discurso; otro jamás escuchaba cuando alguien le hacía una pregunta; y también tuve un entrenador que disfrutaba humillando a las personas. Ellos me enseñaron qué *no* debía hacer. También me siento agradecido con otros antimodelos que me ayudaron a evitar que me endeudara de manera exagerada o que tuviera una crisis nerviosa.

Haga una lista de por lo menos tres personas que hayan cometido errores que usted quisiera evitar.

¿Cómo puede usted aprender de los errores de ellos? La parte más difícil de este ejercicio es que a veces nuestros mejores antimodelos son modelos de identificación en otras áreas. Su tarea, obviamente, será discernir con precisión lo que quiere emular y lo que quiere evitar.

DIMOSTRAZIONE EN EL TRABAJO

En el mundo de los negocios, los ejecutivos de más trayectoria afirman *que sus peores decisiones generalmente coinciden con aquellas situaciones en que han hecho caso omiso de su experiencia.* Con mucha frecuencia las personas de negocios permiten que su juicio, basado en la experiencia, sea invalidado por analistas, abogados y autoridades académicas. Mark McCormak, fundador del International Management Group y autor de *What They Don't Teach You at Harvard Business School* [Lo que no enseñan en la Escuela de Negocios de Harvard], describe así la limitada disposición mental que puede resultar del entrenamiento académico: "En ocasiones, una persona con una maestría en negocios puede llegar a bloquear su habilidad para dominar su experiencia. Muchos de los candidatos a maestría que recibimos son congénitamente ingenuos o víctimas de su entrenamiento. El resultado es una especie de discapacidad para aprender de la experiencia real —una incapacidad para interpretar a las personas adecuadamente o para medir las situaciones, acompañada de una destreza casi sobrenatural para formarse impresiones equivocadas".

Los mejores líderes y administradores saben, como lo sabía Leonardo, que la experiencia es el corazón de la sabiduría.

Sensazione

El refinamiento continuo de
los sentidos, particularmente de
la vista, como medio
para enriquecer la experiencia.

La vista, el oído, el tacto, el gusto y el olfato: si pensamos como Leonardo, sabremos que los sentidos son las llaves para abrir las puertas de la experiencia. Da Vinci creía que los secretos de la *dimostrazione* se revelan a través de ellos, particularmente de la vista. Uno de los lemas de Leonardo y la piedra angular de su trabajo artístico y científico era *saper vedere* (saber ver). En *The Creators: A History of Heroes of the Imagination* [Los creadores: Historia de los héroes de la imaginación], Daniel Boorstin titula su capítulo sobre Leonardo "Soberano del mundo visible". La soberanía de Leonardo surgía de la combinación de una mente abierta e inquisitiva, con la confianza en la experiencia real y una asombrosa agudeza visual. Leonardo pasó su niñez observando la campiña toscana y disfrutando de ella, y más tarde fue acogido por el maestro Verrocchio, "el ojo verdadero", y esas dos circunstancias desarrollaron en él unos poderes de visión casi comparables a los de un superhéroe de las tiras cómicas. En su "Códice sobre el vuelo de los pájaros", por ejemplo, describió minucias sobre el movimiento de las plumas y de las alas en vuelo que no pudieron ser confirmadas —ni apreciadas en toda su magnitud— sino hasta el desarrollo de la cámara lenta.

> "Todo nuestro conocimiento proviene de nuestras percepciones".
> –LEONARDO DA VINCI

La descripción de Da Vinci del poder de la visión es extremadamente dramática y entusiasta:

Aquel que pierde su vista pierde su visión del universo y es como si lo hubieran enterrado vivo pero aún pudiera moverse y respirar en su tumba. ¿Acaso no os dais cuenta de que el ojo abarca la belleza de todo el mundo? Es el maestro de la astronomía, asiste y conduce todas las artes del hombre. Dirige a los hombres hacia todos los rincones de la Tierra. Reina en varias áreas de las matemáticas y todas sus ciencias son las más infalibles. Ha medido la distancia y el tamaño de las estrellas; ha descubierto los elementos y su naturaleza, y el curso de las constelaciones le ha permitido predecir lo que vendrá. Ha creado la arquitectura y la perspectiva y, por último, el divino arte de la pintura. ¡Sois la más excelsa de las creaciones del Señor! ¿Qué himnos podrán hacer justicia a vuestra nobleza? ¿Qué gentes, qué lenguas podrían describir adecuadamente vuestros logros?

La visión de Da Vinci le permitió capturar en su pintura exquisitas sutilezas de la expresión humana nunca antes representadas. Como lo repitió enfáticamente una y otra vez, para el maestro los ojos realmente eran las ventanas del alma, "el principal medio para que el entendimiento aprecie en su totalidad y abundancia las infinitas obras de la naturaleza".

Para Leonardo la vista era suprema y por tanto la pintura era la disciplina más importante. Le seguía en importancia el oído, y por tanto la música. "La música puede ser considerada la hermana de la pintura", escribió, "pues depende del oído, el segundo de los sentidos... La pintura es superior a la música y ocupa el primer lugar porque no se desvanece tan pronto nace..." (En la época de Leonardo, obviamente, no había casetes ni discos.)

"Quién podría creer que un espacio tan pequeño podría contener las imágenes de todo el universo".

–LEONARDO DA VINCI

Entre sus muchas y muy extraordinarias habilidades, Leonardo se destacaba como músico. Su popularidad en los palacios de sus patronos podría atribuirse en parte al hecho de que podía tocar la lira, la flauta y otros instrumentos musicales. Vasari nos cuenta que "cantaba divinamente sin preparación alguna". Cuando fue aceptado por su nuevo patrón, Ludovico Sforza, de Milán, trajo consigo una lira con manijas de plata en forma de cabeza de caballo, que había fabricado él mismo. Además de componer, tocar y cantar, a Leonardo le gustaba pintar con acompañamiento musical. Para el maestro, la música era alimento para los sentidos y para el espíritu.

Aunque la visión y el oído encabezaban la jerarquía sensorial, Leonardo estimaba, practicaba y estimulaba el refinamiento de todos los sentidos. Era muy cuidadoso al escoger su guardarropa: sólo usaba las mejores ropas que podía costearse y disfrutaba del roce de los terciopelos finos y de las sedas. Su taller siempre olía a flores y a perfumes. También cultivaba sus sentidos a través de su pasión por las artes culinarias. A Leonardo debemos la idea, nueva en Occidente, de servir en los banquetes pequeñas porciones de comida saludable exquisitamente presentada.

"Los cinco sentidos son los ministros del alma".
–Leonardo da Vinci

Sin embargo, el hombre promedio —reflexionaba Leonardo con tristeza— "mira sin ver, oye sin oír, toca sin sentir, come sin saborear, se mueve sin ninguna conciencia física, inhala sin percibir olores o fragancias y habla sin pensar". Siglos más tarde, no podemos dejar de pensar que sus palabras son una invitación para mejorar nuestros sentidos —y, en el proceso, nuestros pensamientos y nuestras experiencias.

LA SENSAZIONE Y USTED

¿Qué es lo más bello que usted ha visto en la vida? ¿El sonido más dulce que ha escuchado? ¿El objeto más exquisitamente suave que ha tocado? Imagine un sabor maravillosamente sublime y un aroma perturbadoramente delicioso. ¿Qué efecto tienen sobre los otros sentidos la experiencias que usted tiene con cada uno de ellos?

Las preguntas y los ejercicios de este capítulo son muy divertidos: usted se encontrará saboreando el chocolate y el vino y descubriendo nuevas formas de apreciar la música y el arte. Aprenderá a enriquecer sus experiencias táctiles y a fabricar su propia colonia, a la manera del maestro. Y se familiarizará con el concepto de la sinestesia, la sinergia de los sentidos, un secreto de los grandes artistas y científicos. Y tras toda esta diversión y placer yace el muy serio propósito de refinar la inteligencia sensorial.

Además de ser los conductores del placer y el dolor, nuestros sentidos son las parteras de la inteligencia. *Agudo* es sinónimo de *inteligente* y *obtuso* es otra palabra para *tonto*, y ambas palabras se refieren a la actividad sensorial. Sin embargo, en este mundo de tráfico, cubículos, buscapersonas, concreto, teléfonos que repican, ingredientes artificiales, taladros y medios masivos de comunicación, es demasiado fácil, como diría Leonardo, "mirar sin ver". Pero hacerlo sería traicionar el espíritu de Leonardo, quien hizo esfuerzos especiales para cultivar su conciencia y su agudeza sensoriales. Serge Bramly, el biógrafo de Da Vinci, compara el programa de Leonardo para el desarrollo y refinamiento de los sentidos con el programa de entrenamiento de un atleta. "Así como un atleta desarrolla sus músculos", escribe, "Leonardo entrenó sus sentidos y educó sus facultades de observación. Gracias a sus cuadernos sabemos qué clase de gimnasia mental hacía". En este capítulo practicaremos una divertidísima gimnasia mental para entrenar los sentidos y el resultado será el incremento de la agudeza, la percepción y el disfrute de las sensaciones. Pero primero reflexionemos sobre las preguntas que aparecen en las siguientes autoevaluaciones.

Sensazione
Autoevaluación:
La vista

- ❏ Soy sensible a las armonías y los choques de color.
- ❏ Sé de qué color tienen los ojos todos mis amigos.
- ❏ Miro hacia el horizonte lejano y al cielo por lo menos una vez al día.
- ❏ Soy muy bueno describiendo una escena en detalle.
- ❏ Me gusta hacer garabatos y dibujar.
- ❏ Mis amigos me describirían como una persona siempre atenta.
- ❏ Soy sensible a los cambios sutiles de iluminación.
- ❏ Puedo hacerme una imagen de las cosas con mucha claridad.

La próxima vez que usted visite el Museo del Louvre podrá ser testigo de un irónico legado del lamento de Leonardo. A medida que se acerque a la *Mona Lisa*, verá varios avisos, en letras grandes y diferentes idiomas, que prohíben el uso de flash para tomar fotografías. Y mientras usted trata de captar las sutilezas de ésta, la más misteriosa pintura de todos los tiempos, quedará prácticamente enceguecido por el efecto estroboscópico de los incesantes flashes de los filisteos, que nunca se molestan en detenerse y realmente *mirar* la pintura.

Sensazione
Autoevaluación:
El oído

- ❑ Mis amigos me describen como alguien que escucha con atención.
- ❑ Soy sensible a los ruidos.
- ❑ Me doy cuenta cuando alguien canta de manera desafinada.
- ❑ Cuando canto lo hago de manera entonada.
- ❑ Regularmente escucho música clásica o jazz.
- ❑ Puedo distinguir la melodía del bajo en una pieza musical.
- ❑ Sé para qué son todos los controles de mi equipo de sonido y puedo percibir las diferencias cuando los muevo.
- ❑ Disfruto del silencio.
- ❑ Cuando alguien habla, puedo sintonizarme con los cambios sutiles en el tono, el volumen y las inflexiones de su voz.

*S*ensazione

*A*utoevaluación:
*E*l olfato

- ❑ Tengo una fragancia preferida.
- ❑ Los olores afectan fuertemente a mis emociones, para bien o para mal.
- ❑ Puedo reconocer a mis amigos por su olor.
- ❑ Sé cómo usar los olores para influir en mi estado de ánimo.
- ❑ Puedo juzgar con acierto la calidad de la comida o del vino por su aroma.
- ❑ Cuando veo flores frescas, generalmente me tomo un segundo para sentir su aroma.

Sensazione
Autoevaluación:
El gusto

❏ Puedo saborear la "frescura" de la comida fresca.

❏ Disfruto de diferentes clases de comida.

❏ Experimento con sabores inusuales.

❏ Puedo distinguir el sabor de las diferentes hierbas y especias en un plato complicado.

❏ Soy un buen cocinero.

❏ Disfruto de la combinación de comida y vino.

❏ Cuando como, soy consciente del sabor de las cosas.

❏ Evito comer porquerías.

❏ Evito comer a toda prisa.

❏ Me gusta participar en degustaciones de comida o de vino.

Sensazione
Autoevaluación:
El tacto

- ☐ Soy consciente de la sensación táctil de las superficies que me rodean, como, por ejemplo, los asientos, los sofás, los asientos del automóvil.
- ☐ Soy sensible a la calidad de las telas que uso.
- ☐ Me gusta tocar y ser tocado.
- ☐ Mis amigos dicen que mis abrazos son estupendos.
- ☐ Sé cómo oír con mis manos.
- ☐ Cuando toco a alguien, me doy cuenta de si está tenso o relajado.

Sensazione
Autoevaluación:
Sinestesia

- ❑ Me gusta describir un sentido en los términos de otro.
- ❑ Entiendo intuitivamente qué colores son "fríos" y cuáles son "calientes".
- ❑ Tengo una respuesta visceral hacia el arte.
- ❑ Soy consciente del papel de la sinestesia en el pensamiento de los grandes artistas y científicos.
- ❑ Puedo sentir cuáles de estos sonidos —"ooooohlaaaa", "zip-zip-zip", "ni-ni-ni-ni-ni"— se reflejan en las siguientes formas: ~' ^^^, vvvvv.

Sensazione:
Aplicaciones y ejercicios

Visión: mirar y ver

Leonardo escribió que "el ojo comprende la belleza de todo el mundo". Podemos empezar por cultivar una visión más aguda —y apreciar más plenamente la belleza que el mundo ofrece— con los siguientes ejercicios:

Ejercicio del ojo y la palma

Siéntese en un escritorio, en un lugar tranquilo y privado. Los pies deben descansar firmemente sobre el piso y el tronco debe estar apoyado sobre los huesos inferiores de la pelvis. Si usa anteojos, quíteselos; los lentes de contacto puede dejárselos. Ahora frote vigorosamente las palmas de las manos durante veinte segundos. Con los codos ligeramente apoyados sobre la mesa, forme una cavidad con las manos y póngaselas sobre los ojos cerrados, sin tocar los globos oculares o hacer presión a los lados de la nariz.

Respire profunda, tranquila y relajadamente, y descanse con los ojos tapados, durante tres a cinco minutos. Cuando sea el momento, retire las manos de los ojos pero déjelos cerrados durante otros veinte segundos. (¡No se los restriegue!) Después ábralos suavemente y mire a su alrededor. Probablemente notará que los colores parecen más brillantes y que todo se ve más nítido. Haga esto una o dos veces al día.

Esta es la descripción que hace Leonardo de un amanecer: "A primera hora de la mañana la atmósfera en el sur tiene una ligera neblina de nubes teñidas de rosa; hacia el occidente se torna más oscuro y hacia el oriente el vapor húmedo del horizonte se ve más brillante que el horizonte mismo, y el blanco de las casas hacia el oriente apenas puede distinguirse; en tanto que en el sur, cuanto más alejadas están las casas, más adquieren ese tono rosa encendido, y esto sucede con más intensidad en el occidente; y con las sombras sucede lo contrario, pues éstas desaparecen ante las casas blancas".

Enfoque de cerca y de lejos

Éste es un ejercicio sencillo y de gran utilidad, que usted puede practicar muchas veces al día. Mire un objeto que esté cerca de usted —como este libro— y después mire hacia el horizonte lejano. Escoja un elemento específico en el horizonte y enfóquelo durante unos segundos; después vuelva a mirar el libro, y luego vuelva al horizonte lejano, enfocando esta vez un objeto diferente. Además de revitalizar sus ojos y expandir su perspectiva, este ejercicio puede mejorar la manera como usted conduce y, específicamente, evitar que pase demasiado rápido frente a un policía vial sin darse cuenta.

"Ojos blandos"

El hecho de sentarse frente a una pantalla de computador y leer informes todo el día hace que la gente pierda la flexibilidad y la amplitud de su enfoque. Para contrarrestarlo, respire profundamente unas cuantas veces y ensaye el siguiente ejercicio: Junte sus dos índices a la altura de los ojos, a unos veinticinco centímetros de distancia de la cara. Mirando al frente, separe los dedos lentamente uno del otro, en el plano horizontal. Deje de mover los dedos cuando ya no pueda verlos con la visión periférica. Vuelva a juntarlos en el centro y haga el mismo ejercicio en el plano vertical. Exhale. Ahora "ablande" los ojos relajando los múscu-los de la frente, de la cara y del mentón, y amplíe su campo de visión hasta donde le sea posible. Note el efecto que tiene este ejercicio sobre su mente y su cuerpo.

Describa un amanecer o un atardecer

Averigüe la hora exacta a la que saldrá o se pondrá el sol, por ejemplo mañana. Busque un lugar tranquilo y cómodo donde pueda tener una buena vista. Trate de llegar a ese lugar por lo menos diez minutos antes de la hora oficial. Relaje su mente y su cuerpo con unas cuantas inhalaciones profundas y exhalaciones lentas. Haga el ejercicio del ojo y la palma durante tres minutos, luego practique a enfocar de cerca y de lejos y después ablande los ojos mientras abarca todo el horizonte. Describa en su cuaderno los detalles de esta experiencia.

Estudie la vida y obra de sus artistas favoritos

Haga una lista de sus diez pintores preferidos. Dedique un período determinado (una semana, un mes, un año) a estudiar a fondo la vida y las obras de estos artistas. Lea todo lo que pueda. Trate de ir a ver sus obras personalmente, siempre que sea posible. Cuelgue reproducciones de sus cuadros favoritos en el baño, la oficina y la cocina.

He aquí mi lista (de pintores preferidos del mundo occidental):

1. Leonardo (¡qué sorpresa!)
2. Paul Cézanne

3. Vincent van Gogh

4. Rembrandt van Rijn

5. Miguel Ángel

6. Jan Vermeer

7. Giorgione

8. Masaccio

9. Salvador Dalí

10. Mary Cassatt

Aproveche los museos

¿Cómo podemos profundizar nuestra apreciación del gran arte y ampliar nuestro *saper vedere* (saber ver)? Una clave sencilla es tener una estrategia para visitar museos. Muchas personas cultas a veces se sienten agobiadas cuando visitan museos. ¡Hay tanto que ver! Sin una estrategia positiva para ver y disfrutar de una exhibición, es posible que salgamos exhaustos e insatisfechos. Las visitas guiadas a veces son excelentes, pero su calidad no siempre es confiable.

Intente hacer lo siguiente: Vaya a un museo con un amigo. Decida con anticipación qué partes de la colección quiere ver. Póngase de acuerdo con su amigo para encontrarse en un lugar y a una hora determinada y luego sepárense para ver las salas de manera independiente.

Evite hacer juicios basados en los términos analíticos que ha aprendido en sus cursos de historia del arte, y limítese a mirar cada pintura y cada escultura con ojos frescos e inocentes. Trate de no mirar el nombre del artista y el título del cuadro sino hasta después de haberse tomado el tiempo necesario para apreciar cada pintura a fondo. ¿Qué le llama la atención en una obra de arte en particular? Tome notas en su diario acerca de las pinturas y las esculturas que lo impresionaron más profundamente. Después reúnase con su amigo y comparta con él sus impresiones sobre las obras más sobresalientes de cada sala.

El esfuerzo que usted tendrá que hacer para explicar qué es lo que lo atrae en un cuadro específico agudizará su capacidad de apreciación y deleite. Y además, usted tendrá el beneficio adicional de escuchar otro punto de vista, el cual puede ampliar su apreciación no sólo de ciertas obras específicas sino también de su amigo. Cuando hago este ejercicio con mis amigos, invariablemente exclaman a la salida: "¡Nunca me había divertido tanto en un museo!"

Practique la "especulación sutil": el arte de la visualización

La visualización es una herramienta maravillosa para agudizar todos nuestros sentidos, mejorar la memoria y prepararnos para lograr nuestras metas. La visualización era un elemento esencial de la estrategia de Leonardo para aprender y crear. "En mi experiencia", dice en uno de sus escritos, "he descubierto que no es poco el beneficio de recordar en la imaginación, mientras estamos en la cama en la oscuridad, los bocetos de las formas que hemos estado estudiando o de cualquier otra cosa notable concebida mediante la especulación sutil; y éste es un ejercicio digno de alabanza y

Leonardo observó que "la idea o la facultad de la imaginación [opera] sobre los sentidos como timón y como freno al mismo tiempo, puesto que la cosa imaginada influencia al sentido".

muy útil para imprimir cosas en la memoria". Si bien se supone que este consejo es para pintores, también aplica a los artistas de la vida.

Usted puede practicar la visualización consciente para mejorarlo todo, desde su manera de jugar fútbol o de bailar hasta sus habilidades para dibujar y hacer presentaciones. La visualización parece ser más eficaz cuando estamos relajados, y entre los momentos adecuados para practicarla se destacan los siguientes:

- ✦ En la mañana al despertarnos.
- ✦ En la noche, mientras nos deslizamos hacia el sueño.
- ✦ Cuando vamos de pasajeros en un tren, en un avión, en un bote o en un automóvil.
- ✦ En las pausas de descanso durante el trabajo.
- ✦ Después de meditar o de hacer yoga o ejercicios.
- ✦ En cualquier momento en el cual nuestro cuerpo esté relajado y nuestra mente, libre.

La habilidad para visualizar un resultado determinado es una facultad del cerebro, el cual está diseñado para ayudarnos a lograr que esa imagen concuerde con nuestro desempeño. Cuanto más involucremos todos nuestros sentidos, más poderosa será nuestra visualización.

Para aprovechar al máximo nuestras visualizaciones y ampliar la intensidad de nuestra visualización multisensorial, practiquemos los siguientes ejercicios:

Imagine su escena favorita

Respire profundamente varias veces y después cierre los ojos. Invoque la imagen de su lugar favorito, ya sea real o imaginario. Digamos que, por ejemplo, usted escoge una playa. Mentalmente, mire hacia la vasta superficie del océano verdiazul, y siga la línea de la blanca y espumosa cresta de las olas que se acercan. Escuche el rítmico rugido del agua y sienta la tibieza de los rayos del sol en la espalda. Respire el estimulante olor del aire salado que la suave brisa marina acarrea y sienta la textura de la arena mojada entre los pies. A lo lejos, un escuadrón de seis pelícanos marrones va volando a ras de agua y de pronto se dispersan en todas las direcciones. El pelícano más grande regresa y se lanza en picada para engullir un pez de cola plateada. Agarre una manotada de arena y obsérvela contra el cielo azul, casi transparente. Déjela caer por entre los dedos, mientras la luz juguetea con los cristales. Lávese las manos en el agua y chúpese los dedos, llenos de sal. Siga disfrutando de su visita a su lugar favorito y gozando con cada uno de los deliciosos detalles sensoriales.

Cree su propia obra de teatro interna

Una de las mejores maneras de cultivar el arte de la visualización es a través de la visualización de obras de arte. Escoja una cualquiera de sus obras maestras favoritas —por ejemplo *La última cena* de Leonardo o *Los girasoles* de Van Gogh. Cuelgue una reproducción

Para Leonardo había dos clases de visualización:

+ "La posimaginación —el hecho de imaginarse cosas pasadas, y

+ La preimaginación —imaginarse cosas que están por suceder".

¡No se imagine a la *Mona Lisa* con bigote! *Si* usted no pudo cumplir esta orden es porque su poder de visualización es tan fuerte que toma cualquier sugestión, positiva o negativa, y la convierte en una imagen. Y tal y como lo afirmó enfáticamente el maestro, "la cosa imaginada influencia al sentido". Sin embargo, muchas personas tienen la impresión equivocada de que "no pueden visualizar". Lo que quieren decir es que no ven imágenes internas claras y a todo color. Es importante darnos cuenta de que podemos obtener *todos los beneficios de la visualización* sin necesidad de "ver" imágenes claras a todo color. Si usted es de los que cree que no puede visualizar, trate de responder a las siguientes preguntas: ¿De qué color y de qué modelo es su automóvil? ¿Podría describir el rostro de su madre? ¿Cómo son los perros dálmatas? Lo más probable es que usted haya respondido a estas preguntas con facilidad, tomando los datos de su banco de imágenes interno —el lóbulo occipital de su corteza cerebral. Este banco de imágenes tiene el potencial —en coordinación con nuestros lóbulos frontales— de almacenar y crear más imágenes, tanto reales como imaginarias, que las que pueden crear todas las compañías de producción cinematográfica y de televisión juntas.

+ Mantenga su visualización dentro de un marco positivo —Mucha gente practica la visualización negativa inconsciente, más conocida como preocupación. Si bien la capacidad de prever qué puede funcionar mal es esencial en la planificación inteligente, usted debe evitar obsesionarse con imágenes de fracaso, desastre y catástrofe. Debe visualizar, en cambio, su reacción positiva a cualquier reto.

+ Distinga entre fantasía y visualización —Fantasear puede ser divertido, y el libre flujo de imágenes que este ejercicio inspira puede ser útil a la hora de generar ideas creativas. Pero la visualización es diferente de la fantasía. Cuando usted visualiza, enfoca conscientemente la mente en imaginar un proceso y un resultado deseados. En otras palabras, practica un "ensayo" mental disciplinado. Y lo más importante a la hora de lograr que la visualización se vuelva efectiva es su consistencia e intensidad de foco, más que la claridad y la calidad de la imagen.

en la pared y estúdiela durante por lo menos cinco minutos al día durante una semana. Después, mientras se está quedando dormido, intente recrear la pintura en la mente. Visualice la escena y los detalles. Trabaje con todos sus sentidos durante este ejercicio: imagine los ruidos alrededor de la mesa en *La última cena*, o el olor de los girasoles. Registre la manera como cambian sus impresiones de la obra de un día para otro.

Aprenda a dibujar

La aproximación davinciana definitiva al refinamiento visual sería aprender a pintar. Pero la pintura de Da Vinci, como la de la mayoría de los artistas, está mejor representada en sus dibujos. Leonardo afirmó enfáticamente que el dibujo era el fundamento básico para pintar y para aprender a ver. "El dibujo es tan indispensable para el arquitecto y para el escultor como para el ceramista, el orfebre, el tejedor o el que borda...", escribió. "Les ha servido a los aritméticos para encontrar sus figuras; les ha enseñado a los geómetras la forma de sus diagramas; ha instruido a los ópticos, a los astrónomos, a los constructores de máquinas y a los ingenieros".

Para Leonardo, el dibujo era mucho más que una ilustración; era la clave para la comprensión del universo. De modo que para los aspirantes a davincianos, aprender a dibujar es la mejor manera de comenzar a aprender a ver y a crear. Y ¿qué mejor manera de empezar que con el "Curso de dibujo para principiantes de Leonardo da Vinci", que nos espera en la página 289.

El oído: escuchar y oír

Cada sonido y cada silencio nos da la oportunidad de ampliar nuestra percepción auditiva; pero los ruidos urbanos pueden ser apabullantes y reducir nuestra sensibilidad. La mayoría de nosotros, rodeados de taladros, televisores y ruidos de aviones, de trenes y de automóviles, tratamos de "dejar de oír" todo ese barullo para protegernos. Practiquemos los siguientes ejercicios para afinar nuestro sentido del oído.

Escuche en capas

Una o dos veces al día, suspenda su actividad por unos instantes, respire profundamente y escuche los sonidos a su alrededor. Primero oirá los sonidos más fuertes y más obvios —el aire acondicionado, el tictac del reloj, el tráfico de la calle, el ruido de la gente y las máquinas en el ambiente. Después, cuando esa capa le haya quedado clara, escuche la siguiente capa —el sonido de su respiración, de la brisa, los pasos en el corredor, el roce de la manga cuando mueve el brazo. Siga penetrando hacia la siguiente capa, y la siguiente, hasta que oiga el latido suave y rítmico de su corazón.

Oiga el silencio

Intente oír las pausas entre los sonidos: en la conversación de un amigo, en su música favorita, entre una y otra nota en el canto de un ave. Escoja el silencio como el tema de un día y registre sus observaciones en su cuaderno. ¿Tiene acceso a un lugar donde haya completo silencio, lejos del zumbido de las máquinas? Busque un lugar así. ¿Cómo se siente al estar en un lugar donde la quietud es completa?

Practique el silencio

Haga el experimento de tener un día de silencio. No hable durante todo el día, sólo oiga. Lo mejor es pasar su día silencioso en la naturaleza, caminando por los bosques, escalando montañas o paseando a la orilla del mar. Sumérjase en los sonidos de la naturaleza. Este "ayuno verbal" fortalecerá su capacidad para oír atentamente y será un ejercicio muy refrescante para el espíritu.

Estudie la vida y la obra de sus compositores y artistas musicales favoritos

La buena música es la herramienta más poderosa para el cultivo de la apreciación del sonido y de las sutilezas del oído. Leonardo se refería a la música como "el arte de darle forma a lo invisible". Usted puede incrementar su sensibilidad y su capacidad de gozo concentrándose primero en lo que ya sabe que le gusta. Haga una lista de sus diez favoritos en el estilo de música que escoja —ya sea clásica, gospel, bandas militares, orquestas de tango, baladistas, violinistas, estrellas de ópera o del rock, intérpretes de flauta shakuhachi, grandes del jazz, maestros del raga, etc. Sumérjase en la obra escogida por una día, una semana o un mes. Si es posible, lleve en el automóvil discos o casetes con las obras de su artista o compositor favorito. Recurra a las técnicas para escuchar activamente, que aprenderá más adelante, para desarrollar un conocimiento más profundo y una mayor apreciación de su música favorita.

Aprenda la historia de la música occidental

La música del mundo es sorprendentemente rica, diversa y maravillosa; familiarizarnos con las obras maestras de la tradición occidental y aprender a disfrutarlas resulta un espléndido punto de partida para el renacimiento auditivo. Bajo la guía experta de la compositora Audrey Elizabeth Ellzey, el renombrado director Joshua Habermann, la vocalista Stacy Forsythe y Murray Horwitz, de la Radio Pública Nacional, he logrado formular una breve introducción a la tradición musical occidental, que espero que disfruten.

Medioevo (450 - 1450): El período medieval se caracterizó por los cánticos en las iglesias y los monas-

terios y por las canciones seculares de juglares erran-
tes y otros. La voz humana era el instrumento más
importante. La mayor parte de los compositores de la
Edad Media, al igual que los pintores, trabajaban en el
anonimato. Una deliciosa excepción fue Hildegard von
Bingen. Sus obras, humildes pero bellamente expresi-
vas, como oraciones, han aparecido recientemente y se
encuentran entre la lista de los discos más vendidos
en todo el mundo.

Renacimiento (1450 - 1600): El desarrollo más
importante de este período fue la aparición de la
polifonía, música conformada por partes independientes
la una de la otra. Las composiciones musicales se empezaron a imprimir, permitiendo que los intérpretes
aprendieran y siguieran varias partes diferentes. La
música se hizo más compleja. Josquin, Byrd y Dufay
son algunos de los muchos compositores sobresalientes del Renacimiento, cuya música sobrevive. Sin embargo, casi todos los expertos están de acuerdo en
afirmar que el italiano Palestrina, nacido poco después
de la muerte de Leonardo, fue el compositor más
importante del período.

Barroco (1600 - 1750): La música del barroco está
dominada por el contrapunto musical. En el contrapunto
musical, las líneas melódicas individuales siguen siendo
independientes pero están más rígidamente gobernadas
por las progresiones armónicas regulares. La música
barroca es muy consistente y su construcción se basa
en una serie de normas rígidas. La música de este
período, como la del Renacimiento, fue escrita primor-
dialmente para eventos religiosos o de las cortes rea-

les. Bach y Handel son representantes supremos del estilo barroco.

Clásico (1785 - 1820): La era clásica comenzó después de un período de transición de treinta y cinco años (1750 - 1785). Durante el período clásico el contrapunto perdió popularidad, a medida que la armonía empezó a acompañar a las líneas melódicas individuales. La rigidez de las normas barrocas se relajó y nació la sonata. La forma de la sonata le dio más libertad a los compositores, así como la posibilidad de dejar al descubierto un estilo individual. Si bien continúa siendo formal, la música de este período es más conocida por su elegancia y su belleza. Mozart, Haydn y Beethoven son los grandes maestros del período clásico.

Romanticismo (1820 - 1910): Durante el período romántico, las armonías exóticas y la experimentación melódica contribuyeron a expandir las estructuras musicales. En la búsqueda de un ideal, el individuo le dio voz a la expresión de la emoción. La pasión personal y los sentimientos profundos salieron a la superficie en las grandes obras instrumentales de Brahms, Chopin y Schubert, y en las majestuosas óperas de Verdi, Puccini y Wagner.

Siglo XX (1910 -): A comienzos del siglo XX, compositores como Stravisnky, Debussy, Richard Strauss, Mahler, Schoenberg, Shostakovich y Bartók comenzaron a abrir nuevas sendas musicales. Al rebelarse contra la rigidez de las eras anteriores, los compositores modernos adoptaron caminos tan divergentes que al público le resultó difícil mantenerse al día. La Segunda Guerra Mundial complicó aún más las cosas. Por ejemplo, la

LA LISTA DE LOS MEJORES

Les pedí a mis expertos que hicieran su lista de los diez mejores. Todos, sin excepción, se negaron a mi petición de organizarlos jerárquicamente, alegando que "el arte no funciona así". Insistí, no obstante, haciendo preguntas como "Si hubiera naufragado en una isla desierta y sólo pudiera tener consigo diez piezas clásicas o de jazz, ¿cuáles escogería?" "¿Para qué pedir una lista de diez a menos que quiera formar un equipo de estrellas del basquetbol?", preguntó Murray Horwitz. El ejercicio de hacer una lista ordenada de nuestros favoritos, ya se trate de obras de arte, piezas musicales o vinos; la disciplina de escoger a uno y eliminar a otro, poniendo a uno más arriba en la lista, y después dar una explicación plausible de porqué lo hicimos así, exige de una profundidad y de una capacidad para hacer consideraciones y comparaciones claras y precisas que forzosamente tiene que generar una mayor apreciación y deleite. Comparar nuestra lista con la de un amigo también es una forma deliciosa de ampliar nuestra erudición y de conocer mejor a nuestros amigos. Pero las listas jerarquizadas deben ser hechas con humildad y alegría, recordando que podemos reorganizar nuestro "equipo de estrellas" cuando queramos.

música de Stravinsky y de Debussy fue declarada subversiva en la Unión Soviética y Shostakovich fue prohibido (prohibición que continuó hasta la segunda mitad de este siglo). Las innovaciones electrónicas han tenido una influencia considerable tanto en la música seria como en la música popular. La moderna audiotecnología también ha permitido que los aficionados oigan la mejor música en sus hogares y en sus automóviles. En consecuencia, las audiencias contemporáneas con frecuencia andan a la caza de nuevos virtuosos y de mejores grabaciones, más que de nuevos compositores y formas musicales.

Estudie la música del canon clásico

Persistí en mi interrogatorio a los expertos y finalmente me las arreglé para arrancarles una especie de
consenso alrededor de diez de las más grandes obras
del canon clásico. Escúchelas y tome usted su propia
decisión.

1. Bach: *Misa en B menor*
   Profundidad espiritual y celebración jubilosa en una
   de las obras más conmovedoras en la historia de la
   música religiosa.

2. Beethoven: *Novena sinfonía*
   Transformación de la oscuridad en luz, con un final
   espectacular; la forma en que Beethoven trata el texto
   de Schiller en celebración de la hermandad de los
   hombres inspira respeto y admiración.

3. Mozart: *Réquiem*
   Considerado por muchos como la obra por excelencia para coro y orquesta. Irónicamente, fue un estudiante de Mozart el encargado de terminar el *Réquiem,* debido a su inesperada muerte.

4. Chopin: *Nocturnos*
   Estas composiciones íntimas para piano cubrirán su
   alma de luz de luna. (Trate de conseguir la gloriosa
   grabación del pianista Arthur Rubinstein.)

5. Brahms: *Réquiem alemán*
   El rango de expresión oscila entre los ecos monu-
   mentales de lo eterno y lo extremadamente personal
   y reconfortante.

6. Mahler: *Sinfonía # 6*

Al explorar las profundidades de la emoción como sólo Mahler puede hacerlo, esta sinfonía celebra el triunfo de la esperanza sobre la desolación.

7. Richard Strauss: *Cuatro últimas canciones*

Estas piezas para soprano y orquesta se basan en los poemas de Hermann Hesse y de Joseph von Eichendorff. La exuberante orquestación forma un rico telón de fondo para las melodías rampantes de la soprano. La descripción que logra Strauss del alma en vuelo en "Beim Schlafengehen" es uno de los momentos más extraordinarios de la música occidental.

8. Debussy: *Preludios*

Cada una de estas joyas es una caracterización única en miniatura, en un estilo impresionista.

9. Stravinsky: *La consagración de la primavera*

Explosiva, incendiaria y apremiantemente rítmica, la audiencia se amotinó en su estreno.

10. Verdi: *Aída* y Puccini: *La Bohème* (empate)

Todo el mundo estuvo de acuerdo en que debía haber una composición operática en la lista de las diez mejores, pero no pudimos ponernos de acuerdo en cuál. Así que es un empate. En vivo, *Aída* resulta una experiencia inolvidable de lo que es la ópera. Pero *La Bohème* de Puccini es casi imbatible en grabación. Sus hermosas melodías capturan la esencia del romance. (Todos los expertos resaltaron la importancia de buscar grabaciones de la más alta calidad, con los mejores intérpretes y directores.)

Ésta muy breve introducción a las obras maestras de la música occidental estaría incompleta sin una referencia a las canciones populares estadounidenses y al jazz.

Desarrolle un oído activo

Usted puede aumentar su placer al escuchar música si participa de manera más activa en una actividad que no debe ser necesariamente pasiva. Practique las siguientes estrategias para desarrollar un oído activo.

 Busque patrones de tensión y distensión: Ésta es una de las formas más sencillas y divertidas de aumentar su capacidad de apreciar la música y deleitarse con ella. Todos los compositores, sin importar el género, utilizan métodos que en últimas suponen la creación de tensión y su consecuente desenlace. A través de técnicas como la variación rítmica, el cambio de clave, las pausas y el movimiento armónico, el compositor lleva al oyente por un camino de movimiento, quietud y altibajos melódicos que conducen al nacimiento de expectativas musicales y a su realización. Aun si no es consciente de este proceso, el oyente es conducido constantemente hacia descansos musicales, ascensos y descensos. Al escuchar diferentes piezas, de Franz Liszt, por ejemplo, o de Lennon y McCartney, usted debe tratar de identificar con precisión los momentos claves de la construcción de la tensión y su desenlace. Es tan fácil como mirar una ola en movimiento.

Aprecie su música favorita desde el punto de vista de los elementos: Leonardo y sus contemporáneos pensaron con frecuencia en el mundo desde el punto de vista de los elementos: tierra, fuego, agua y aire. Ésta es una forma deliciosa de pensar en la música. ¿Cuáles son los elementos predominantes en la música que a usted le gusta? Haga el experimento de catalogar a sus compositores y artistas favoritos por el elemento predominante. Yo creo que Brahms y Beethoven son los que mejor expresan el elemento tierra; Stravinsky y Shostakovich, el fuego; Ravel y Debussy evocan la esencia del agua; y Mozart y Bach son la suprema expresión del aire. ¿Está usted de acuerdo?

Aprenda a distinguir una música de otra: La apreciación de la música será mayor en la medida en que aprendamos a hacer distinciones. El nivel más simple en música consiste en aprender a distinguir un tipo de música de otra, como por ejemplo el tango del vallenato o la música clásica del jazz. Después se aprende a diferenciar entre los subtipos, como el jazz de Nueva Orleans del jazz fusión, o la música barroca y clásica de la romántica. En otro nivel de apreciación se pueden reconocer las obras de los diferentes compositores y distinguir a Bach de Brahms y a Mozart de Monteverdi. Después se puede aprender a reconocer las características de los diferentes solistas, orquestas, directores y grabaciones.

Trate de escuchar la misma pieza musical interpretada por diferentes orquestas con directores diferentes. Escuche, por ejemplo, la Sexta Sinfonía de Mahler in-

Canción popular estadounidense

Uno de los más espléndidos regalos que Estados Unidos le ha dado al mundo es el conjunto de obras musicales creado en esa edad dorada que se inició en 1910 y se extendió hasta 1960. Me refiero a las canciones populares estadounidenses que resuenan por todo el mundo como una evocación y una celebración de la vida moderna. En su mejor momento, conforman una unión de música y letra digna de ser considerada al mismo nivel que los oratorios de Handel. (El principal criterio que usé para evaluar el mérito es la posibilidad de que la música aún inspire y conmueva a la gente dentro de un siglo.)

Entre los más grandes de los grandes están:

+ George y Ira Gershwin —George Gershwin escribió *Porgy and Bess*, considerada por algunos como la primera ópera estadounidense. La síntesis que lograron los Gershwin del jazz temprano, el blues y la música europea produjo obras de gran belleza e influencia perdurable.
+ Richard Rodgers y Oscar Hammerstein —Rodgers y Hammerstein formaron un equipo único que produjo las partituras para joyas musicales como *Oklahoma!* y *The Sound of Music*.
+ Alan Lerner y Frederick Loewe —Otro equipo famoso por tonadas encantadoras como las de *My Fair Lady* [Mi bella dama].
+ Irving Berlin —Escribió canciones divertidas y sin complicaciones, tan esencialmente estadounidenses como "White Christmas", "Cheek to Cheek" y "Say It Isn't So".
+ Jerome Kern —Con el estreno, en 1927, de *Showboat*, ese hito de los musicales, este pionero dejó listo el escenario para el florecimiento de los grandes musicales.
+ Cole Porter —Las letras de Porter son epítome de refinamiento e ingenio. Particularmente memorable es la grabación que hizo Ella Fitzgerald, *The Cole Porter Song Books*, y que contiene clásicos como "I Love Paris", "Too Darn Hot" y "I've Got You Under My Skin".

terpretada por una orquesta profesional y luego escuche el mismo Mahler interpretado por una orquesta semiprofesional. Describa en su cuaderno las diferencias.

Usted también puede escuchar a diferentes intérpretes tocando el mismo instrumento. Escuche, por ejemplo, "Snake Rag" interpretado por King Oliver. Luego escúchelo de nuevo, pero esta vez trate de distinguir la trompeta principal, a cargo de Oliver, de la trompeta que distribuye las líneas armónicas, a cargo de Louis Armstrong.

Esté atento a la emoción: ¿Por qué una pieza específica de música logra tocar sus fibras más sensibles? ¿Qué composiciones, canciones, instrumentos y voces lo conmueven más profundamente?

Escuche una de las primeras grabaciones de Frank Sinatra. ¿En dónde radica la calidad emocional de su voz? Escuche una grabación posterior, del período que siguió a su *affaire* con Ava Gardner ("New York, New York" y "My Way" son los principales ejemplares de esta fase pos-Ava). ¿Cómo cambió la calidad emocional?

Escuche la transición entre el tercero y el cuarto movimiento de la Quinta Sinfonía de Beethoven. Préstele atención al sonido del triunfo y la exuberancia. Después escuche el segundo movimiento de la Tercera Sinfonía de Beethoven. Allí encontrará el sonido de la tragedia, de la tristeza, de la melancolía. ¿Por qué lo afectan esos sonidos como lo hacen?

Esté atento a las huellas culturales e históricas: En la música se conjugan, como en ningún otro arte, las

El jazz

El buen jazz es un baile de sonido entre el caos y el orden, que expresa e inspira la esencia de la creatividad. Murray Horwitz sugiere que las tres figuras más importantes del jazz son Louis Armstrong, Duke Ellington y Charlie Parker.

El cantante y trompetista Louis Armstrong es probablemente el más importante intérprete de jazz —uno de los dos o tres mejores solistas, con el más poderoso sentido del ritmo y la personalidad más arrolladora. Se destacan sus grabaciones con su mentor, Joe "King" Oliver: "Snake Rag", "Dippermouth Blues", etc. También sus famosos "Hot Fives" y "Hot Sevens", su "West End Blues" y las grabaciones que hizo para la Decca en las décadas de 1940 y 1950, tales como "Up a Lazy River" y "On the Sunny Side of the Street".

Según Horwitz, Duke Ellington es uno de los compositores estadounidenses más sobresalientes. Entre sus obras maestras se cuentan suites extensas como *Harlem*, *Such Sweet Thunder* y *Far East Suite*. Pero sus piezas más cortas también son sorprendentes, especialmente "Portrait of Ella Fitzgerald", "Black and Tan Fantasy" y "Clothed Woman". Vale la pena dedicarle tiempo al progreso de su orquestación y de su enfoque al componer desde la década de 1920 hasta la de 1970. Usted descubrirá su singular estilo para tocar el piano y se deleitará con el extraordinario resultado de su colaboración con Billy Strayhorn. Canciones maravillosas como "Satin Doll", "Solitude" y "Take the A Train" siempre son un fántastico regalo.

Muchos afirman que nuestro tercer inmortal del jazz, el saxofonista alto Charlie "Yardbird" Parker ("Bird" para abreviar) nunca tocó un solo imperfecto. Esta afirmación puede sonar exagerada, pero muchos de los mejores músicos la proclaman. Además de sus solos fascinantes, el trabajo de Parker con otros músicos brilla por su vitalidad y su originalidad. En compañía del trompetista Dizzie Gillespie, del pianista Thelonius Monk, del baterista Kenny Clarke y de otros, Parker fue pionero en el desarrollo del *bepop*. Entre sus grabaciones más destacadas habría que buscar las que hizo para Dial (incluyendo ambas versiones de "Embraceable You"), el famoso concierto "Jazz at Massey Hall" y "Charlie Parker with Strings".

Además de los tres titanes ya mencionados, le pedí a Murray Horwitz que nos recomendara a otros artistas del jazz y una o dos de sus piezas clásicas; el resultado es una introducción ideal a esta gran tradición musical estadounidense:

- Benny Goodman ("Sing, Sing, Sing", del concierto de 1938 en Carnegie Hall)
- Count Basie (casi cualquier cosa, pero especialmente "April in París" y en particular la versión en la que canta Ella Fitzgerald)
- Mildred Bailey ("I'll Close My Eyes", "It's So Peaceful in the Country", "Squeeze Me")
- Miles Davis ("Kind of Blue" y "Four and More")
- Coleman Hawkins ("Body and Soul", "Talk of the Town")
- Billie Holiday ("Fine and Mellow", su trabajo con Count Basie, Lester Young y Buck Clayton, y sus últimas grabaciones de los años cincuenta)
- Dizzie Gillespie (en particular sus grabaciones con orquesta de los años cuarenta)
- Jelly Roll Morton (todas las grabaciones con los Red Hot Peppers)
- Nat King Cole ("After Midnight" y las grabaciones con trío)
- Thomas "Fats" Waller ("Valentine Stomp", "Love Me or Leave Me", "Ain't Misbehavin")
- John Coltrane ("My Favorite Things", "A Love Supreme").

señales de la cultura humana, empapadas de las diferentes huellas del período histórico en el cual se originó. Trate de entender el trabajo de sus compositores favoritos a través del contexto del cual surgió. Haga otro tanto con los estilos que más le gustan. Aprecie cómo la música rap, por ejemplo, es una evocación poética de la vida de los barrios más pobres de la ciudad, que surge de los ritmos y de las tradiciones narrativas del África; y cómo la música de Bach, altamente estructurada y rígida en sus normas, comunica el respeto por la autoridad, tanto divina como secular, que caracterizó a la sociedad teutónica en el barroco.

Póngale música a la vida

Para sacar el mayor provecho posible del placer que nos brinda la gran música, dedique un tiempo a escuchar profundamente, sin distracciones. Concentre su atención en la Novena Sinfonía de Beethoven, por ejemplo, de comienzo a fin, y después escúchela de nuevo. Descubrirá que es un maravilloso festín para el oído, el corazón y la mente. Desde luego, usted puede disfrutar de los beneficios de lo que Leonardo llamó "el arte de darle forma a lo invisible", mientras lleva a cabo las labores del día. La música afecta el estado de ánimo y las emociones, la percepción y la receptividad; modifica los patrones cerebrales y es utilizada para animar a los soldados que van a la guerra y a los boxeadores que van al cuadrilátero. Puede ayudar a los bebés a dormir, estimular el crecimiento de las plantas y reconfortar a los enfermos.

Aproveche mejor el poder del sonido tratando de encontrar el acompañamiento musical ideal para las diversas actividades de la vida diaria. Luego póngale música a su vida: "Carros de fuego", de Vangelis, para el momento de despertar, por ejemplo; los conciertos de violín de Mozart para estudiar y "Silk Road", de Kitaro, a la hora de irse a dormir.

CONCIENCIA AROMÁTICA

Todo el día, todos los días nos vemos asediados por una variedad de olores. Los cinco millones de células olfativas que poseemos pueden distinguir una sola de las moléculas de una sustancia causante de un olor en una parte por trillón de aire. Inhalamos aproximadamente 23 mil veces al día y procesamos más o menos 440 pies cúbicos de aire cargado de olores.

Pero la mayoría de las personas tienen un vocabulario muy limitado para describir sus experiencias aromáticas: los comentarios más comunes son "huele mal" o "huele bien". Debemos aspirar a incrementar nuestra discriminación y nuestra apreciación de los olores mediante la expansión de nuestro vocabulario olfatorio. Los perfumistas clasifican los olores como florales (rosas), mentolados (menta), almizclados (almizcle), etéreos (peras), resinosos (alcanfor), podridos (huevos podridos) y acres (vinagre). Emplee estos términos e invente unos propios a medida que explora los siguientes ejercicios.

¿Qué olor percibe en este preciso momento?

Describa el olor que percibe en este momento tan vívidamente como sea posible. Después, a la manera de nuestro más amado amigo canino, explore su entorno inmediato con la nariz. Sienta el olor de este libro, de una taza de café vacía, de la palma de la mano, del espaldar del asiento. Describa su experiencia en el cuaderno.

Los "olores": tema de un día

La siguiente es la receta de Leonardo para elaborar una fragancia personal: "Para hacer un perfume: Tome agua de rosas fresca y humedézcase las manos; luego tome una flor de lavanda y restriéguela entre las manos, y sentirá el buen olor".

Registre los olores que siente y cómo lo afectan a lo largo de un día. Busque aromas intensos o inusuales. Deténgase un rato en la sección de quesos de su salsamentaria favorita. Vaya al campo y atraviese un establo a pie. Sienta el aroma de todas las hierbas y especies de la cocina. ¿Cómo influyen los olores en su estado de ánimo? ¿En su memoria? Busque y registre ejemplos específicos de aromas que afecten sus emociones o sus recuerdos.

Cuerno de la abundancia olfatoria

Es más fácil y más divertido hacer este ejercicio con amigos. Reúna diversos objetos con diferentes aromas —por ejemplo una rosa, un pedazo de madera de cedro, una vaina de vainilla, la camiseta sucia de un amigo cercano, un poco de algas, un gajo de naranja, una manotada de tierra, una chaqueta de cuero, un buen cigarro, jengibre recién cortado. Con una venda puesta, pídale a un amigo que le vaya acercando cada uno de estos objetos a la nariz durante treinta segundos. Describa cada olor y la reacción que le despierta.

Haga su propio perfume

En una tienda naturista, usted puede oler algunos aceites esenciales: lavanda, pachulí, clavo, rosa, eucalipto, etc. Pruebe a oler tantos como sea posible. ¿Cómo lo afecta cada fragancia? ¿Cómo afecta a sus amigos? Experimente con diferentes combinaciones y cree su esencia favorita.

Estudie aromaterapia

Los antiguos egipcios, hebreos y chinos usaban los aromas de las plantas y de las hierbas para curar. La utilización terapéutica de hierbas y aromas naturales fue muy popular en la época clásica y en tiempos de Leonardo, y ahora experimenta un renacimiento. Busque algunos libros sobre este tema.

Todos los ejercicios que acabamos de describir le producirán muchas satisfacciones, pero el camino más gratificante para la exploración del sentido del olfato es el que se acompaña con buena comida y un vino de gran calidad.

El gusto

La mayoría de nosotros tiene la oportunidad de probar alimentos por lo menos tres veces al día. Pero en medio

Tenemos aproximadamente diez mil papilas gustativas, cada una compuesta de cincuenta células gustativas.

Nuestras papilas gustativas se especializan en lo dulce, lo amargo, lo ácido y lo salado. Los sensores de dulce están localizados en la punta de la lengua, lo ácido se registra a los lados, lo amargo al fondo, y los sensores de lo salado están dispersos por toda la superficie.

de la agitación que caracteriza nuestra vida con frecuencia resulta difícil prestar atención a la comida. Nada más fácil que "comer algo en el camino" y consumir toda una comida sin saborear nada en absoluto. En lugar de eso deberíamos hacer una pausa de algunos instantes antes de comer, reflexionar sobre los orígenes de la comida que estamos a punto de disfrutar y tratar de estar ciento por ciento presentes cuando probemos el primer bocado.

Desarrolle el gusto comparativo

Una maravillosa forma de desarrollar el oído es oír buena música, pero resulta aún más eficaz comparar una gran interpretación con otra. Lo mismo se puede decir en relación con el gusto y el olfato. Comer exquisiteces y beber vinos finos es una dulce fuente de educación sensorial continuada, pero es posible acelerar dramáticamente el desarrollo de nuestra perspicacia olfativa y gustativa mediante la apreciación comparativa. Podemos empezar con los siguientes ejercicios de apreciación comparativa:

Compre tres clases de miel (por ejemplo de azahares, de tréboles y de flores silvestres), abra los frascos y sienta el olor de cada una durante treinta segundos. Describa los aromas. Después pruebe cada tipo de miel: sírvase media cucharadita y déle vueltas con la lengua. Es importante tomar un sorbo de agua fresca entre una y otra clase de miel para limpiar el paladar. ¿Cuáles son las diferencias en el olor y en el sabor?

Después puede llevar a cabo el mismo proceso comparativo con tres clases de aceite de oliva, de chocolate, de hongos, de cerveza, de manzanas, de agua embotellada, de salmón ahumado, de caviar, de uvas o de helado de vainilla.

Explore la degustación de vinos

El buen vino es arte en una botella. Es la quinta esencia líquida de la munificencia de la tierra; es señal, como lo aseguró Benjamin Franklin, de que "Dios nos ama y quiere vernos felices". Aprender a apreciar y a disfrutar del vino es la forma más potente y deliciosa de refinar nuestros sentidos del olfato y del gusto. (Aquéllos que prefieren no consumir alcohol pueden llevar a cabo los siguientes ejercicios con vinos no alcohólicos.)

Para poder catar vinos con éxito, es necesario un ambiente armonioso y bien iluminado, que le permita apreciar el color del vino (los puristas insisten en usar manteles blancos para resaltar el color del vino); una canasta de pan francés y un poco de agua fresca para limpiar el paladar entre uno y otro vino; buenas copas de vino, diseñadas para optimizar el aroma y el sabor (Reidel Crystal fabrica las mejores); y, por supuesto, un sacacorchos y buen vino.

La degustación se puede organizar alrededor de un tema. Intente, por ejemplo, comparar un buen chardonnay californiano, un pinot noir o un cabernet sauvignon, con un burgundy blanco o rojo o un bordeaux francés de precio similar. O pruebe tres cosechas diferentes de Chianti, vino proveniente de la Toscana italiana, el hogar de Leonardo. (El Antinori Chianti Classico Tenuta Reserva es una buena opción. La familia Antinori ya era conocida como fabricante de vino cuando Leonardo nació, en 1452. Las cosechas de 1988, 1990 y 1993 son las mejores que hay disponibles.)

Aunque el sabor constituye el placer esencial del vino, todos los sentidos desempeñan un papel a la hora de disfrutarlo. La sensación de la botella en la mano, el sonido perfecto de la salida del corcho, la textura del corcho entre los dedos, el gorgoteo del vino a medida que se llena el vaso. Levante la copa hacia la luz para mirar el color de su vino; déle vueltas para liberar sus volátiles aromas; hunda la nariz en la copa para saborear el olor. Tómese todo el tiempo que sea necesario para disfrutar del aroma y describir sus elementos. Luego beba, dándole vueltas al vino por el paladar para apreciar los sabores, las texturas y las sensaciones en la boca. Después de tomarse el primer trago, fíjese en los sabores y las sensaciones que persisten. Este último elemento, llamado "acabado", es la marca suprema de un buen vino. Los mejores vinos despiden oleadas de placer en nuestra boca hasta un minuto después de haberlos pasado.

Describa cada etapa del proceso de degustación precisa y poéticamente.

Además de recurrir a los términos que emplean los catadores experimentados, usted puede incrementar su deleite y apreciación con la elaboración de un vocabulario propio para definir su experiencia; cuanto más poético y caprichoso, mejor. Ofrezca un premio para la descripción más evocativa (pista: las descripciones tienden a ser cada vez más evocadoras a medida que se consume más vino). En una degustación reciente para el departamento de tesorería de una de la principales compañías petroleras, un contador que aseguró no saber nada de vino se ganó el premio al describir así el sabor de un elegante Meursault: "Es como abrir una sombrilla amarilla bajo una lluvia tibia".

Los catadores experimentados emplean cientos de palabras para analizar y describir el buen vino. Algunas se explican por sí solas; otras requieren elaboración. He aquí una lista de algunos de los términos más encantadores, incluyendo algunos en el italiano nativo de Leonardo.

amabile	amistoso, gentil, ligeramente dulce
aristocrático	vino de uvas de la mejor calidad y de la mejor cosecha, suelo y vinicultor
equilibrado	una perfecta armonía entre el yin (acidez) y el yang (fruta)
grosellas	es el aroma clásico del cabernet sauvignon
cremoso	se refiere a la textura del vino y a la sensación que produce en la boca
carezzevole	acariciante, fluido, como el cabello de santa Ana
complejo	multidimensional; con varias capas de aroma, sabor y textura
generoso	fácil de apreciar; rico en sabor, extracto y alcohol
rotondo	rotundo, redondo; maduro e intenso
sedoso	de textura lisa y dimensional en el paladar
stoffa	carácter; vinos grandes, opulentos, complejos, con un fuerte acabado
flexible	afable, fácil de disfrutar
aterciopelado	"sedoso" pero más rico
fresco	acidez fresca y vigorosa de los vinos blancos; el componente ácido suministra la estructura para apreciar el sabor; también estimula los jugos gástricos, lo que convierte al buen vino en una ayuda ideal para la digestión.

De los cuadernos de Leonardo: "Un experimento con el sentido del tacto. Si ponemos el segundo dedo bajo la punta del tercero, de tal manera que toda la uña sea visible, entonces cualquier cosa que se toque con estos dos dedos parecerá doble, siempre y cuando que el objeto que se toque sea redondo".

A medida que adquiere experiencia en catar vinos, descubrirá que su aprecio por otros sabores y otros olores se ha intensificado. ¡Salud! ¡Cent'anni!

EL TACTO: TOCAR Y SENTIR

Nuestro cerebro recibe información de más de 500.000 detectores de tacto y 200.000 sensores de temperatura. Y sin embargo Leonardo se lamentaba de que la mayoría de la gente "toca sin sentir". El secreto de un tacto sensible es una actitud de receptividad, aprender a "oír" profundamente con nuestras manos y con todo nuestro cuerpo. Exactamente eso es lo que experimentaremos en los ejercicios que vienen a continuación.

El tacto de un ángel

Mire el dibujo del ángel en el *Bautismo* de Verrochio (página 26) o el rostro de la Virgen en *La Virgen de las rocas* (página 158) e imagine la manera tan delicada como Leonardo debió aplicar esas sutiles capas de pintura. Ahora, inspirado en la exquisita delicadez del maestro, toque los objetos a su alrededor. Este libro, su cubierta y sus páginas, la tela de su ropa, el pelo, el lóbulo de la oreja, el aire en las puntas de los dedos. Toque el mundo a su alrededor como si experimentara cada sensación por vez primera.

Esa misma calidad en el tacto es la que debe acompañarlo en su próximo encuentro íntimo. Su pareja con seguridad se volverá fanática del Renacimiento.

Toque con los ojos vendados

Invite a un amigo a compartir este ejercicio: reúna objetos como una pelota de goma, una bufanda de seda, una pieza de cerámica, un cierre de velcro, una hoja, un cubo de hielo, un martillo, un suéter de terciopelo o de velour y cualquier otra cosa que quiera explorar. Con una venda puesta, explore los objetos con manos receptivas, atentas. Describa las texturas, el peso, la temperatura y otras sensaciones.

Toque la naturaleza

Salga al aire libre y explore las texturas de la naturaleza: la corteza y las hojas de diferentes clases de árboles, el pasto, los pétalos de las flores, la tierra, el pelaje de un perro o de un gato.

El tacto: tema del día

Fíjese en la calidad del contacto con otras personas: la firmeza de un apretón de manos, la calidez de un abrazo, la suavidad de un beso. Piense en cuál es el contacto físico que le produce más deleite, aparte de las relaciones íntimas. ¿Qué lo hace tan agradable? ¿Cómo puede usted ofrecerles a los demás un poco de la calidad de ese contacto que tanto le gusta? Hágale un masaje de pies a un amigo o haga una cita para que le hagan un masaje y trate de aprovechar al máximo este tema.

Sinestesia

La sinestesia, o confluencia de los sentidos, es característica de los grandes genios artísticos y científicos.

Podemos intensificar el poder de nuestra sensazione cultivando la percepción sinestésica. Una forma sencilla de empezar a practicar consiste en describir un sentido en los términos de otro. Los siguientes ejercicios lo ayudarán a desarrollar la sinestesia:

Dibuje la música

Escuche su pieza musical favorita. Mientras escucha puede tratar de expresar sus impresiones con formas y colores.

Haga sonar el color

Mire una reproducción de su pintura favorita. Vocalice los sonidos que le inspiran los colores, las formas y las texturas sobre el lienzo.

Déle forma a lo invisible

Si usted fuera a esculpir una pieza musical en particular, ¿qué material usaría? ¿Qué formas le daría? ¿Qué colores emplearía? ¿A qué olería la música? Si pudiera morderla, ¿a qué sabría? Haga este ejercicio imaginario de escultura multisensorial con dos de sus piezas musicales favoritas.

Haga transposiciones

Revise su lista de grandes artistas y compositores e imagine que sustituye uno por otro con base en sus obras, no en su personalidad. En otras palabras, si Miguel Ángel fuera músico, ¿quién sería? Si Mozart fuera pintor, ¿quién sería? Yo creo, por ejemplo, que si Miguel Ángel fuera músico sería Beethoven; y si Mozart fuera pintor, sería Rafael. Éste es un ejercicio divertido que usted puede hacer con amigos. Después de que todos hayan hecho unas cuantas transposiciones, cada persona debe explicar las suyas.

Busque soluciones sinestésicas para sus problemas

Piense en una pregunta específica, un reto, un problema. Ahora déle un color, una forma, una textura. Imagine a qué sabe y a qué huele. ¿Cómo se siente al tacto? ¿Cuáles son las texturas, los sabores, las formas, los colores y los sonidos de algunas de las soluciones posibles?

Prepare una minestrone sinestésica

La sopa minestrone era el plato cotidiano favorito de Leonardo da Vinci. Agudice y satisfaga todos sus sentidos preparando la siguiente receta, adaptada de la de mi abuela Rosa. Además de ser una gran cocinera italiana, la abuela Rosa era una pintora de talento. En este ejercicio usted hará una sopa como un artista sinestésico.

Ingredientes

1 taza de fríjoles (lo ideal son los fríjoles enlatados de buena calidad)

10 onzas de acelgas cortadas en tiras

3 calabacines medianos (en tajadas de medio centímetro)

2 cebollas amarillas (finamente picadas)

5 dientes de ajo medianos

4 tomates rojos perfectos (cortados en pedazos)

2 zanahorias (en cubitos)

4 ramas de apio fresco (en cubitos)

4 hojas de repollo (en tiritas)

3 papas medianas (cocinadas y cortadas en cubitos) aceite de oliva

2 tazas de caldo de vegetales, de pollo, o de res
la corteza de un queso parmesano o pecorino
albahaca fresca, orégano y pimienta negra
opcional: arroz salvaje o fusilli (cocinado al dente)

Antes de empezar a picar, cortar y tajar las hortalizas, tome cada una en sus manos y aprecie su peso, su textura, su forma y su color. Aspire los aromas de cada ingrediente y cante o tararee las notas de su esencia.

En una olla grande, saltée lentamente los ajos, el apio, las zanahorias y las cebollas en aceite de oliva (hasta que las cebollas estén transparentes). Después añada las demás hortalizas, una taza de caldo y una pizca de pimienta negra recién molida y ponga a cocinar a fuego lento. Revuelva suavemente y con frecuencia. Si necesita más líquido, añada un poco de caldo. Agregue la corteza de queso parmesano.

Disfrute el comienzo de la síntesis de colores, texturas y aromas. Cante o tararee los sonidos de esta naciente sinfonía gustativa y olfativa.

Deje hervir a fuego lento durante tres horas mínimo, hasta que todos los ingredientes se mezclen.

Mientras aspira los colores y sus sentidos se sumergen en la sopa, comience a hacer hermosos gestos "a la italiana" que expresen su experiencia minestrone.

Añada los fríjoles y después el arroz o la pasta, si lo desea, diez minutos antes de servir. Espolvoree la minestrone con queso parmesano o pecorino rallado y quizás con un chorrito de aceite de oliva. Decore con albahaca fresca u orégano. Sirva con pan italiano recién horneado y un vaso de vino o de San Pellegrino.

Todas las notas se han reunido ahora en una sola armonía. Es hora de cantar o de tararear su canción minestrone y de bailar su danza minestrone.

Cree un estudio propio equivalente al del maestro

La construcción de una cultura que apoye el equilibrio y la creatividad en el sitio de trabajo es una tarea increíblemente compleja. Pero construir un estudio propio, equivalente al del maestro, es un paso concreto y simple en la dirección correcta. Usted puede utilizar este espacio para dejar fluir las ideas, para planear estrategias y para resolver problemas creativamente. Muchas compañías en el mundo están poniendo en práctica estas ideas con gran éxito. Para empezar, tenga en cuenta los siguientes elementos:

- *La habitación*. Saque todos los muebles, teléfonos y demás objetos de un salón de conferencias, un cuarto de cachivaches, el sótano o una oficina vacía. Ponga en la puerta un aviso que diga "Cuarto del Renacimiento", "Centro de creatividad", "Laboratorio Leonardo", etc.
- *La iluminación*. Lo mejor es la luz natural, de manera que trate de buscar una habitación con ventanas. Las luces fluorescentes tradicionales deben ser reempla-

Sensazione para padres

En un estudio clásico, se puso a un grupo de ratones recién nacidos en un ambiente completamente despojado de sensaciones, mientras que otro grupo fue criado en un ambiente rico en ellas. El desarrollo cerebral de los miembros del grupo despojado de sensaciones se vio afectado: no podían hallar el camino para atravesar un laberinto sencillo y mostraron tendencia hacia un comportamiento social agresivo, violento. En cambio los roedores que crecieron en un ambiente rico en sensaciones desarrollaron cerebros más grandes y mejor conectados. Aprendieron rápidamente a atravesar laberintos complejos y jugaban alegremente entre sí. La razón por la cual se usan ratas en experimentos de este tipo es porque su sistema nervioso tiene muchas similitudes con el nuestro.

Por eso hay que hacer todos los esfuerzos posibles para crear en el hogar un ambiente que estimule la mente del bebé, incluso antes de que haya nacido. Las investigaciones del doctor Thomas Verny y de varios otros demuestran que escuchar a Mozart, por ejemplo, influye de manera positiva en los bebés que aún se encuentran en el vientre. A partir de su nacimiento, es fundamental crear un ambiente rico y sensorialmente refinado para nuestros hijos. Es de particular importancia para su desarrollo neurológico y emocional abrazarlos y acariciarlos con amor. Los refinamientos de olor y de gusto pueden esperar hasta que los niños estén suficientemente grandes para apreciar sutilezas, pero la agudeza de la vista, el gusto por el color, la apreciación del sonido y la conciencia sinestésica natural se pueden cultivar con lecciones de dibujo, de arte y de música, y a través de la diaria exposición a la belleza.

zadas por lámparas de halógeno o bombillos incandescentes.

* *El sonido.* Un buen equipo de sonido servirá para oír jazz o música clásica durante las sesiones de intercambio de ideas y en los recreos. (Un reciente estudio de la Universidad de California, Irvine, demostró que el cociente intelectual se eleva temporal pero significativamente cuando el sujeto contesta las pruebas mientras escucha a Mozart.)

* *La estética.* Una buena obra de arte en las paredes o un móvil en el techo puede servir de fuente de inspiración. Cámbiela de vez en cuando, para que no pierda la frescura. También puede llevar plantas y flores frescas.

* *Muebles y equipos.* Consiga un sofá cómodo, sillas, cojines grandes para el piso e incluso una hamaca. Debe haber varios caballetes con papel, marcadores de colores y resaltadores, un proyector y tableros para marcadores con tinta seca.

* *Fêng shui.* Éste es un antiguo arte chino para arreglar las habitaciones de tal manera que haya un equilibrio entre las fuerzas del yin y el yang, y se incremente al máximo la armonía con la naturaleza.

* *El aire.* La mayoría de los ambientes interiores son sofocantes y demasiado fríos o demasiado calientes. Tendría que haber un calentador/ventilador disponible. Un humidificador, un deshumidificador o un purificador de aire también podrían ser útiles. Podríamos experimentar con aromas: popurrí, incienso o aceites naturales (por ejemplo menta, cuando debemos estar alerta, o lavanda, cuando queremos relajarnos).

Sensazione en el trabajo

Leonardo puso mucho énfasis en la importancia de trabajar en medio de un ambiente estéticamente estimulante. Él sabía que las impresiones sensoriales de nuestro ambiente cotidiano funcionan como una especie de alimento para nuestra mente. Sin embargo, la mayor parte de las personas que se mueven en el mundo de las organizaciones laborales padecen de desnutrición mental, resultado de una dieta malsana en lo que se refiere a las impresiones sensoriales. Nuestros lugares de trabajo con frecuencia parecen oficinas gubernamentales, hospitales, escuelas y prisiones, con sus estructuras de cubículos, el color neutro en las paredes y las luces fluorescentes. Uno no puede menos que preguntarse si los diseños se basan en la presunción de que las carencias sensoriales mejoran la productividad.

Irónicamente, las organizaciones en todo el mundo piden cada vez con más urgencia un incremento en la creatividad, en la innovación y en el compromiso a todos los niveles. Piden a sus empleados que no se dejen encajonar mientras piensan y entretanto los encierran en cajones. En la medida en que las organizaciones exijan mayor creatividad e innovación de sus miembros, deberían suministrarles un ambiente que estimule la clase de comportamiento que piden.

Desde hace muchos años, los psicólogos saben que la calidad de la estimulación proveniente del ambiente exterior es crucial para el desarrollo del cerebro durante los primeros años de vida. Recientemente, sin embargo, los científicos han descubierto que la calidad de la estimulación ambiental afecta el desarrollo continuo del cerebro adulto. Una historia tomada de mi propia experiencia nos permite ver cómo establecer un ambiente de trabajo que conduzca a una organización sináptica, nueva, más creativa.

En 1982, el Centro de Educación y Recursos de una compañía de equipos médicos pidió ayuda para resolver un problema de entrenamiento. Este centro era el responsable de entrenar a los clientes en el uso y mantenimiento de una máquina diseñada para efectuar complejas pruebas de diagnóstico. Para que resultara eficiente en términos de costos, tal entrenamiento debía llevarse a cabo en una semana. El problema es que solía tomar de dos a tres semanas.

En mi primera visita al lugar, quedé muy impresionado con la avanzada tecnología interactiva de entrenamiento. Los estudiantes asistían a sofisticados salones de clase computarizados y podían trabajar con máquinas reales. El ambiente de enseñanza era, sin embargo, el tradicional cubículo, con paredes de color neutro, luces fluorescentes, etc. El único intento en favor de la estética eran unas enormes fotografías de la máquina colgadas sobre cada una de ellas. Los estudiantes tenían unos minutos para tomar café por la mañana y otros más por la tarde.

Como antídoto, los treinta y nueve miembros del equipo de educación y recursos pasaron tres días en un programa de entrenamiento en el que se concentraron en la aplicación de las habilidades davincianas de raciocinio a problemas de la vida real. El primer día que volvieron a su lugar de trabajo, los instructores ensayaron a trabajar con conciertos para violín de Mozart como música de fondo. A partir de ese día, informaron que sus estudiantes hacían por lo menos cincuenta por ciento menos "preguntas innecesarias". Concluyeron que la música ayudaba a sus estudiantes a relajarse y a concentrarse, liberándolos de la necesidad de "confundirse" para poder huir de la monotonía.

Entre otros cambios que se adoptaron en el laboratorio, los instructores

✦ quitaron las fotografías de las máquinas y las reemplazaron por reproducciones de sus pinturas favoritas;

✦ reemplazaron las luces fluorescentes por bombillos de espectro completo;

✦ incitaron a sus estudiantes a que trajeran flores frescas para lograr que el ambiente fuera más estéticamente placentero, más fragante, más "vivo";

✦ transformaron el salón del café en un "salón creativo de recreo": lo llenaron de marcadores de colores y de caballetes con papel y tableros sobre los cuales garabatear, y pusieron plastilina y otros elementos para estimular el sentido del tacto;

✦ incitaron a sus aprendices a tomarse hasta diez minutos de cada hora para "recreo mental".

Durante el año siguiente, el Centro de Educación y Recursos llevó a cabo su propia investigación sobre los efectos de estos cambios. Resultado: la eficacia del aprendizaje mejoró en un noventa por ciento.

Sfumato

(*Literalmente, "volverse humo"*)
Disposición para aceptar
la ambigüedad, la paradoja
y la incertidumbre.

A medida que despertamos los poderes de nuestra curiosità, exploramos las profundidades de la experiencia y agudizamos nuestros sentidos, nos encontraremos cara a cara con lo desconocido. El secreto más poderoso para darle rienda suelta a nuestro potencial creativo es mantener nuestra mente abierta ante la incertidumbre. Y el principio del sfumato es la llave para esa apertura.

> "La posibilidad de la duda no existía para la mente medieval".
> —William Manchester

La palabra *sfumato* puede traducirse como "volverse niebla", "volverse humo" o, sencillamente, "esfumarse". Los críticos de arte emplean este término para describir esa característica nebulosa, misteriosa, que es una de las cualidades distintivas de la pintura de Leonardo. Este efecto se logra a través de la meticulosa aplicación de muchas capas de pintura, tan delgadas como gasa, y resulta una maravillosa metáfora para el hombre. El incesante cuestionamiento de Leonardo y su insistencia en el uso de los sentidos para explorar la experiencia lo condujo hacia innumerables revelaciones y descubrimientos, pero también lo obligó a enfrentar la vastedad de lo desconocido y finalmente lo inaprensible. Y sin embargo esta increíble habilidad para soportar la tensión de los opuestos, para aceptar la incertidumbre, la ambigüedad y la paradoja, era una característica fundamental de su genio.

El tema de la tensión entre los opuestos aparece una y otra vez en su trabajo y se fue intensificando con el transcurso de los años. Al referirse en el *Tratado de pintura* a los temas ideales para los pintores, conjura imágenes profundamente contrastantes: "...las entrañas

> "El pintor que no tenga dudas no logrará gran cosa".

La tensión de los opuestos es el tema central de su fascinante Virgen de las rocas, comisionada en 1483. Así la comenta Bramly: "Leonardo compuso La Virgen de las rocas en torno a un principio organizador: el del contraste, la oposición. El pacífico grupo de la madre, los niños y el ángel casi sonriente está rodeado de un fondo confuso que sugiere el fin del mundo... Las plantas florecen en una roca estéril. Leonardo parece estar diciendo que la Inmaculada Concepción abre el camino para la agonía en la cruz. Lo que debería ser una fuente de júbilo lleva consigo las semillas del Calvario".

Estudio de un hombre
cascanueces y un joven hermoso,
de Leonardo da Vinci.

de animales de todo tipo, de
plantas, frutas, paisajes, valles
ondulantes, montañas que se
desmoronan, lugares aterrado-
res y terribles que hacen tem-
blar de miedo al espectador; y,
de nuevo, lugares placenteros,
dulces y encantadores, con pra-
deras de muchas y muy colo-
ridas flores que se agachan con
el viento, el cual se mece suavemente y se da la vuelta para
mirarlas antes de flotar hacia
adelante..."

La búsqueda de la belle-
za llevó a Leonardo a explorar
la fealdad en sus diversas manifestaciones. Sus bocetos de batallas, sus
obras grotescas y sus diluvios con frecuencia aparecen al lado de evoca-
ciones sublimes de flores y de hermosos jóvenes. Cuando se topaba con
un personaje deforme o extravagante en la calle, solía pasar el día entero
siguiéndolo para registrar todos los detalles por escrito. En una ocasión
ofreció una cena para los personajes más grotescos de la ciudad. Les
contó un chiste tras otro hasta que sus rasgos se desfiguraron aún más
a causa de la risa histérica. Cuando la fiesta terminó, Leonardo perma-
neció despierto el resto de la noche, haciendo bocetos de sus rostros.
Kenneth Clark explica la curiosidad de Leonardo por la fealdad, com-
parándola con "los motivos que llevaron a los hombres a tallar gárgolas

en las catedrales góticas. Las gárgolas eran los complementos de los santos; las caricaturas de Leonardo complementaban su incesante búsqueda de la belleza ideal".

La contemplación por parte de Leonardo de la oposición y de la paradoja se expresó de muchas maneras diferentes. Quedó registrada en sus cuadernos, en su amor por los juegos de palabras, los chistes y el humor, y en la fascinación con las adivinanzas, los acertijos y los rompecabezas. En sus pinturas, bocetos, garabatos y diseños de bordados, pisos de parqué y baldosas de porcelana con frecuencia surgen motivos de nudos, trenzas y espirales. Vasari resalta el hecho de que "Leonardo pasó mucho tiempo diseñando un patrón de nudos, enlazados de tal forma que el hilo se podía rastrear de un extremo a otro, describiendo un círculo. Hay un grabado de uno de estos hermosos y complicados diseños, con la inscripción 'Leonardus Vinci Academia'".

La fascinación de Leonardo con la forma del infinito va más allá de su deleite con los juegos de palabras con su nombre (en su tiempo, los diseños de nudos eran conocidos como *fantasie de vinci*). Bramly los llama "símbolos tanto del infinito como de la unidad del mundo". El nudo era la forma juguetona como Da Vinci expresaba la paradoja y el misterio que surgían a medida que su conocimiento se hacía más profundo.

Cuanto más aprendía sobre todas las cosas, Leonardo se sumía más y más en la ambigüedad. Y en la medida en que ahondaba su percepción del misterio y de la oposición, su expresión de la paradoja se tornaba más profunda. Esto es impresionantemente evidente en su inquietante evocación de san Juan. Kenneth Clark comenta:

San Juan Bautista fue el precursor de la Verdad y de la Luz. Y ¿qué precede inevitablemente a la verdad? Una pregunta. El san Juan de Leonardo es el interrogante eterno, el enigma de la creación. Por tanto se convierte en el espíritu protector de Leonardo, en el espíritu que reposa en su hombro y que propone acertijos imposibles de resolver. Tiene la sonrisa de una esfinge y el poder de una forma obsesiva. Ya he señalado antes cómo este gesto —que en sí mismo tiene el ritmo ascendente de un interrogante— aparece a lo largo de la obra de Leonardo. Aquí es absolutamente esencial.

Sobra decir que la *Mona Lisa* es la suprema expresión de la paradoja en la obra de Leonardo. El misterio de su sonrisa ha hecho correr torrentes de tinta a lo largo de la historia. Bramly la considera "el equivalente femenino de Cristo". Walter Pater, autor del texto clásico *The Renaissance* [El Renacimiento], la describe como "una belleza forjada desde adentro sobre la carne, el receptáculo, célula tras célula, de extraños pensamientos y ensoñaciones fantásticas y de pasiones exquisitas". Sigmund Freud escribió que la *Mona Lisa* es "la más perfecta representación de los contrastes que dominan la vida amorosa de una mujer". La sonrisa de Mona Lisa se encuentra en la cúspide del bien y del mal, de la compasión y la crueldad, de la seducción y la inocencia, de lo efímero y lo eterno. Ella es el equivalente occidental del símbolo chino del yin y el yang.

E. H. Gombrich, autor de *The Story of Art* [La historia del arte], nos ayuda a empezar a comprender cómo Leonardo logró esta suprema evocación de la esencia de la paradoja, el sfumato: "El contorno borroso y los colores suaves... permiten que una forma se funda con otra dejando siempre algo a la imaginación... Cualquiera que haya intentado dibujar o trazar un rostro sabe que lo que llamamos su expresión se basa esencialmente en dos rasgos: las comisuras de la boca y el rabillo del ojo. Ahora bien, Leonardo ha dejado deliberadamente difusas precisamente esas partes, permitiéndoles que se diluyan en una sombra suave. Ésa es la razón por la cual nunca estamos del todo seguros del humor con el cual Mona Lisa realmente nos mira". Gombrich señala las discrepancias expresamente logradas a los dos lados del retrato y la "casi milagrosa versión de la carne viva", que aumenta su perturbador efecto.

San Juan Bautista, *de Leonardo da Vinci.*

De los muchos misterios que rodean a Mona Lisa quizás el mayor es el relativo a su verdadera identidad. ¿Se trata, como lo proclamó el biógrafo Giorgio Vasari treinta años después de la muerte de Leonardo, de la esposa de Francesco del Giocondo? ¿O es realmente Isabella d'Este, marquesa de Mantua, como lo asegura el doctor Raymond Stites en *Sublimations of Leonardo Da Vinci* [Sublimaciones de Leonardo da Vinci]?

¿O podría ser, como otros lo han sugerido, Pacifica Brandano, compañera de Giuliano de' Medici's, o quizás una amante de Charles d'Amboise? ¿O es quizás una mezcla de todas las mujeres que Leonardo

La Mona Lisa.

Yuxtaposición lograda por la doctora Lillian Schwartz del autorretrato de Leonardo y de la Mona Lisa.

conoció —su madre, las esposas y amantes de los nobles, las mujeres campesinas y vagabundas que observó y dibujó durante horas? ¿O se trata, tal vez, como algunos lo han sugerido, de un extraordinario autorretrato?

La doctora Lillian Schwartz, de los Laboratorios Bell, autora de *The Computer Artists Handbook* [Manual de los artistas del computador], presenta evidencia fascinante en favor de esta tesis. Recurriendo a refinadas técnicas de modelaje con computador, con medidas exactas de escala y alineación, Schwartz comparó la *Mona Lisa* con el único autorretrato existente del artista, dibujado con tiza roja en 1518. Según Schwartz: "La yuxtaposición de las imágenes era todo lo que se necesitaba para fundirlas: la ubicación de la nariz, la boca, la barbilla, los ojos y la frente en una de las figuras correspondía exactamente a la de la otra. Con sólo levantar la comisura de la boca se produciría la misteriosa sonrisa".

Schwartz concluye que el modelo de ésta, la más famosa de las pinturas, no es otro que el maestro mismo.

Quizás *Mona Lisa* sea el retrato del alma de Leonardo. El caso es que al margen de la verdadera identidad de Mona Lisa, ella arroja una luz sobre el lugar esencial que ocupa la paradoja en la visión del mundo que tenía Da Vinci.

SFUMATO Y USTED

En el pasado, un alto nivel de tolerancia hacia la incertidumbre era una cualidad exclusiva de los grandes genios como Leonardo. A medida que el cambio se acelera, nos damos cuenta de que las ambigüedades se multiplican y la ilusión de la certeza es difícil de mantener. La habilidad de aceptar la ambigüedad debe convertirse en parte de nuestra vida cotidiana. La serenidad ante la paradoja es clave no sólo para la eficiencia sino para la salud mental en un mundo rápidamente cambiante.

En una escala de uno a diez, en la que uno es la necesidad maniaca de tener certezas a toda hora y diez representaría a un taoista ilustrado o a Leonardo, ¿qué puntaje recibiría su tolerancia a la ambigüedad? ¿Qué comportamientos podría modificar para mejorar en la escala? Los ejercicios que siguen a continuación están diseñados para ayudarlo a fortalecer sus poderes de sfumato. Para aprovechar los ejercicios lo más posible, dedique antes algún tiempo a reflexionar sobre las preguntas de autoevaluación.

Sfumato:
Autoevaluación

- ❏ Me siento cómodo en medio de la ambigüedad.
- ❏ Estoy sintonizado con el ritmo de mi intuición.
- ❏ Acepto el cambio.
- ❏ Busco el humor en mi vida cotidiana.
- ❏ Tengo una cierta tendencia a sacar conclusiones precipitadas.
- ❏ Disfruto con los juegos de palabras, los acertijos y los rompecabezas.
- ❏ Usualmente me doy cuenta cuándo estoy ansioso.
- ❏ Paso suficiente tiempo conmigo mismo.
- ❏ Confío en mis intuiciones.
- ❏ Puedo tener ideas contradictorias y sin embargo sentirme cómodo.
- ❏ Gozo con las paradojas y soy sensible a la ironía.
- ❏ Aprecio la importancia del conflicto en la inspiración de la creatividad.

Sfumato:
Aplicaciones y ejercicios

La curiosità es equivalente a la incertidumbre

Regrese a su lista de las diez preguntas más significativas que hizo en el capítulo de la curiosità. ¿Cuáles le provocan la mayor incertidumbre o ambivalencia? ¿Hay paradojas en el corazón mismo de algunas de estas preguntas? En su cuaderno, ensaye a hacer un poco de arte abstracto. Haga un boceto de la sensación de incertidumbre generada por una pregunta específica en su lista de curiosità. Luego experimente con gestos y tal vez con una danza improvisada que exprese ese sentimiento; si no sabe muy bien qué hacer, es porque ha entendido la idea. ¿Qué música escogería para acompañar su danza de la ambigüedad?

Hágase amigo de la ambigüedad

En su cuaderno, enumere y describa brevemente tres situaciones de su vida, pasada o presente, en las cuales reine la ambigüedad. Recuerde, por ejemplo, los días en que esperaba que le anunciaran si había sido aceptado en la universidad de su preferencia, o cuando se ha preguntado si podría perder su empleo, o analizar el futuro de una relación significativa.

¿Cómo es esa sensación de ambigüedad? ¿En qué parte del cuerpo la siente? Si la ambigüedad tuviera una forma, un color, una voz, un sabor, un olor, ¿cuáles serían? ¿Cómo reacciona usted ante la sensación de ambigüedad? ¿Cómo se relacionan la ambigüedad y la ansiedad?

Observe la ansiedad

Para muchas personas, la ambigüedad es equivalente a la ansiedad; pero la mayoría de la gente, a menos que haya trabajado intensamente con un buen psicoterapeuta, no reconoce su ansiedad. Reaccionan ante la ansiedad con alguna forma de comportamiento elusivo, tal como hablar en exceso, servirse un trago, prender un cigarrillo o revivir una fantasía obsesiva. Para poder crecer en medio de la incertidumbre y de la ambigüedad debemos aprender, primero que todo, a reconocer cuándo estamos ansiosos. A medida que nos volvamos conscientes de nuestra ansiedad, podremos aprender a aceptarla, a experimentar con ella, y a liberarnos de las compulsiones limitantes de nuestros pensamientos y de nuestras acciones.

Describa la sensación de ansiedad. ¿Hay diferentes tipos de ansiedad? ¿En qué lugar del cuerpo experimenta la ansiedad? Si la ansiedad tuviera una forma, un color, un sonido, un sabor, un olor, ¿cuáles serían? ¿Cómo reacciona usted ante la sensación de ansiedad? Vuelva la "ansiedad" el tema de un día. Anote sus observaciones en su cuaderno.

Monitoree la intolerancia a la ambigüedad

Cuente cuántas veces al día utiliza usted un término absoluto tal como "completamente", "siempre", "ciertamente", "deber", "nunca" y "de ninguna manera".

Fíjese en la manera como termina sus conversaciones. ¿Lo hace con una oración o con una pregunta?

Cultive la tolerancia a la confusión

El principio del sfumato tiene que ver con la esencia misma del ser. Así como el día sigue a la noche, nuestra capacidad de júbilo nace de la tristeza. Cada uno de nosotros es el centro de un universo único y especial y una brizna totalmente insignificante de polvo cósmico. De todas las polaridades, ninguna es más atemorizante que la de la vida y la muerte. La sombra de la muerte le confiere a la vida todo su potencial de significado.

Usted puede desarrollar sus poderes davincianos cultivando la "tolerancia a la confusión", agudizando los sentidos ante la paradoja y adoptando la tensión creativa. Reflexione sobre cualquiera de las siguientes parejas de opuestos:

♦ Alegría y tristeza — Piense en los momentos más tristes de su vida y en los más alegres. ¿Qué relación hay entre los dos estados? ¿Alguna vez ha sentido alegría y tristeza simultáneamente? Leonardo escribió: "La mayor alegría se convierte en la causa de tristeza". ¿Está usted de acuerdo? ¿Acaso lo contrario es cierto?

+ Intimidad e independencia — ¿Cuál es la relación entre intimidad e independencia en sus relaciones más cercanas? ¿Es posible tener la una sin la otra? ¿Esta relación le genera ansiedad en ocasiones?

+ Fortaleza y debilidad — Haga una lista de por lo menos tres de sus fortalezas como persona. Haga una lista de tres o más de sus debilidades. ¿De qué manera se relacionan los rasgos de las dos listas?

+ Bien y mal — ¿Es posible ser bueno sin admitir y comprender nuestros propios impulsos hacia el mal, lo que Jung llamó la "sombra"? ¿Qué sucede cuando una persona no es consciente de su sombra o la niega? ¿Cómo puede usted reconocer y aceptar sus propios prejuicios, el odio, la rabia, los celos, la envidia, la ambición, el orgullo y la pereza que hay en usted, si no es a través de comportamientos que expresan tales sentimientos?

+ Cambio y constancia — Escriba tres de los cambios más significativos que haya observado en el transcurso de su vida. Ahora escriba tres cosas que hayan permanecido igual. ¿Cree usted que la idea según la cual "cuanto más cambian las cosas más siguen igual" es un aforismo válido o un cliché sin sentido? He aquí algunas de las ideas del maestro al respecto: "La constancia puede simbolizarse con el fénix que, a sabiendas de que por su naturaleza debe resucitar, tiene la constancia de resistir las llamas que lo consumen, para después surgir renovado".

- Orgullo y humildad — Piense en los momentos de su vida en los cuales se haya sentido más orgulloso. Recuerde los momentos en que se sintió más humilde. Intente recrear sus sentimientos más profundos de humildad genuina y de verdadero orgullo. ¿Cómo se diferencian estos sentimientos? ¿Acaso hay similitudes inesperadas entre la humildad y el orgullo? ¿Se oponen estas cualidades?

- Metas y procesos — Piense en una meta importante que haya logrado. Describa el proceso mediante el cual alcanzó esa meta. ¿Ha obtenido alguna vez un éxito sin que se sienta satisfecho? ¿Cómo se relacionan las metas y los procesos, el hacer y el ser? ¿Acaso el fin justifica los medios? Para vivir una vida exitosa y realizada, ¿es indispensable estar ciento por ciento comprometido en el logro de metas claramente definidas? ¿O admitir que el proceso de vivir día a día, que la calidad diaria de la vida es más importante? ¿O las dos cosas?

- Vida y muerte — En este punto, elabore sus propios ejercicios.

REFLEXIONE SOBRE MONA

Serge Bramly se refiere a un poeta chino de la dinastía Sung según el cual las tres cosas más inútiles y perturbadoras en el mundo son una juventud pobremente educada, el mal manejo del buen té y el buen arte que no es apreciado. La *Mona Lisa* de Leonardo es tan conocida que rara vez la miramos. Quédese con Mona

Leonardo, sobre la vida y la muerte: "Considerad la esperanza o el deseo de volver a nuestro lugar de origen o de regresar al caos primordial, como el de la polilla que busca la luz, o el del hombre que siempre mira hacia adelante, hacia cada nueva primavera y cada nuevo verano, con nostalgia perpetua... creyendo que las cosas que anhela se tardan demasiado; y sin darse cuenta de que anhela su propia destrucción. Pero este anhelo es en su esencia el espíritu de los elementos que, habiéndose hallado prisionero dentro de la vida del cuerpo humano, desea incesantemente regresar a su fuente. Y debo deciros que este mismo anhelo es en su esencia inherente a la naturaleza".

durante un rato. Deje que su mente analítica se relaje y empiece a respirar su esencia. ¿Cuáles son sus reacciones? (Cuando vaya a París, trate de ir a visitar el Louvre a las 9 a.m., hora en que abre el museo, y diríjase directamente hacia una audiencia relativamente privada con la Mona real.)

Encarne la sonrisa de Mona

Trate de repetir la expresión facial de la Mona Lisa, en especial la famosa sonrisa. ¿Cuál es la sensación? Algunas personas que han experimentado con este ejercicio han tenido las siguientes reacciones:

+ "Siento como si mi mente estuviera en dos lugares a la vez".
+ "Cuando sonrío así, me siento más libre por dentro".
+ "Me siento como si fuera uno de los *cognoscenti*".
+ "Sentí una transformación inmediata —de pronto todo era completamente diferente".

Ahora retorne a las preguntas de la lista de la *curiosità* que más ansiedad le producen. Sólo que esta vez, mientras piensa en cada pregunta, repita la sonrisa de la Mona Lisa. ¿Acaso cambia su forma de pensar cuando mira las cosas desde la perspectiva de Mona? Registre sus observaciones en el cuaderno.

INCUBACIÓN E INTUICIÓN

Los grandes músicos aseguran que su arte nace en los espacios entre las notas. Los maestros escultores le atribuyen al espacio que rodea sus obras el secreto de su poder. De la misma manera, los espacios que hay entre nuestros esfuerzos conscientes suministran una clave para la creatividad y la solución de problemas. Estas pausas permiten que se incuben las percepciones, las ideas y los sentimientos.

Cuando Leonardo estaba pintando *La última cena*, pasaba muchos días trabajando en el andamio desde el amanecer hasta el atardecer y de pronto, sin previo aviso, resolvía tomarse un descanso. Esta situación no le hacía ninguna gracia al prior de Santa Maria delle Grazie, quien había contratado sus servicios. De acuerdo con Vasari: "El prior de la iglesia le rogó a Leonardo con agotadora persistencia que terminara su trabajo, pues le parecía extraño ver cómo Da Vinci pasaba a veces hasta medio día perdido en sus pensamientos, y hubiera preferido que Leonardo, como los trabajadores que limpiaban el jardín con azada, nunca dejara sus pinceles a un lado". Vasari explica que el prior se quejó con el duque, quien reprendió a Leonardo por sus hábitos de trabajo; pero el maestro logró convencer al duque de que "los grandes genios a veces logran más cuando trabajan menos".

"Los ojos tienen el brillo y la humedad que siempre se observa en las personas vivas, mientras que alrededor están las pestañas y todos los tonos rojizos que sólo se pueden lograr con el mayor cuidado. Las cejas no pueden ser más naturales... La nariz parece real con sus bellos orificios rosados y tiernos. La boca, con una apertura que une el rojo de los labios con la piel del rostro, parece una boca de verdad y no pintura. Cualquier persona que observe con atención la hendidura de la garganta podría ver el latir de su pulso".

–GIORGIO VASARI, SOBRE LA *MONA LISA*

Obviamente Leonardo no subestimaba sus capacidades; sin embargo, compensaba con humildad y un delicioso humor la confianza que tenía en sus habilidades y en sus ritmos de incubación. Vasari cuenta que el maestro le explicó al duque que le faltaba completar dos rostros: el de Cristo y el de Judas. El rostro de Cristo, que en últimas permanecería inconcluso, era un reto que Leonardo consideraba superior a él, "pues estaba reacio a buscar un modelo en esta Tierra y no podía creer que su imaginación pudiera concebir la belleza y la gracia celestial que requería la encarnación de la divinidad". En cuanto al rostro de Judas, Leonardo le explicó al duque que constituía un reto aun mayor encontrar un modelo para alguien "tan malvado como para traicionar a Su Señor, el Creador del Universo. No obstante, buscaría a un modelo para este segundo rostro, pero si en últimas no podía encontrar nada mejor, siempre podría recurrir a la cabeza del prior".

Es posible que nuestros jefes no vean con simpatía la idea de que "los grandes genios a veces logran más cuando trabajan menos", pero el arte de la incubación es, de cualquier manera, esencial para echar a andar nuestro potencial creativo. Casi todo el mundo ha tenido la experiencia de "consultar un problema con la almohada" y despertarse con una solución. Pero la incubación es más eficaz cuando, como lo hacía Leonardo, se alternan los períodos de descanso con los de trabajo intenso y concentración. Sin el trabajo intenso y la concentración no hay nada que incubar.

Descubrir nuestros ritmos de incubación y aprender a confiar en ellos es un secreto sencillo para acceder a nuestra intuición y creatividad. A veces la incubación resulta en un pensamiento obvio, a veces en uno que nos sorprende. Pero con frecuencia los frutos del trabajo inconsciente son sutiles y es fácil pasarlos por alto. Las musas exigen que les prestemos atención a las delicadas minucias del pensamiento, que escuchemos los débiles susurros de las tímidas voces interiores.

Los neurocientíficos calculan que el banco de datos del inconsciente excede al de la conciencia por más de diez millones a uno. Este banco de datos es la fuente de nuestro potencial creativo. En otras palabras, hay una parte de nosotros que es mucho más inteligente que nosotros. Las personas más sabias consultan esa parte con frecuencia. Nosotros también podemos hacerlo, si abrimos un espacio para la incubación.

Dedíquele tiempo a la soledad y a la relajación

¿Generalmente dónde está usted cuando se le ocurren las mejores ideas? En los últimos veinte años, les he hecho esta pregunta a miles de personas. Las respuestas más frecuentes son "descansando en la cama", "caminando en medio de la naturaleza", "en el automóvil, oyendo música mientras conduzco" y "cuando estoy relajándome, en la ducha o en la tina". Casi nadie asegura que tiene las mejores ideas en el trabajo.

¿Qué pasa cuando usted va caminando por un bosque, o está descansando en la cama o disfrutando de una ducha, que no pasa cuando está en el trabajo?

Que está solo y está relajado. La mayoría de las personas han tenido sus mejores ideas cuando están relajadas y a solas.

Si bien Da Vinci adoraba el intercambio de ideas con otros, sabía que era más creativo cuando estaba solo. "El pintor debe ser un solitario", escribió. "Pues si uno está sólo, es completamente uno mismo, pero si está acompañado con un único compañero, es la mitad de uno mismo".

Cultive el sfumato dedicándole tiempo a estar solo. Una o dos veces por semana saque un rato para salir a dar un paseo o para sentarse a solas y en silencio.

Haga un poco de relajación

La mayoría de las personas pasamos el día entero trabajando arduamente, concentrados, utilizando el lado izquierdo del cerebro. A veces estamos tan inmersos en un proyecto que empezamos a perder la perspectiva. Usted puede aumentar su sentimiento de satisfacción con el trabajo y su eficacia si, cuando está trabajando o estudiando, toma pequeños descansos más o menos cada hora. Las investigaciones psicológicas modernas han demostrado que cuando uno estudia o trabaja durante una hora y después descansa durante diez minutos, la capacidad para reconstruir y recordar el material sobre el que estaba trabajando es mayor al cabo de los diez minutos que lo que era al final de la hora. Los psicólogos llaman a este fenómeno el "efecto de reminiscencia". En su *Tratado sobre pintura*, Da

Vinci aconseja: "Es recomendable dejar el trabajo con frecuencia y relajarse un poco, porque cuando uno vuelve a él es mejor juez". Siga el consejo del maestro e incluya uno que otro "recreo mental" de diez minutos en su agitado horario. Puede escuchar jazz o música clásica, dibujar garabatos, meditar o hacer ejercicios de estiramiento para promover la relajación y la incubación. Además de las pausas horarias, asegúrese de tomarse un día libre a la semana y unas verdaderas vacaciones por lo menos una vez al año.

Confíe en su intuición

Es importante prestar atención a las corazonadas e intuiciones cotidianas. Trate de escribirlas en su cuaderno para poder verificar su exactitud. Si monitorea sus intuiciones diarias afinará su precisión.

La doctora Candace Pert, autora de *Molecules of Emotion* [Moléculas de emoción] afirma lo siguiente sobre la mente del cuerpo: "El cerebro está extremadamente bien integrado con el resto del cuerpo a nivel molecular, tanto que el término *cerebro móvil* es una descripción adecuada de la red psicosomática a través de la cual viaja la información inteligente de un sistema a otro". Y añade: "Cada segundo se lleva a cabo un intercambio masivo de información en el cuerpo. Supongamos que cada uno de estos sistemas mensajeros posee un tono específico, tararea una tonada particular que crece y se mengua, sube y baja, uniendo y separando..." La intuición es el arte de escuchar, con un oído interno, los ritmos y las melodías de nuestra propia "música corporal".

Sfumato en el trabajo

La Asociación Americana de Administración publicó en la década de 1980 un estudio que concluía que los gerentes más exitosos se distinguían por su "gran tolerancia a la ambigüedad y su habilidad intuitiva para tomar decisiones". Ahora que el ritmo del cambio se ha acelerado, la "tolerancia" a la ambigüedad ya no es suficiente: es necesario abrazar y disfrutar de la ambigüedad.

En *The Logic of Intuitive Decision Making* [La lógica de la toma intuitiva de decisiones], el profesor Weston Agor informó que después de extensas entrevistas había descubierto que la mayor parte de los ejecutivos de más experiencia le atribuían sus peores decisiones a aquellos momentos en que habían hecho caso omiso de su propia intuición. A las puertas del siglo XXI, el exceso de información amenaza con aplastarnos. La intuición es ahora más importante que nunca.

En conclusión, ábrale las puertas a la ambigüedad y confíe en sus intuiciones.

Si usted quiere desarrollar un sistema interno de asesoría que sea confiable y exacto, debe escuchar a su cuerpo. Comentarios tales como "mi corazón me dice que debe ser cierto" o "lo siento en los huesos" reflejan la naturaleza corporal de la intuición.

Cuando tome un tiempo para estar a solas —ya sea caminando, o conduciendo, o tendido en la cama—, recuerde que debe escuchar a sus huesos y consultar con su corazón. Practique el siguiente ejercicio, una o dos veces al día, para acceder a las sutiles minucias de su intuición:

Respire profundamente unas cuantas veces y disfrútelo.

Relaje los músculos del estómago.

Sea receptivo.

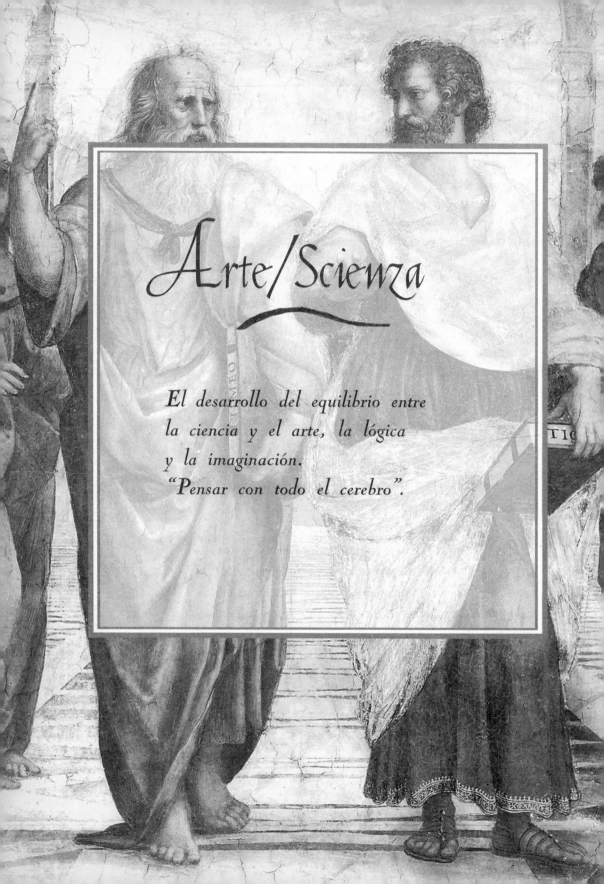

Arte/Scienza

El desarrollo del equilibrio entre
la ciencia y el arte, la lógica
y la imaginación.
"Pensar con todo el cerebro".

¿Está usted familiarizado con las investigaciones que se han hecho acerca de los hemisferios derecho e izquierdo de la corteza cerebral? Si su respuesta es afirmativa, ¿conoce su "perfil de predominio cerebral"? En otras palabras, ¿es usted un pensador más artístico, más intuitivo, con más predominio del hemisferio derecho? ¿O se siente más cómodo con la lógica organizada del izquierdo?

Los términos "predominio del hemisferio izquierdo" y "predominio del hemisferio derecho" se volvieron populares gracias a las investigaciones del profesor Roger Sperry, las cuales lo hicieron merecedor del Premio Nobel. Sperry descubrió que en la mayoría de los casos el hemisferio izquierdo de la corteza cerebral procesa el pensamiento lógico, analítico, mientras que el hemisferio derecho procesa el pensamiento imaginativo y global.

Si bien las escuelas siempre aseguran en el papel que apoyan la idea de brindarle al individuo una formación equilibrada, renacentista, en la práctica padecemos de una epidemia de educación mediocre. En palabras del profesor Sperry, "nuestro sistema educativo, así como la ciencia en general, tiende a descuidar las formas no verbales del intelecto. Y todo esto se resume en el hecho de que la sociedad moderna discrimina al hemisferio derecho". El resultado es que los individuos con predominio del hemisferio izquierdo tienen un buen desempeño escolar, pero con frecuencia fracasan a la hora de desarrollar sus capacidades creativas; en tanto que los individuos con predominio del hemisferio derecho generalmente se sienten culpables por su forma de pensar y se los clasifica erróneamente como personas con problemas de aprendizaje.

Quienes buscan el equilibrio se ven inevitablemente atraídos hacia los estudios sobre Leonardo. Nuestra fascinación con él se explica en gran parte por ser el representante supremo del pensamiento con todo el cerebro.

El historiador del arte Kenneth Clark comienza su ensayo sobre las relaciones entre la ciencia y el arte en Leonardo haciendo énfasis en la interdependencia de las dos disciplinas. "Lo usual es ocuparse de Leonardo como científico y de Leonardo como pintor en estudios separados. Y sin duda las dificultades que supone el seguimiento de sus investigaciones mecánicas y científicas hace que ésta sea una decisión prudente. No obstante, no resulta del todo satisfactoria porque, en últimas, la historia del arte no puede ser comprendida a cabalidad sin hacer referencia a la historia de la ciencia. En ambos casos estudiamos los símbolos mediante los cuales el hombre reafirma su esquema mental, y estos símbolos, ya sean pictóricos o matemáticos, una fábula o una fórmula, reflejarán los mismos cambios". El historiador de la ciencia George Sarton inicia su reflexión desde una perspectiva diferente, pero llega a conclusiones similares: "Dado que el crecimiento del conocimiento constituye el núcleo del progreso, la historia de la ciencia debería ser el núcleo de la historia general. Sin embargo, los hombres de ciencia, o los artistas o los humanistas, no pueden resolver por sí solos los problemas fundamentales de la vida: necesitamos de la cooperación de todos. La ciencia siempre es indispensable pero nunca es suficiente. Deseamos la belleza, y allí donde no hay caridad todo lo demás es inútil... El mérito más sobresaliente de Leonardo", añade Sarton, "es haber mostrado con su propio ejemplo que la búsqueda de la belleza y la búsqueda de la verdad no son incompatibles".

Entonces, ¿era Leonardo un científico estudioso del arte o un artista estudioso de la ciencia? Evidentemente era las dos cosas. Sus estudios científicos de las rocas, las plantas, el vuelo, el agua, la anatomía humana, por ejemplo, se expresan en obras de arte evocativas y hermosas, y no en escuetos dibujos técnicos. Y, a la vez, los planos de sus pinturas y sus esculturas son exquisitamente detallados, concienzudamente analíticos y matemáticamente precisos.

Jacob Bronowski, autor de *El ascenso del hombre*, comenta: "[Leonardo]... llevó la visión del artista a la ciencia. Entendía que la ciencia, tanto como la pintura, debe encontrar el diseño de la naturaleza en los detalles... le dio a la ciencia lo que más necesitaba: la percepción del artista de que el detalle en la naturaleza es significativo. Hasta que la ciencia no entendió eso, a nadie podía importarle —ni estaba en capacidad de pensar que era importante— cuán rápido podían caer dos masas desiguales y si las órbitas de los planetas eran con exactitud círculos o elipses".

Para Leonardo, el arte y la ciencia eran indivisibles. En su *Tratado de pintura,* advierte a los adeptos potenciales: "Aquellos que se enamoran del arte sin haberse dedicado previamente al estudio diligente de su parte científica, pueden compararse con marineros que se hacen a la mar en un barco sin timón y sin brújula, y que por tanto no pueden estar seguros de que llegarán al puerto que desean".

Leonardo hizo énfasis, por ejemplo, en el hecho de que la habilidad del artista para expresar la belleza de la forma humana se basa en un profundo estudio de la ciencia de la anatomía. Sin la apreciación nacida del análisis detallado de la estructura ósea y de las relaciones musculares, el artista en potencia podía acabar dibujando "desnudos tiesos y sin gracia que parecen más bien como si uno estuviera mirando una pila de nueces y no una forma humana, o un atado de rábanos en lugar de los músculos..." También advirtió que es importante "conocer la estructura de todo aquello que deseamos dibujar". Sin embargo, Kenneth Clark asegura que la ciencia de Leonardo se apoyaba en su arte: "Se dice con frecuencia que Leonardo era tan buen dibujante porque conocía las cosas; pero lo cierto es que conocía las cosas porque dibujaba muy bien".

Al mismo tiempo que Leonardo defendía a ultranza el rigor (uno de sus lemas era *Ostinate rigore!* [rigor obstinado]), la atención al detalle, la lógica, las matemáticas y el análisis práctico intenso, urgía a sus estudiantes a despertar el poder de su imaginación, lo cual era una práctica

PAPEL DEL ARTISTA EN LA ÉPOCA DE LEONARDO

Cuando Leonardo nació, el artista era un artesano anónimo que ocupaba la misma posición social de un obrero. Los artistas trabajaban en ambientes más parecidos a una fábrica que a un estudio moderno y se les pagaba por hora. La mayoría de sus obras eran producto del trabajo de varias personas y no llevaban firma. En la Europa anterior al Renacimiento, sólo la divinidad podía ser investida de creatividad y la idea de un ser humano que fuera un creador era considerada blasfema.

Durante la vida de Leonardo, el papel del artista se transformó dramáticamente. Los artistas comenzaron a producir obras de acuerdo con sus propios intereses, más que según los dictados de un patrón. Comenzaron a firmar sus pinturas y a escribir autobiografías, y se escribieron biografías sobre ellos. Rafael, Tiziano y Miguel Ángel fueron personajes de su tiempo, ricos, respetados y venerados.

Las semillas de tan interesante transformación fueron plantadas por el precursor de Leonardo, Leon Battista Alberti, en cuya época la aritmética, la geometría, la astronomía, la música, la gramática, la lógica y la retórica eran consideradas, entre la élite intelectual, como las disciplinas nobles, los cimientos del saber. La pintura no estaba incluida, pero Alberti se dio cuenta de que la proporción y la perspectiva, nuevas disciplinas basadas en las matemáticas, constituían un terreno común para la pintura y las disciplinas nobles. Leonardo tomó esa idea y la llevó más lejos. Su formulación de la pintura como una ciencia hizo que su amada práctica de "aprender a ver" ocupara el primer lugar entre las artes liberales. La insistencia de Da Vinci en "ir directamente a la naturaleza", en ser original —lo que él llamó un *inventore*—, sirvió para transformar no sólo el papel del artista sino el concepto mismo del genio.

Mapa de Imola, *de Leonardo da Vinci. La capacidad de Leonardo para ver todo el conjunto y los detalles le permitía hacer mapas sorprendentemente exactos.*

inusual en su tiempo. En lo que llamó "una idea nueva y especulativa que si bien puede parecer trivial y casi risible es de gran valor a la hora de acelerar el espíritu de la invención", animaba a sus estudiantes a que miraran las piedras, el humo, los carbones encendidos, las nubes y el barro, y cultivaran su habilidad para ver en estas formas mundanas "la similitud con los paisajes divinos... y una infinidad de cosas". Tales percepciones, escribió, "tienen el mismo efecto que el tañido de las campanas, en el cual podemos descubrir todos los nombres y todas las palabras que podamos imaginar".

"Estudiemos la ciencia del arte y el arte de la ciencia".

—LEONARDO DA VINCI

    Una instrucción de este tipo representa más que un consejo para estimular la imaginación del artista; es un hito en la evo-

Arte/scienza en el trabajo

Ned Hermann, fundador de la Corporación para Pensar con Todo el Cerebro (Whole Brain Corporation), desarrolló una prueba para determinar el predominio hemisférico. En sus seminarios, Hermann por lo general escoge a quienes clasifican como "ultraderecha" y "ultraizquierda" y les asigna una tarea especial, con dos horas para terminarla. El grupo de ultraizquierda entrega la tarea exactamente a tiempo, con un informe escrito a máquina sin errores de ninguna índole. Sin embargo, a pesar de estar impecablemente organizado, dicho informe por lo general es aburrido y soso. El grupo de ultraderecha, por su parte, primero se dedica a un debate filosófico sobre el significado de la tarea, y luego la devuelve a deshoras y con ideas medio garabateadas en papel de borrador, desorganizadas y, por lo general, inutilizables.

Entonces se forma un solo grupo con los dos, con un moderador que los guíe mientras trabajan juntos en otra tarea. Ésta es entregada a tiempo y el resultado es creativo, equilibrado y organizado. La lección: la eficacia exige la formación de equipos equilibrados.

Infortunadamente, las personas tienden a polarizarse según sus estilos hemisféricos. Los que tienen predominio del hemisferio izquierdo y trabajan en el departamento de finanzas se reúnen alrededor de la cafetera, mirando a los del hemisferio derecho del departamento de mercadeo por encima del hombro y piensan: "Esos soñadores inconscientes tienen la cabeza en las nubes. No entienden qué es lo importante, como nosotros". Entretanto, en el dispensador de agua fría, reino de quienes tienen predominio del hemisferio derecho, éstos miran a los del hemisferio izquierdo y piensan: "¡Qué mentes tan estrechas las que tienen estos contadores! Son incapaces de entender todo el conjunto, como nosotros".

Los individuos también tienden a caer internamente en una trampa similar: los de predominio del hemisferio izquierdo piensan: "Lo siento, mi hemisferio izquierdo predomina. No puedo ser creativo o imaginativo". Y los del hemisferio derecho cometen el error de auto-programarse: "Pues sí, mi hemisferio derecho predomina y no puedo llegar a tiempo a las reuniones".

Desde 1978 he trabajado con miles de administradores a todos los niveles. Unos hacen planes serios, analíticos, exhaustivos; otros son improvisadores intuitivos, espontáneos, festivos. Los mejores son aquéllos que logran balancear el análisis y la intuición, la seriedad y el juego, la planeación y la improvisación, el arte y la scienza.

lución del pensamiento humano. Da Vinci dio origen a la tradición que culminó en la moderna disciplina de la "lluvia de ideas". Antes de Da Vinci no existía el concepto de "pensamiento creativo" como una disciplina intelectual.

ARTE/SCIENZA Y USTED

Si bien todos los principios contenidos en este libro contribuirán al equilibrio de sus dos hemisferios y a despertar sus capacidades davincianas latentes, usted puede concentrarse en ese equilibrio mediante un método sencillo e increíblemente poderoso para cultivar la sinergia entre arte y scienza en el pensamiento, la planeación y la toma de decisiones cotidianas. El método se llama cartografía mental.

Inspirado en el sistema de Da Vinci para tomar notas, Tony Buzan ideó el método de la cartografía mental, que implica el uso de todo el cerebro para generar y organizar las ideas. Usted puede recurrir a la cartografía mental para fijarse metas personales, para la planeación diaria y para la solución de problemas interpersonales. Este método le puede ser de ayuda en el trabajo, con sus hijos o en cualquier empresa que se proponga. Sin embargo, la aplicación más maravillosa de la cartografía mental es que a través de la práctica cotidiana lo entrenará para convertirse en un pensador más equilibrado, a la manera de Leonardo.

Preparemos el escenario para el aprendizaje de la cartografía mental mirando con detenimiento el método que la mayoría de nosotros aprendimos para generar y organizar las ideas: el plan de trabajo. El plan de trabajo tradicional comienza con el numeral I. ¿Alguna vez ha pasado un tiempo absurdamente largo esperando a que se le ocurra la idea I? A lo mejor después de veinte minutos o más se le ha ocurrido algo, lo que le permite continuar con su plan de trabajo hasta la idea IIId, momento en el cual se da cuenta de que el punto IIId debería ser

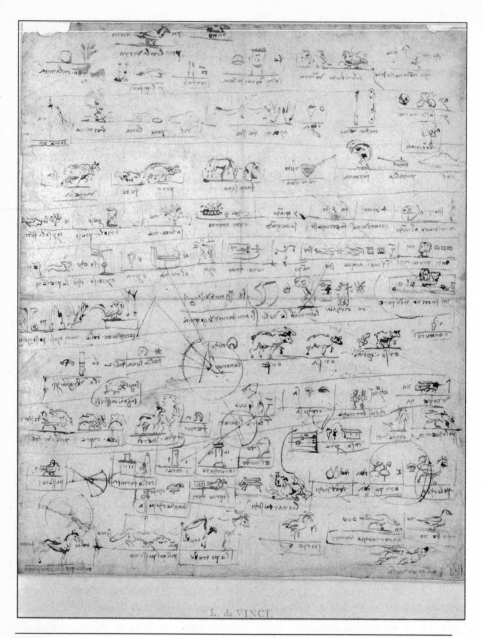

Páginas como ésta, tomada de los cuadernos de Leonardo, inspiraron la creación de la cartografía mental moderna.

el IIb. Entonces usted lo tacha y dibuja una flecha. A esa altura su plan de trabajo ya no está tan ordenado, y todos sabemos que los planes de trabajo deben ser *ordenados*. Por eso, frustrado, empieza a dibujar garabatos o a soñar despierto. Su reprimido "hemisferio derecho" está tratando de expresarse, pero los garabatos hacen que su plan se vea aún más desordenado, y usted se siente culpable de estar soñando despierto. Molesto y bloqueado, arruga la hoja de papel e intenta empezar de nuevo.

Aunque son una herramienta valiosa para presentar ideas organizada y formalmente, *los planes de trabajo sólo son útiles después de haber dedicado un tiempo a pensar bien las cosas*. Cuando uno intenta generar ideas con un plan de trabajo, el resultado es que éste nos torna lentos y reprime nuestra libertad de pensamiento. Es sencillamente ilógico tratar de organizar las ideas antes de producirlas.

Adicionalmente, los planes de trabajo y otros sistemas lineales para tomar notas excluyen las capacidades de nuestro cerebro para el color, la dimensión, la síntesis, el ritmo y la imagen. Al imponer un color y una forma, los planes de trabajo garantizan la monotonía. Con este método usted usa apenas la mitad de su cerebro y es terrible desperdiciar la otra mitad.

La cartografía mental lo libera de la tiranía de una organización prematura, que ahoga su capacidad de generar ideas. También libera sus poderes conceptuales al balancear la producción y la organización, a la vez que estimula todo el espectro de la expresión mental.

Piense en el último libro que leyó o en el último seminario al que asistió. Suponga que tiene que escribir un informe sobre ese libro o sobre ese seminario. Empiece por recordar toda la información posible. A medida que lo hace, observe cómo trabaja su mente.

¿Acaso lo hace construyendo párrafos enteros o presentando organizados planes de trabajo? Probablemente no. Lo más posible es que empiecen a flotar hacia la mente impresiones, palabras claves e imágenes, que van asociándose cada una con la siguiente. La cartografía mental es

Representación de los hemisferios izquierdo y derecho de la corteza cerebral.

un método para continuar este proceso natural de pensamiento sobre el papel.

Leonardo animaba a los artistas y a los científicos a "ir directamente a la naturaleza" en su búsqueda de conocimiento. Si contemplamos la estructura de un árbol o de una planta como la estrella de Belén, veremos que es una red de vida que se expande en todas las direcciones desde su tronco o tallo. Si paseamos en helicóptero sobre cualquier ciudad grande, notaremos que se trata de una expandida estructura de centros y rutas interconectados, arterias principales y carreteras secundarias. El nivel freático, el sistema de intercomunicación global y el sistema solar también son redes entrelazadas. La estructura de la comunicación en la naturaleza no es lineal y se organiza a sí misma; trabaja a través de redes y sistemas.

Pero quizás el sistema natural más sorprendente de todos está aquí mismo, en nuestro cerebro. La unidad estructural básica del funcionamiento cerebral es la neurona. Cada una de las miles de millones de neuronas que tenemos se desprende de un centro llamado el núcleo. Cada rama, o dendrita (del griego *dendron*, que significa "árbol"), está cubierta de pequeños nódulos llamados espinas dendríticas. A medida que pensamos, la "información" electroquímica atraviesa el pequeñísimo bache que hay entre una espina y otra. Esta conexión se llama sinapsis. Nuestro pensamiento es una función de una vasta red de patrones sinápticos. Un mapa mental es una expresión gráfica de esos patrones cerebrales naturales.

Por tanto, no debería resultarnos sorprendente que el estilo de tomar notas de muchas de las grandes mentes de la historia —como Charles Darwin, por ejemplo, o Miguel Ángel, o Mark Twain, o Leonardo da Vinci— consistiera en una estructura orgánica que se ramifica y se complementa con bocetos, garabatos creativos y palabras claves.

¿Qué tanto predomina en usted el hemisferio izquierdo o el derecho? Antes de que comience a aprender a trazar la ruta mental hacia el pensamiento con todo el cerebro, dedique un tiempo a reflexionar sobre sus propias "inclinaciones hemisféricas". Sobra decir que la mayoría de las personas tienen características de los dos hemisferios, pero la metáfora de la derecha y la izquierda resulta una herramienta útil a la hora de pensar en el equilibrio.

Cualesquiera que sean sus tendencias hemisféricas, la clave para realizar todo su potencial es el continuo descubrimiento del equilibrio.

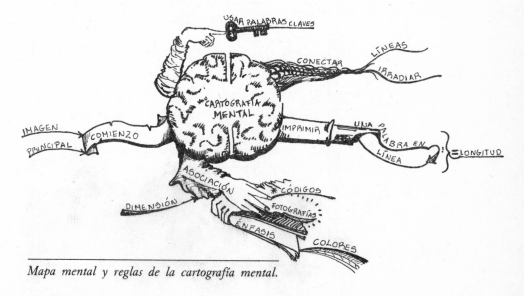

Mapa mental y reglas de la cartografía mental.

Arte/Scienza:
Autoevaluación

- ❑ Me gustan los detalles.
- ❑ Casi siempre soy cumplido.
- ❑ Soy hábil en matemáticas.
- ❑ Confío en la lógica.
- ❑ Escribo claramente.
- ❑ Mis amigos me describen como una persona muy sensata y clara.
- ❑ El análisis es una de mis fortalezas.
- ❑ Soy organizado y disciplinado.
- ❑ Me gustan las listas.
- ❑ Leo los libros empezando desde la página uno y en orden hasta el final.
- ❑ Soy muy imaginativo.
- ❑ Soy ingenioso en una lluvia de ideas.
- ❑ Con frecuencia digo o hago cosas inesperadas.
- ❑ Me encanta dibujar garabatos.
- ❑ En el colegio era mejor en geometría que en álgebra.
- ❑ Cuando estoy leyendo un libro puedo saltarme unas páginas.
- ❑ Prefiero mirar las situaciones en conjunto y dejarles los detalles a los demás.
- ❑ Con frecuencia no sé qué horas son.
- ❑ Confío en la intuición.

ARTE/SCIENZA
APLICACIONES Y EJERCICIOS

APRENDA LAS REGLAS
DE LA CARTOGRAFÍA MENTAL

Al final de su *Tratado de pintura,* Leonardo escribió: "Estas reglas deben ayudarlo a formarse un juicio libre y correcto, pues el buen juicio surge de la comprensión correcta, y la comprensión correcta viene de la razón entrenada con las reglas adecuadas, y las reglas adecuadas son hijas de la experiencia profunda, que es la madre común de todas las ciencias y las artes".

Las reglas de la cartografía mental fueron pensadas para "ayudarlo a formarse un juicio libre y correcto". Son "las hijas de la experiencia profunda", pues han sido ampliamente probadas y refinadas a lo largo de los últimos treinta años.

Todo lo que usted necesita para empezar a hacer su cartografía mental es un tema, unos cuantos lápices del colores y una hoja grande de papel. Siga las siguientes reglas:

1) Comience su mapa mental con un *símbolo* o un *dibujo* (que represente su tema) en el *centro* de la página. Empezar en el centro abre su mente a 360 grados de asociación. Los dibujos y los símbolos son más fáciles de recordar que las palabras y amplían su capacidad de pensar creativamente sobre un tema.

2) Escriba palabras claves.

Las palabras claves son las pepitas de oro, ricas en información, del recuerdo y la asociación creativa.

3) Conecte las palabras claves con líneas que salen de la imagen central.

Al unir las palabras con líneas ("ramas") usted podrá mostrar con claridad cómo las palabras claves se relacionan entre sí.

4) Escriba las palabras claves con letra de imprenta.

Las palabras escritas con letras de imprenta son más fáciles de leer y recordar que las manuscritas.

5) Escriba *sólo una* palabra clave por línea.

Al hacerlo, se sentirá libre de descubrir la mayor cantidad posible de asociaciones creativas para cada palabra clave. La disciplina de una sola palabra también lo entrena para que se concentre en la palabra clave más apropiada, afinando la precisión de su pensamiento y minimizando la posibilidad de llenarlo de cosas no pertinentes.

6) Escriba las palabras claves sobre las líneas de tal manera que la longitud de la palabra sea idéntica a la de la línea sobre la cual está escrita.

Esto maximiza la claridad de la asociación y economiza espacio.

7) Para mayor asociación y énfasis, use colores, fotografías, dimensión y códigos.

Resalte puntos importantes e ilustre las relaciones entre las diferentes ramas de su mapa mental. Usted puede, por ejemplo, darle prioridad a sus puntos principales con un código de color, resaltando en amarillo los puntos más importantes, en azul los secundarios, y así sucesivamente. Se deben usar fotografías e imágenes, preferiblemente con colores vivos, siempre que sea posible; éstas estimulan la asociación creativa y amplían enormemente la memoria.

Haga su propio mapa mental

A medida que usted experimente con la cartografía mental, sus ventajas se harán cada vez más evidentes. La cartografía mental permite empezar más rápidamente y generar más ideas en menos tiempo; además, pensar, trabajar y resolver problemas se vuelve mucho más divertido. Todos los planes de trabajo tienden a verse igual, pero cada mapa mental es diferente. Quizás la mayor ventaja de la cartografía mental es que al cultivar su expresión individual y única usted empezará a recorrer el camino que conduce hacia su propia originalidad. La práctica regular de la cartografía mental le ayudará a convertirse en *"inventore"*.

Este sencillo ejercicio de cartografía mental le ayudará a empezar:

Empiece con una hoja de papel grande y blanca
y seis o más lápices de colores. Es posible que
quiera utilizar resaltadores fosforescentes para
añadir más color. Por supuesto, en un apuro
usted podrá recurrir a un lápiz y una hojita de
papel.

Aunque se pueden hacer mapas mentales
en una caja de fósforos, en la palma de la mano
o en notas post-it, es mejor usar una hoja grande
de papel; se recomienda usar un pliego de los
que se fijan en un caballete. Cuanto más grande
sea el papel, mayor libertad tendrá para expresar
sus asociaciones.

Ponga la hoja frente a usted, en posición
horizontal. La posición horizontal le permitirá que
sus palabras claves queden derechas y sean más
legibles.

2) Digamos que el tema de este mapa mental es el Renacimiento.

   ✦ Empiece su mapa mental dibujando una imagen representativa en el centro del papel.

   ✦ Dibújela tan vívidamente como pueda, usando varios colores.

   ✦ Diviértase y no se preocupe por la precisión del dibujo.

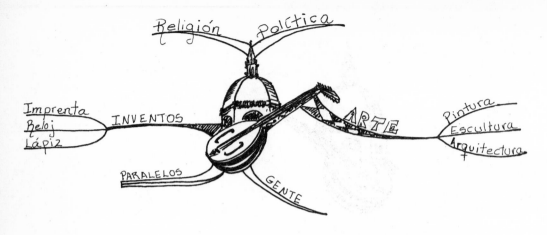

Religión Política

Imprenta
Reloj
Lápiz

INVENTOS

ARTE

Pintura
Escultura
Arquitectura

PARALELOS

GENTE

3) Ahora escriba sobre las líneas palabras claves o dibuje imágenes que salgan de la imagen central. (Recuerde que debe escribir *sobre* las líneas, *sólo* una palabra clave o imagen por línea, y que debe conectar sus líneas.)

✦ Generar ideas en forma de palabras claves es fácil. Por ejemplo, mientras pensamos en el Renacimiento una palabra clave podría ser *arte*, que podría hacer surgir asociaciones con otras palabras claves como *pintura, escultura, arquitectura*. Otra rama clave podría ser *inventos*, que a su vez generaría asociaciones como *imprenta, reloj, lápiz*. En otras ramas principales se podría incluir *gente, política, religión, paralelos*.

✦ Si se siente atascado, escoja una palabra cualquiera de su mapa mental y escriba inmediatamente lo primero que asocie con esa palabra — incluso si parece ridículo o irrelevante. Deje que sus asociaciones fluyan y no se preocupe si cada palabra no es la "correcta".

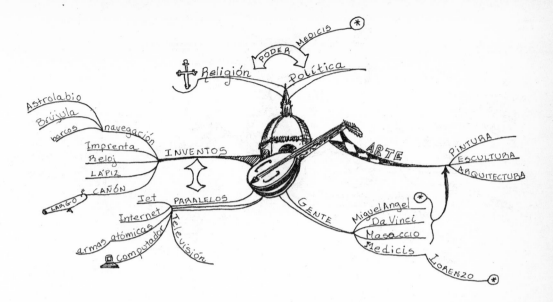

4) Cuando crea que ha reunido suficiente material a
través de la libre asociación, mire el resultado:
todas sus ideas esparcidas en una página.

+ Mientras examina su mapa mental, verá relaciones que le ayudarán a organizar e integrar sus
ideas.

+ Busque palabras que aparezcan una y otra vez
en el mapa. Con frecuencia sugieren temas
principales.

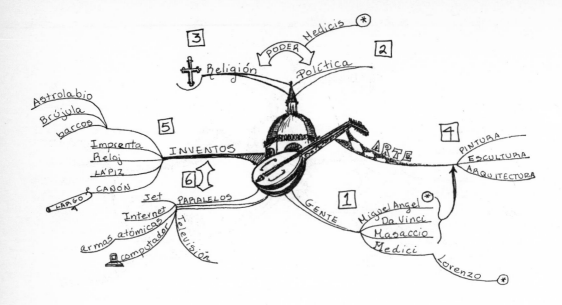

5) Conecte las partes de su mapa mental con flechas, códigos y colores.

◆ Elimine los elementos que parecen superfluos. Reduzca su mapa mental hasta quedarse sólo con las ideas que necesita para su propósito.

◆ Después, si es necesario, ordénelas en una secuencia. Esto se puede lograr con números o redibujando el mapa en orden, en el sentido de las manecillas del reloj.

¿Cómo sabremos que hemos terminado nuestro mapa mental? Teóricamente un mapa mental no termina nunca. Tal como Da Vinci lo dijo: "Todo está conectado con todo lo demás". Si tuviéramos el tiempo, la energía, la inclinación, muchos lápices de colores y un pedazo de papel lo suficientemente grande, podríamos seguir conectando todo nuestro conocimiento y, eventualmente, todo el conocimiento humano. Pero, desde luego, si estamos planeando una conferencia o estudiando para un examen probablemente no tendremos tiempo para conectar todo el conocimiento humano. La respuesta más simple es que nuestro mapa mental estará terminado cuando la información que hayamos reunido cumpla con los objetivos de la tarea que tenemos entre manos.

Los siguientes son algunos consejos para mantener su mapa mental limpio, legible y organizado. Sitúe su imagen principal en el centro de la página y no la haga muy grande. Use líneas quebradas o curvas, según sea necesario, para que todas sus palabras claves queden al derecho y sean fáciles de leer. Ponga sólo una palabra por línea y asegúrese de hacerlo en letra de imprenta. Haga las líneas un poco más gruesas al comienzo y escriba las palabras en un tamaño fácil de leer. Si lo desea, haga algunas un poco más grandes, para añadirles énfasis. Asegúrese de que cada palabra sea del mismo tamaño de la línea sobre la cual está. Esto ahorra espacio y permite ver las conexiones más claramente. Si es posible, use hojas de papel grandes. Esto evitará que su mapa quede muy apretado y le permitirá pensar de una manera más amplia. No se preocupe si su primer borrador parece muy desorganizado. Usted siempre podrá hacer un segundo o un tercero para mayor claridad.

PRACTIQUE SUS HABILIDADES
PARA LA CARTOGRAFÍA MENTAL

Si bien la cartografía mental es una herramienta invaluable a la hora de simplificar tareas complejas tales como la planeación estratégica, la preparación de presentaciones, el manejo de reuniones, la preparación de pruebas y el análisis de sistemas, probablemente lo mejor sea hacer nuestros primeros mapas sobre temas relativamente sencillos y ligeros. Escoja uno de los siguientes temas para empezar a poner en práctica sus habilidades como cartógrafo mental, sin ayuda. Hacer este primer mapa de práctica debe tomarle aproximadamente veinte minutos.

+ Haga un mapa mental de su próximo día libre —Empiece con un dibujo sencillo que represente un día libre (por ejemplo, un sol sonriente, una hoja del calendario). Escriba palabras claves y dibuje imágenes que expresen algunas de las cosas que quisiera hacer en su próximo día libre. Recuerde que las palabras claves y las imágenes deben ir sobre las líneas que salen del símbolo central.

+ Haga un mapa mental de las vacaciones con las que sueña —Explore las deliciosas fantasías de sus vacaciones de ensueño con un mapa mental. Empiece con un símbolo de su paraíso en el centro (por ejemplo, olas del mar, montañas cubiertas de nieve, la torre Eiffel) y desde allí deje fluir su imaginación a través de palabras claves e imágenes que representen los elementos de sus vacaciones ideales.

◆ Haga un mapa mental de una velada perfecta para un amigo — Use un mapa mental para explorar la organización de una velada perfecta para alguien que ama. Empiece con una imagen en el centro que represente a su amigo. Después, usando palabras claves o imágenes, deje fluir su imaginación con todos los pensamientos que se le ocurran para hacer feliz a su amigo. Recuerde que debe permitir que su mente trabaje por asociación en vez de tratar de escribir las cosas en orden. Sólo piense en ideas que puedan deleitar a su amigo. Después, cuando ya se le haya ocurrido una multitud de posibilidades, puede volver y ponerlas en orden.

Repase el mapa mental de su día libre, de sus vacaciones ideales, de su velada perfecta. Revise su mapa mental para ver qué tan bien siguió las reglas:

—¿Creó imágenes vívidas y multicolores?

—¿Se acordó de usar *sólo una* palabra por línea?

—¿Escribió sus palabras claves en letra de imprenta?

—¿Mantuvo sus líneas conectadas?

Si no se ciñó a las reglas, rehaga su mapa correctamente.

Haga un mapa mental de la cartografía mental

Ahora que ya ha tenido suficiente práctica, intente hacer un mapa mental de todos los usos posibles de la cartografía mental. Empiece con una imagen en el centro de la página que represente el concepto que usted tiene de la cartografía mental. Después extienda sus ramas y ponga las palabras claves en letra imprenta o las imágenes sobre las líneas de conexión. Intente generar por lo menos veinte posibles aplicaciones específicas de la cartografía mental en su vida personal y

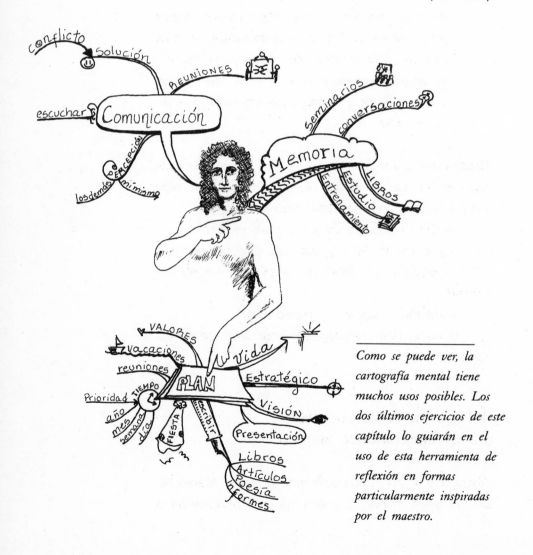

Como se puede ver, la cartografía mental tiene muchos usos posibles. Los dos últimos ejercicios de este capítulo lo guiarán en el uso de esta herramienta de reflexión en formas particularmente inspiradas por el maestro.

profesional. Cuando haya terminado su mapa mental, resalte las aplicaciones más importantes para usted. Después fíjese en el mapa de aplicaciones de la página anterior, el cual señala algunos de los usos más populares de la cartografía mental.

Haga un mapa mental de la memoria

La increíble habilidad de Leonardo para aprender y crear se expresaba en su interés por cultivar la memoria, lo que él llamaba "aprender de memoria". Después de observarlo cuidadosamente desde múltiples perspectivas, Leonardo dibujaba una imagen de su tema. Luego, tarde en la noche o temprano en la mañana, mientras yacía en su cama, trataba de recrear la imagen en su mente, de volverla a la vida. Procedía entonces a comparar su imagen mental con su mejor dibujo, hasta que lograba fijar en su mente la imagen perfecta.

La cartografía mental es una herramienta increíblemente poderosa para aprender cosas de memoria. Intente hacer el siguiente ejercicio, el cual se basa en el método de Leonardo para aprender cosas de memoria:

+ Piense en algo que quisiera recordar — quizás el contenido de un libro que disfrutó particularmente, o una presentación que debe hacer, o el tema de un examen final en la universidad o en la escuela.
+ Elabore un amplio mapa mental de su tema, haciendo énfasis en imágenes vívidas de sus aspectos más importantes. Dependiendo del volumen y de la com-

plejidad de la información, es posible que tenga que hacer varios borradores para organizar, integrar y expresar con claridad su tema.

✦ Cuando termine su "mapa mental maestro", déjelo a un lado. Tome una hoja de papel en blanco y, sin mirar el material original, intente recrear su mapa maestro de memoria. Repita el ejercicio hasta que pueda recrear el original en detalle.

✦ Cuando esté descansando en la cama, piense en su mapa maestro y hágase una imagen mental de él. Visualícelo hasta que la imagen mental coincida con el mapa maestro.

✦ Entonces estará listo para hacer su presentación o su examen, con el material perfectamente grabado en su memoria.

Haga un mapa mental de la creatividad

La cartografía mental es una herramienta maravillosa para despertar nuestra creatividad y "acelerar el espíritu de la invención", en palabras de Leonardo. Piense en una idea que quisiera explorar, o en una pregunta o en un reto. Consiga una hoja grande de papel en blanco y dibuje en el centro una imagen abstracta de su tema. Ahora, así como el maestro sugirió la libre asociación ante "ciertas paredes manchadas de humedad o piedras de colores desiguales", haga asociaciones libres sobre su imagen abstracta, anotando sus asociaciones en las ramas del mapa. Si deja ir su mente podrá ver, como lo dijo el maestro, "...una infinidad de cosas que podrá reducir a sus formas completas y adecuadas".

Si se le ocurre una idea que parece un poco descabellada, anótela en su mapa mental y siga adelante. Las asociaciones absurdas e inusuales con frecuencia conducen a los descubrimientos creativos. Recuerde que incluso al más grande genio de la historia le preocupaba que su "idea nueva y especulativa... pueda parecer trivial y risible", pero no dejó que eso lo detuviera, y usted tampoco debe permitirlo.

✦ Después de haber generado abundantes, si no infinitas, asociaciones, dése un descanso para la incubación.

✦ Regrese más tarde a su mapa mental e inicie otra tanda de asociaciones.

✦ Después de otro recreo, mire todas sus asociaciones en conjunto, buscando conexiones y temas recurrentes.

✦ Ahora, redúzcalas a sus "formas completas y adecuadas". En otras palabras, recorte su mapa mental hasta que exprese solamente sus percepciones más convincentes; reordene las ramas para que éstas reflejen el nuevo orden de sus pensamientos.

Después de poner en práctica el método de la cartografía mental para aprender de memoria, un niño de doce años de Soweto, Suráfrica, escribió lo siguiente: "Antes... no creía que fuera muy inteligente. Ahora sé que tengo un cerebro maravilloso. ¡La escuela es mucho más fácil!" El gerente de una compañía japonesa de computadores recurrió a la cartografía mental para

Arte/Scienza para padres

Muchos de mis clientes y amigos que tienen más de un hijo me dicen que sus hijos tienen diferentes "estilos" cerebrales y que si no son cuidadosos, ellos, los padres, tienden a pasarles a sus hijos los prejuicios de su propio estilo predominante. Un padre con predominio del hemisferio izquierdo comentó: "He sido muy tonto. Tengo dos hijos; uno es exactamente como yo — muy bueno para las matemáticas y los números, disciplinado y ordenado — y el otro es totalmente diferente — un verdadero soñador, muy artístico pero totalmente desordenado. Anoche me di cuenta de que he estado discriminando al niño que tiene más predominio del hemisferio derecho. Si yo hubiera sido más amplio con él y lo hubiera animado a compartir su perspectiva del mundo con su hermano y conmigo, todos habríamos vivido mucho mejor".

De la misma manera que organizamos "equipos equilibrados" en el trabajo, es importante organizarlos también en casa. Muchos padres les transmiten involuntariamente a sus hijos sus prejuicios corticales. Apoye a sus hijos para que desarrollen las habilidades del arte y la scienza simultáneamente. Si su hijo parece tener inclinación por un pensamiento con predominio del hemisferio derecho, convierta las lecciones de historia en representaciones vivas de los sucesos del pasado. Enséñele matemáticas escribiendo los teoremas y las ecuaciones con colores vivos. Ayúdele a entregar sus trabajos a tiempo diseñándole un calendario que maneje códigos de colores y dibujos en lugar de palabras. Si la orientación de su hijo tiene más predominio del hemisferio izquierdo, ayúdele a desarrollar el equilibrio haciendo énfasis en el arte, el teatro y la apreciación musical. Independientemente de las inclinaciones de sus hijos, ellos podrán desarrollar mayor equilibrio si usted los anima a hacer mapas mentales; concéntrese especialmente en cultivar la habilidad de sus hijos para "aprender de memoria", ayudándoles a hacer mapas mentales con su trabajo escolar.

generar ideas para un plan estratégico y escribió: "Muchas gracias por haber despertado mi cerebro, finalmente". Un ingeniero químico que trabaja para una de las 500 compañías escogidas por la revista *Fortune* usó este enfoque para crear un invento patentable; el poeta laureado de la Gran Bretaña lo usa para incubar nuevos poemas. Usted también puede usarlo para fortalecer su memoria, equilibrar su cerebro y "acelerar su espíritu de invención".

Corporalita

*El cultivo de la gracia, la
ambidestreza, la condición física
y el porte.*

¿Qué imagen tiene usted del cuerpo de un genio? ¿Acaso creció (yo sí lo hice) con el estereotipo del estudioso y flacuchento "cuatro ojos"? Es sorprendente ver cuántas personas asocian la inteligencia sobresaliente con la ineptitud física. Con pocas excepciones, los grandes genios de la historia también estaban dotados de una sorprendente habilidad y energía físicas, y Da Vinci más que los demás.

Las extraordinarias dotes físicas de Leonardo complementaban su genio intelectual y artístico. Vasari alaba su "gran belleza física... y su gracia más que infinita en cada una de sus acciones". Leonardo era famoso entre los ciudadanos florentinos por su porte, su gracia y su figura atlética. Sus habilidades como equitador eran del más alto nivel. Y su fuerza era legendaria. Según cuentan quienes lo vieron, ¡Leonardo podía detener caballos a todo galope tomándolos de las riendas y doblar herraduras y aldabones con las manos! Vasari lo registró así: "Su gran fuerza física podía controlar cualquier arranque violento; con su mano derecha podía doblar el aro de hierro de un aldabón o una herradura como si fueran de plomo". Y añade que "Su gran fuerza personal iba acompañada de destreza".

Varios estudiosos han sugerido que la pasión de Leonardo por la

> "Apuesto y con un físico espléndido, parecía un modelo de perfección humana".
> —GOETHE SOBRE DA VINCI

El canon de la proporción: *Éste es el dibujo de Leonardo de las proporciones ideales de la figura humana, basadas en* De Architectura, *de Vitruvius, del siglo primero a.C. Es conocido internacionalmente como el ícono del potencial humano.*

anatomía era un reflejo de su propio físico extraordinario. El doctor Kenneth Keele, autor de "Leonardo da Vinci, the Anatomist" [Leonardo da Vinci, el anatomista], se refiere a él como a una "mutación genética única" y hace énfasis en el hecho de que "su enfoque de la anatomía del cuerpo humano se vio significativamente influido por sus propios atributos físicos sobresalientes". El maestro hacía ejercicio regularmente y sus actividades favoritas en este sentido eran caminar, montar a caballo, nadar y la esgrima. En sus cuadernos de anatomía llegó a la conclusión de que la arterioesclerosis aceleraba el envejecimiento y era el resultado de la falta de ejercicio. Da Vinci, que era vegetariano y un chef consumado, creía que una dieta razonable era la clave de la salud y el bienestar. También cultivó el uso equilibrado de ambos lados de su cuerpo, y la pintura, el dibujo y la escritura con ambas manos. Era psicofísicamente ambidiestro.

Da Vinci creía que debíamos sentirnos personalmente responsables de nuestra salud y bienestar. Reconocía el efecto de las actitudes y de las emociones en la fisiología (anticipándose con ello a la disciplina de la psiconeuroinmunología) y recomendaba una actitud independiente ante los doctores y los medicamentos. Su filosofía de la medicina era holística. Veía la enfermedad como "la discordancia de los elementos en el cuerpo humano" y la curación, como "el restablecimiento de los elementos discordantes".

"¡Aprendan a cuidar de su salud!", decía Leonardo, y nos dejó los siguientes consejos específicos para mantener el bienestar:

Las siguientes reglas son sabias para mantenerse saludable:

+ Cuídense del mal genio y eviten la tristeza.
+ Descansen la cabeza y mantengan la mente alegre.
+ Cúbranse bien de noche.
+ Ejercítense con moderación.
+ Huyan del desenfreno y presten atención a la dieta.
+ Coman sólo cuando lo deseen y cenen con moderación.
+ Manténganse erguidos cuando se levanten de la mesa.
+ No estén nunca con la panza para arriba o la cabeza para abajo.
+ Mezclen su vino con agua, tomen un poco a la vez, nunca entre comidas y nunca con el estómago vacío.
+ Consuman alimentos simples (o sea vegetarianos).
+ Mastiquen bien.
+ ¡Vayan al baño con regularidad!

CORPORALITA Y USTED

¿Cuál es su actitud personal hacia el cuidado de la condición física y el desarrollo de la coordinación mente/cuerpo? ¿Qué imagen tiene de su propio cuerpo? ¿Qué tanto se deja influir por factores externos como artículos de revistas, la industria de la moda, las imágenes en la televisión o las opiniones de los demás? Cualesquiera que sean las fortalezas o las debilidades con las que fuimos dotados, es posible mejorar dramáticamente la calidad de nuestra vida a través de una aproximación amplia a la corporalita. Podemos empezar con la autoevaluación de la página siguiente.

Corporalita:
Autoevaluación

- ❑ Estoy en buenas condiciones aeróbicas.
- ❑ Cada vez soy más fuerte.
- ❑ Mi flexibilidad está mejorando.
- ❑ Sé cuándo mi cuerpo está tenso o relajado.
- ❑ Estoy bien informado en asuntos de dietas y de nutrición.
- ❑ Mis amigos me describirían como alguien garboso.
- ❑ Cada vez soy más ambidiestro.
- ❑ Soy consciente de la forma como mis actitudes afectan a mi condición física.
- ❑ Conozco bastante bien la anatomía práctica.
- ❑ Soy muy coordinado.
- ❑ Me fascina moverme.

CORPORALITA:
APLICACIÓN Y EJERCICIOS

DESARROLLE UN PROGRAMA
DE ACONDICIONAMIENTO FÍSICO

La vida de Da Vinci fue la expresión del antiguo ideal clásico de "*mens sana in corpore sano*" —mente sana en cuerpo sano. Los estudios científicos modernos han confirmado muchas de las recomendaciones, prácticas e intuiciones de Da Vinci. Aunque puede resultar un poco difícil tratar de imaginar al maestro en una clase moderna de aeróbicos, un programa personal de acondicionamiento físico resulta ser, de todas maneras, una condición indispensable para la salud física, la agudeza mental y el bienestar emocional. Para mantener al día nuestro potencial como hombres y mujeres del Renacimiento debemos mantener un programa balanceado de acondicionamiento que desarrolle la capacidad aeróbica, la fuerza y la flexibilidad.

Acondicionamiento aeróbico: Leonardo supuso que la arterioesclerosis era una de las causas del envejecimiento prematuro y que se la podía evitar con el ejercicio regular. El doctor Kenneth Cooper y muchos otros científicos modernos han confirmado la intuición del maestro. Cooper, pionero del concepto de aeróbicos, descubrió que el ejercicio regular moderado es profundamente benéfico para el cuerpo y la mente. El ejercicio aeróbico ("con oxígeno") fortalece el sistema cardiovascular, mejorando el flujo de sangre, y por tan-

Da Vinci era terriblemente crítico de los médicos de su tiempo. Por ejemplo, escribió: "Todos los hombres desean ganar dinero para dárselo a los doctores, destructores de la vida: ellos por tanto deberían ser ricos". Y aconsejó que "se debe huir de los médicos porque sus drogas son una especie de alquimia... aquel que toma medicamentos es un imprudente".

to de oxígeno, por el cuerpo y el cerebro. El cerebro, en promedio, es responsable de menos del 3 por ciento del peso corporal y sin embargo utiliza el 30 por ciento del oxígeno corporal. A medida que mejora nuestro acondicionamiento aeróbico, se duplica nuestra capacidad de procesar oxígeno.

Un programa regular de ejercicios aeróbicos produce mejorías significativas en la agudeza mental, la estabilidad emocional y el vigor. Generalmente un individuo que está "fuera de forma" requiere de seis semanas de ejercicios durante veinte minutos, al menos cuatro días a la semana, para empezar a notar los beneficios. (Consulte con su médico antes de iniciar su propio programa.) El secreto de un programa exitoso de entrenamiento aeróbico es descubrir cuáles son las actividades que uno disfruta. Caminar rápido, correr, bailar, nadar, remar o las artes marciales se pueden combinar para crear un programa ideal.

La fortaleza física: La habilidad legendaria de Leonardo para doblar herraduras con las manos y detener caballos desbocados probablemente excede las posibilidades del visitante más ambicioso de un salón de pesas. No obstante, el entrenamiento moderado de la fortaleza física es una parte indispensable del acondicionamiento. El trabajo con pesas tonifica y fortalece los músculos y estimula la elasticidad del tejido conectivo y de los huesos. Los resultados de las más recientes investigaciones sugieren que el trabajo con pesas ayuda a evitar la pérdida de masa muscular y la osteoporosis en los viejos. Y también es la forma más eficaz de quemar el exceso de grasa corporal. Antes de empezar un programa de entrenamiento con pesas es importante asesorarse de un entrenador que lo guíe en el desarrollo y mantenimiento de la condición física.

La flexibilidad: Vasari nos cuenta que la fuerza sobresaliente de Leonardo iba "acompañada de agilidad". El trabajo constante en la flexibilidad corporal es fundamental a la hora de incrementar la agilidad. Al levantarse, y antes y después de una sesión de aeróbicos o de pesas, es importante hacer unos sencillos ejercicios de estiramiento. El estiramiento adecuado evita las lesiones y beneficia los sistemas circulatorio e inmunológico. El secreto de un buen estiramiento es dedicarle el tiempo necesario, sin afanes, estar plenamente consciente durante todo el proceso y permitir que los diferentes grupos de músculos se distensionen armónicamente con exhalaciones profundas. Nunca se debe saltar, y menos forzar un estiramiento. El lugar indicado para aprender a sacar el mayor partido del estiramiento es una clase de baile o de artes marciales, aunque lo ideal sería estudiar yoga.

Desarrolle el conocimiento del cuerpo a través del estudio de la anatomía práctica

Una dieta saludable y el ejercicio aeróbico regular, acompañado de trabajo con pesas y estiramientos, son elementos claves en el logro y el mantenimiento del bienestar; pero este régimen estaría incompleto sin una actitud constructiva hacia el conocimiento del cuerpo, el porte y la ambidestreza. Estos elementos conforman el "eslabón perdido" de muchos programas de acondicionamiento físico.

Las personas que se encaminan por la ruta del desarrollo personal suelen dedicarle tiempo a la pregunta clásica: "¿Quién soy?" Pero podemos hacer progresos importantes hacia la realización personal cuando planteamos una pregunta más elemental: "¿Dónde estoy?" La imagen corporal y el conocimiento del cuerpo desempeñan un papel fundamental en la formación de la autoimagen y del conocimiento de uno mismo. En el capítulo sobre la sensazione se planteó un programa de ejercicios para la agudización de los cinco sentidos: la vista, el oído, el olfato, el gusto y el tacto. El cultivo del conocimiento del cuerpo empieza con el refinamiento del sexto sentido: la cinestesia. La cinestesia representa el sentido del peso, la posición y el movimiento. Nos dice si estamos relajados o tensos, si nuestros movimientos son graciosos o torpes.

Usted puede agudizar su sentido de la cinestesia e incrementar el conocimiento de su cuerpo con los siguientes ejercicios.

Obsérvese al espejo

Párese frente a un espejo de cuerpo completo (si usted es valiente, hágalo desnudo). Observe su reflejo objetivamente, sin juzgar ni evaluar su apariencia. ¿Su cabeza se inclina a un lado? ¿Tiene un hombro más alto? ¿Su pelvis se inclina hacia adelante o hacia atrás?

¿Sus pies reparten su peso equitativamente o se apoya más en uno de los dos? ¿Qué partes de su cuerpo parecen demasiado tensas? ¿Su pelvis, su tronco y su cabeza están alineadas? Anote sus observaciones en el cuaderno.

Haga un dibujo de su cuerpo

Dibuje un boceto de todo su cuerpo en el cuaderno. No se trata de lograr una obra de arte: bastará con que le dedique cinco minutos. El dibujo más infantil estará bien.

Cuando haya terminado de dibujar su cuerpo, coloree con rojo los lugares donde siente más tensión y estrés. Después, con un marcador negro, señale los puntos donde la energía parece estar bloqueada, aquellos lugares donde la sensibilidad es mínima. A continuación, marque con verde las áreas de su cuerpo que se sienten más vivas, donde la energía fluye con más libertad.

La mayoría de las personas tienen áreas rojas y negras que no deben ser pasadas por alto. La mayor parte de la tensión y el estrés innecesarios que padecemos resulta del desconocimiento y de la información equivocada acerca de nuestra propia estructura natural. Los "mapas corporales" inexactos llevan al uso inadecuado de nuestras funciones naturales, lo cual exacerba el estrés y disminuye la atención.

La dieta Da Vinci

El acondicionamiento aeróbico, el trabajo con pesas y los ejercicios de estiramiento y flexibilidad, combinados con la dieta adecuada lo ayudarán a vivir una vida más larga, más feliz y más equilibrada. Aunque las dietas de moda aparecen y desaparecen con la misma velocidad, hay verdades fundamentales sobre los hábitos inteligentes de alimentación, que sobreviven al tiempo y al escrutinio científico:

+ Busque alimentos frescos, naturales y enteros. Leonardo no tenía que preocuparse por el riesgo de consumir comida poco saludable, procesada en exceso y llena de aditivos, pero usted sí.

+ Consuma mucha fibra. El fuerte de la dieta de Leonardo eran los vegetales crudos o ligeramente cocidos, los granos, las leguminosas y otros alimentos ricos en fibra. Estos limpian y ejercitan el tracto digestivo, manteniéndolo activo y saludable.

+ Evite comer en exceso. Leonardo aconsejaba que cenáramos "con moderación". Debe aprender a dejar de comer *justo antes* de sentirse lleno. Se sentirá mejor y probablemente vivirá más (los experimentos de los doctores McCay, Masaro y otros han demostrado que las ratas ligeramente subalimentadas viven el doble de las que se atragantan de comida).

+ Tome suficiente agua. La mesa italiana tradicional incluye siempre varias botellas de agua mineral pura. El 80 por ciento de su cuerpo es agua y necesita un suministro constante de ella para poder desechar las toxinas y reconstruir las células. De manera que los alimentos ricos en agua (verduras y frutas frescas) deben formar parte integral de su consumo diario. Para apagar la sed, lo mejor es el agua pura o el jugo recién hecho de frutas o de vegetales. Es mejor evitar las bebidas gaseosas, pues están llenas de aditivos y de calorías vacías.

+ Reduzca el consumo adicional de sal y azúcar. En una dieta balanceada hay suficiente sal y azúcar naturales. El exceso de sal puede contribuir a la hipertensión y a otro tipo de dolencias; el exceso de azúcar distorsiona el metabolismo y lo carga de calorías inútiles. Es fácil dejarse seducir por el incremento de energía que producen los alimentos cargados de azúcar; pero si se fija bien, notará un detrimento de la vitalidad poco después de haberlos consumido. Debe quitarse el hábito de añadir sal o azúcar automáticamente a los alimentos que toma; al menos debería probarlos antes.

✦ Debe consumir grasas con moderación y disminuir al máximo el consumo de grasas saturadas. Los mejores son los aceites extraídos en frío, como el de oliva (favorito de Leonardo), el de girasol y el de linaza. La margarina se debe suprimir del todo.

✦ Coma sólo carnes sin aditivos químicos, y con moderación. El maestro era vegetariano. Su plato favorito era la sopa minestrone, compuesta de verduras, fríjoles y arroz o pasta. No obstante, si consume carne, no debe hacerlo más de una vez al día. Debe evitar la carne de animales que hayan ingerido hormonas, antibióticos y otras toxinas. ·

✦ La dieta debe ser variada. Una dieta variada es más balanceada y sabrosa.

✦ Tome un poco de vino con la comida. Leonardo recomendaba disfrutar moderadamente del vino junto con la comida, pero desaprobaba los excesos y la borrachera. Las estadísticas actuales demuestran que el consumo moderado de alcohol (que puede definirse como dos vasos de vino o dos cervezas al día) aparentemente aumenta en dos años la expectativa de vida promedio. Además, todo parece indicar que el consumo diario moderado de vino rojo con la comida mejora la circulación y puede contribuir a evitar los infartos. Obviamente, el exceso de bebida tiene el efecto opuesto, pues acorta la expectativa de vida e incide en el funcionamiento del sistema nervioso.

✦ Es mejor cenar que comer. Los bocados rápidos usualmente conducen a las peores elecciones alimentarias y a la indigestión. Debe tener siempre la disciplina de sentarse a disfrutar de cada una de las comidas. Podría crear, tal como lo hizo el maestro, un ambiente estéticamente agradable: la mesa bien puesta, flores, una presentación artística incluso de las comidas más sencillas. La atmósfera agradable y la tranquilidad contribuyen a la buena digestión, a la ecuanimidad y a la calidad de la vida.

✦ Lo más importante es que esté atento a lo que le dice el cuerpo antes de cada comida y decidir qué quiere comer en realidad. Leonardo hizo énfasis en el hecho de que "comer en contra de nuestras inclinaciones es perjudicial para la salud". Si no está seguro, trate de imaginar cómo se sentirá después de comer aquello que le provoca dudas. Haga después una pausa antes de empezar y concéntrese en el momento presente. Aprecie el olor, el sabor y la textura de cada bocado.

Vista desde atrás

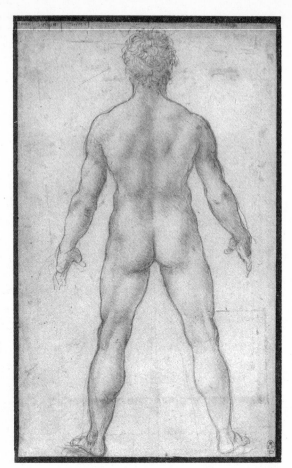

Explore su mapa corporal

Regrese al espejo y con el dedo índice de una mano señale:

- ✦ el lugar donde su cabeza hace equilibrio con su cuello;
- ✦ las coyunturas de los hombros;
- ✦ las coyunturas de las caderas.

Después mire la ilustración que hizo Leonardo del cuerpo humano y empiece a precisar su mapa corporal.

Equilibrio de la cabeza: La cabeza está sobre la columna vertebral, en la coyuntura atlanto-occipital. La mayoría de las personas ubican el punto de equilibrio demasiado abajo porque tienen el hábito inconsciente de recoger los músculos del cuello cada vez que se mueven.

Coyunturas de los hombros: La mayoría de las personas ubican la coyuntura del hombro en el punto donde el brazo se une al tronco. Pasan por alto la conexión de la clavícula y el esternón y desconocen la verdadera movilidad de ese complejo de coyunturas. Esta inexactitud en la cartografía corporal va asociada con la inmovilidad de todo el hombro, lo cual provoca una gran incomodidad.

Coyunturas de las caderas: Así como la coyuntura del hombro es diferente del conjunto de los hombros, la coyuntura de la cadera debe ser diferenciada de las caderas en conjunto. Si observamos a un niño de dos años que se inclina a recoger un juguete veremos el uso natural de la coyuntura de la cadera. Si observamos después a un adulto que se inclina para recoger algo, notaremos que dobla la cintura. Agacharse desde la cintura en lugar de la cadera es una de las causas más comunes del dolor de espalda.

Conozca su columna vertebral

Perfeccione su mapa corporal un poco más mediante la revisión de sus suposiciones acerca de la columna vertebral: ¿Qué tan ancha cree que es? Dibuje en su cuaderno el ancho calculado de su columna vertebral. Ahora piense en la forma natural de la columna vertebral y haga en su cuaderno un dibujo de una columna vertebral saludable. Termine ambos dibujos antes de seguir adelante con la lectura.

Su columna es más ancha de lo que usted se imagina.

Pensamientos pesados

¿Cuánto pesa su cabeza? Escriba la cifra que ha calculado.

La próxima vez que vaya al gimnasio tome una pesa de quince libras o, en el supermercado, levante una bolsa de papas que pese otro tanto. Eso es lo que pesa una cabeza promedio. Este globo de quince libras de peso contiene su cerebro, sus ojos, sus oídos, su nariz, su boca y su mecanismo de equilibrio. ¿Qué le pasará a todo su cuerpo si este globo está desequilibrado? ¿Qué le sucederá a su percepción y a su agudeza sensorial si su cabeza no está bien alineada con la columna vertebral? ¿Sabía que el 60 por ciento de sus receptores cinestésicos están en el cuello? ¿Qué le sucederá a su conciencia corporal si debe contraer los músculos del cuello para poder aguantar una cabeza mal balanceada?

Es evidente que para quien aspira a ser una persona del Renacimiento, el equilibrio de la cabeza constituye una prioridad esencial. El siguiente ejercicio le permitirá profundizar en su apreciación de este asunto.

Experimente la evolución de la postura erguida

Este ejercicio está inspirado en el trabajo del profesor Raymond Dart, gran anatomista y antropólogo, a quien tuve el privilegio de entrevistar en diversas ocasiones. He puesto en práctica este ejercicio con grupos muy diferentes a lo largo de los años: presidentes de compañías, maestros de escuela, expertos en artes marciales, psicólogos y oficiales de policía, entre otros. Aunque hacer este ejercicio en grupo resulta particularmente divertido, se le puede sacar partido cuando uno lo hace solo. Se necesita un área limpia y entapetada, y una toalla.

+ Empiece boca abajo en el piso, con los pies juntos y los brazos a los lados del cuerpo. (La cara debe reposar sobre la toalla.) Note que es imposible caerse desde esta posición. Descanse con la cara mirando hacia abajo durante un minuto o dos y piense en la percepción de una criatura que sostiene esta clase de relación con la gravedad. Intente deslizarse por el piso hacia un bocado de comida imaginario.

+ Ahora prepárese para un salto evolutivo. Está a punto de mutar. Deslice el dorso de las manos por el piso hasta que se volteen de forma que sus palmas queden frente a usted (no las levante). Presione hacia abajo con sus recién evolucionadas extremidades superiores para levantar del piso su cabeza y la parte superior del tronco. Mire a su alrededor y piense en el cambio de percepción que se produce al tener un horizonte expandido. Experimente con el uso de las manos para explorar el entorno y acercarse a la comida.

+ El paso que sigue es evolucionar hacia un mamífero cuadrúpedo. Escoja su favorito: caballo, perro, jaguar, gacela... Póngase en cuatro patas y, por el sólo placer de hacerlo, imite los ruidos, los movimientos y otros comportamientos de su animal favorito. ¿Qué cambios experimenta su percepción y su comportamiento en esta posición?

+ El siguiente enorme salto evolutivo consiste en levantar las manos del piso y convertirse en un primate. De nuevo, escoja su favorito —chimpancé, orangután, gorila— y diviértase moviéndose y desplazándose como un mico. ¿Cómo cambian sus posibilidades de percepción? ¿Acaso la cambiante relación con la gravedad, en estas tres posiciones, afecta sus opciones de comunicación y de socialización?

+ Ahora levántese del todo como el *homo sapiens* que es. ¿A qué cosas está inherentemente expuesto en su nueva alineación bípeda y completamente erguida? ¿Cuáles son las implicaciones de su postura erguida para el desarrollo de la inteligencia y de la conciencia? ¿Ha observado usted en su vida diaria alguna relación entre la postura y el porte de la gente y su nivel de percepción y de conciencia?

El profesor Dart, como la mayoría de sus colegas, se dio cuenta de que nuestra inteligencia y percepción potenciales están íntimamente ligadas a la evolución de la postura erguida. Sin embargo, las presiones de la vida —la obligación de estar sentados, trabajando en el computador o conduciendo en las horas de mayor tráfico— nos hacen perder contacto con este derecho de nacimiento que hemos ganado. Muchos de nosotros debemos reaprender la postura corporal.

Reaprenda la postura corporal: Estudio de la Técnica Alexander

El porte erguido, gracioso y natural de Leonardo era reconocido por todos los que lo rodeaban. Los florentinos se volteaban a mirar cada vez que pasaba caminando por la calle. Vasari comenta entusiasmado sobre "la infinita gracia del maestro en todos sus actos". Resulta prácticamente imposible imaginar a Leonardo caminando encorvado.

Es posible cultivar el porte, el equilibrio y la gracia davincianas mediante el estudio de la técnica desarrollada por otro genio, F. Matthias Alexander. Nacido en Tasmania en 1869, Alexander era un actor shakesperiano especializado en tragedias y comedias unipersonales. Pero su prometedora carrera se vio interrumpida por la tendencia a perder la voz en la mitad de sus espectáculos.

Alexander consultó con los principales doctores de la época, con expertos en la voz y con maestros de teatro y siguió sus consejos cuidadosamente. Nada surtió efecto. Una persona normal habría desistido y habría intentado otro trabajo. Pero al igual que Leonardo, Alexander creía que la experiencia era más poderosa que la autoridad. Resolvió superar su problema por su cuenta, argumentando que la causa debía ser algo que él mismo estaba haciendo. Pero ¿cómo descubrir la causa específica?

Alexander se dio cuenta de que debía encontrar una forma de retroalimentación objetiva. Comenzó a observarse a sí mismo en espejos especialmente construidos. Después de varios meses de observación minuciosa y completa, se dio cuenta de un patrón que aparecía cada vez que intentaba recitar un parlamento:

1) Contraía los músculos del cuello, de tal manera que echaba la cabeza hacia atrás;
2) apretaba la laringe; y
3) se quedaba sin aliento.

Observaciones ulteriores le mostraron a Alexander que este patrón de tensión estaba asociado con la tendencia a:

4) Sacar el pecho;
5) tensionar la espalda, echándose para atrás y curvando la espalda hacia adentro y
6) contraer las principales articulaciones del cuerpo.

La observación continua por parte de Alexander le confirmó que este patrón se presentaba en mayor o menor grado cada vez que intentaba hablar.

Al notar que esta actitud se manifestaba apenas *pensaba* en declamar, Alexander se dio cuenta de que tenía que *desaprender* el patrón, reeducando su mente y su cuerpo como si fueran un solo sistema, para poder cambiar. Descubrió que la clave para lograrlo era hacer una pausa antes de actuar, para inhibir su patrón habitual de contracción, y después concentrarse en instrucciones específicas que ideó para facilitar el alargamiento y la expansión de su estatura. Alexander describió así estas instrucciones: "Hay que liberar el cuello para permitir que la cabeza se dirija hacia adelante y hacia arriba y la espalda se alargue y se expanda". Al crear la versión australiana de un koan Zen, Alexander hizo énfasis en el hecho de que estas instrucciones debían ejecutarse "todas al tiempo, una tras de otra".

La práctica repetida de este nuevo método produjo resultados sorprendentes: Alexander no sólo ganó de nuevo el control total de su voz, sino que se recuperó de una serie de persistentes problemas de salud y se volvió famoso por la calidad de su voz, su respiración y su presencia escénica.

La gente comenzó a buscarlo para que les enseñara, y fue así como se puso en contacto con un grupo de médicos aficionados al teatro que tenían una compañía. Los doctores empezaron a enviarle a Alexander a los pacientes con problemas crónicos —pacientes con males provocados por estrés, con problemas de respiración y con dolores crónicos de espalda y de cuello. Alexander demostró que podía ser de ayuda para muchas de estas personas, al ayudarlos a eliminar los esfuerzos inadecuados habituales, responsables de sus dolencias.

Los médicos estaban tan impresionados con el trabajo de Alexander que en 1904 patrocinaron su viaje a Londres para que compartiera su trabajo con la co-

ALEXANDER Y SAPER VEDERE

"Saber ver" era un aspecto crucial del genio de Alexander. Su descubrimiento se basa en una observación increíblemente aguda, minuciosa y detallada. Pero cuando sus patrocinadores resolvieron recolectar fondos para enviarlo a Londres en 1904, se quedaron cortos en unos cuantos cientos de libras. ¿Cómo podía Alexander conseguir tal suma? Como Leonardo, Alexander era un apasionado de los caballos. Confiado en sus estudios de la anatomía del caballo, Alexander fue a la pista de carreras, apostó una suma considerable a un ganador poco probable... y ganó.

munidad científica mundial. En Londres pronto adquirió fama como el "protector del teatro londinense", al convertirse en el maestro de los mejores actores y actrices de la época. El trabajo de Alexander también tuvo una profunda influencia en una serie de escritores y científicos.

Antes de su muerte, en 1955, Alexander entrenó a varias personas para que continuaran con su trabajo. Durante muchos años, la técnica Alexander se ha enseñado en la Royal Academy of Dramatic Arts [Academia Británica de Artes Dramáticas], la Royal Academy of Music [Academia Británica de Música], la escuela Juilliard y otras importantes academias de músicos, actores y bailarines. De hecho la técnica se ha convertido en un "secreto del oficio" de quienes practican las artes escénicas. La técnica Alexander también es practicada por atletas profesionales y olímpicos, la Fuerza Aérea israelí, ejecutivos corporativos e individuos dedicados a actividades muy diversas.

El trabajo en la técnica Alexander se inicia con un agudo nivel de observación. En el cuaderno usted debe llevar un diario donde pueda registrar la calidad de su esfuerzo en las actividades cotidianas. Debe estar atento a cualquier hábito inadecuado en actividades tales como sentarse, agacharse, levantar objetos, caminar, conducir, comer y hablar. ¿Está contrayendo los músculos del cuello y echando la cabeza hacia atrás? ¿Levanta los hombros, tensiona la espalda, aprieta las rodillas o contiene la respiración antes de tomar su cepillo de dientes?, ¿cuando habla por teléfono?, ¿cuando levanta un estilógrafo para escribir?, ¿cuando conoce a alguien nuevo?, ¿cuando habla en público?, ¿cuando golpea una pelota de tennis o de golf?, ¿cuando se amarra los cordones de los zapatos?, ¿cuando mueve el timón del automóvil?, ¿cuando se agacha para levantar algo?, ¿cuando se come un bocado?

Es muy difícil observar estos hábitos cotidianos y cambiarlos sin retroalimentación exterior. Un espejo o un vídeo pueden ser de gran ayuda, pero la mejor manera de acelerar el progreso es tomar lecciones privadas con un instructor calificado de la técnica Alexander. Los maestros de la técnica Alexander saben usar sus manos en una forma extraordinariamente sutil y delicada para ayudarlo a liberar el cuello, redescubrir su alineación natural y despertar su perspicacia cinestésica.

Entretanto, usted puede recurrir al siguiente procedimiento, inspirado en el trabajo de Alexander, para empezar a recuperar su porte y equilibrio cotidianos.

Busque el estado de reposo equilibrado

Todo lo que usted necesita para beneficiarse con este procedimiento es un lugar relativamente tranquilo, un piso entapetado, unos cuantos libros con encuadernación rústica y de diez a veinte minutos.

◆ Empiece por poner los libros en el piso. Aléjese de los libros una distancia equivalente a su estatura y párese con los pies separados, alineados con los hombros. Deje que las manos descansen tranquilamente a los lados. Déle la espalda a los libros y mire hacia adelante, enfocando suave y atentamente. Haga una breve pausa.

✦ Piense en liberar su cuello para que la cabeza pueda echarse hacia adelante y elevarse, y para que todo el tronco pueda alargarse y expandirse. Respirando tranquilamente, dése cuenta del contacto de los pies con el piso y fíjese en la distancia que separa los pies de la coronilla. Mantenga los ojos abiertos y atentos y preste atención a los sonidos a su alrededor.

✦ Sin disminuir esta atención, doble las rodillas con un movimiento suave y rápido y descargue todo el peso sobre una de ellas. Luego siéntese en el piso y ponga las manos detrás de usted para que le sirvan de apoyo. Los pies deben seguir sobre el piso y las rodillas, dobladas. Continúe respirando tranquilamente.

✦ Deje que la cabeza se incline ligeramente hacia adelante para estar seguro de que no está contrayendo los músculos del cuello ni empujando la cabeza hacia atrás.

✦ Después extienda suavemente la columna por el piso hasta que la cabeza descanse sobre los libros. Los libros deben estar colocados de tal manera que la cabeza se apoye en ellos en el lugar donde el cuello termina y aquélla empieza. Si la cabeza no está bien colocada, apóyela en una mano mientras usa la otra para poner los libros en la posición correcta. Ponga o quite libros hasta que encuentre la altura que estimule un ligero alargamiento de los músculos del cuello. Sus pies deben seguir planos en el piso, mientras que sus rodillas apuntan al techo y sus manos descansan en el piso o reposan relajadamente sobre el pecho. Permita que todo el peso del cuerpo se apoye en el piso.

+ Para beneficiarse con este procedimiento, debe descansar en esta posición de diez a veinte minutos. Mientras descansa, la gravedad alargará su columna y realineará su tronco. Mantenga los ojos abiertos para que no se duerma. Quizás quiera prestarle atención al flujo de su respiración y a la gentil pulsación de todo su cuerpo. No deje de notar la forma como su espalda se apoya sobre el piso y deje que sus hombros se relajen mientras su espalda se ensancha. Libere su cuello mientras todo su cuerpo se alarga y se expande.

+ Después de descansar durante diez a veinte minutos, levántese lentamente con cuidado, evitando que su cuerpo se entiese o se acorte a medida que recupera la posición erguida. Para que la transición no sea traumática, decida cuándo va a empezar a moverse, después dése la vuelta con suavidad hasta quedar boca abajo, sin perder su recién adquirida sensación de integración y expansión. Recójase como si fuera a gatear y después apóyese en una rodilla. Luego deje que su cabeza lo conduzca hacia arriba.

+ Haga una breve pausa... preste atención, observe. Una vez más, sienta las plantas de los pies contra el piso y fíjese en la distancia que separa los pies de la coronilla. Tal vez se sorprenda al descubrir que la distancia se ha ampliado. A medida que reinicia las actividades del día, imagine que se mueve con la gracia de una figura pintada por el maestro.

Si practica el estado de reposo equilibrado dos veces al día, los resultados serán inmejorables. Puede hacerlo cuando se despierte por la mañana, al regresar del trabajo o antes de acostarse por la noche. El procedimiento resultará particularmente útil cuando se sienta agotado o tensionado, y antes y después de hacer ejercicio. Si lo practica con regularidad, desarrollará una postura erguida y suelta, que estimule el equilibrio y la gracia en todo lo que haga.

Cultive la ambidestreza

Cuando Miguel Ángel estaba trabajando en la Capilla Sixtina, sorprendió a los observadores al cambiar el

CORPORALITA PARA PADRES

Ponga la mano en la espalda de un bebé y sienta la flexibilidad, la solidez y la vibrante vitalidad en la punta de los dedos. Los niños pequeños tienen un porte natural. Se mueven con una gracia y una coordinación sorprendentes. ¿Qué le sucede a la postura corporal a medida que crecen? La mayoría de los niños no tienen problemas hasta primero elemental. Mire su propia fotografía de cuando estaba en primero elemental y verá que la mayoría de los niños están erguidos. Después fíjese en la postura de los niños de tercero o de cuarto elemental: verá que comienzan a aparecer contorsiones, jorobas y tensiones de todo tipo. Y los años adolescentes se caracterizan por una permanente joroba. Ahora vaya a un centro comercial o a una iglesia o cualquier lugar donde pueda observar familias. Mire a los padres y a los hijos caminando juntos y notará sorprendentes similitudes en sus movimientos y en su postura. Aunque no podemos proteger a nuestros hijos de todas las cargas de la vida que nos van doblando, ni de las tensiones que nos producen contorsiones, podemos intentar convertirnos en un modelo de buena postura corporal para ellos.

pincel de una mano a otra mientras trabajaba. Leonardo, zurdo natural, cultivó la misma ambidestreza y cambiaba de mano regularmente mientras trabajaba en *La última cena* y en otras obras maestras. Cuando entrevisté al profesor Raymond Dart y le pedí sus recomendaciones para el desarrollo del potencial humano, me respondió lo siguiente: "Hay que equilibrar el cuerpo y hay que equilibrar el cerebro. ¡El futuro está en el hombre ambidiestro!" Dart hizo énfasis en el hecho de que el hemisferio derecho de la corteza cerebral controla el lado izquierdo del cuerpo, mientras que el hemisferio izquierdo controla el lado derecho del cuerpo. Sugirió que la coordinación de los dos lados del cuerpo promovería la coherencia y el equilibrio de los dos hemisferios.

Empiece su investigación sobre la ambidestreza mediante la exploración del poder de nuestra mano no dominante. Haga los siguientes ejercicios:

Cruce al revés — Intente cruzar los dedos, los brazos y las piernas al contrario de como lo hace habitualmente. Trate de guiñar el ojo no dominante y de enrollar la lengua para ambos lados.

Use su mano no dominante — Trate de usar la mano no dominante durante un día o parte de un día, para empezar. Prenda la luz, cepíllese los dientes y cómase el desayuno con la *otra* mano. Escriba en su diario sus sensaciones y observaciones.

Experimente con la escritura — Trate de firmar con la *otra* mano. Escriba el alfabeto. Después escriba un poco de flujo de conciencia sobre un tema cualquiera (quizás

LA EXPRESIÓN VISIBLE DE LA GRACIA

"Para ser perpetuado en el arte, el movimiento debe ser de una clase especial. Debe ser la expresión visible de la gracia. Si bien los escritores del Renacimiento no dejaron una definición formal de esa palabra, todos habrían estado de acuerdo en que implica una serie de transiciones suaves. Se la encontraría perfectamente ejemplificada en gestos que fluyen, telas que flotan, cabello rizado y ondulante. Una transición abrupta era brutal; una llena de gracia era continua. Leonardo heredó esta tradición de movimiento y gracia en las partes y la extendió al todo".

Los comentarios de Kenneth Clark sobre la gracia en el arte reflejan las cualidades que la técnica Alexander busca cultivar en la vida diaria: gracia, continuidad y totalidad, representadas en las "transiciones suaves", en los movimientos cotidianos como pasar de estar sentado a estar de pie, o pasar de estar de pie a caminar.

descubra que al escribir con la mano no dominante su forma de ver las cosas es diferente, lo cual le ayudará a tener acceso a su intuición).

Experimente con la escritura y el dibujo con ambas manos simultáneamente — Después de haber practicado la escritura con la mano no dominante, intente escribir y dibujar con ambas manos a la vez. Si es posible, inténtelo en un tablero. Dibuje círculos, triángulos y cuadrados. A continuación, firme con ambas manos a la vez.

Experimente con la escritura en espejo — Le sorprenderá cuán fácil se aprende; todo lo que necesita es practicar un poco. Use la siguiente muestra para guiarse.

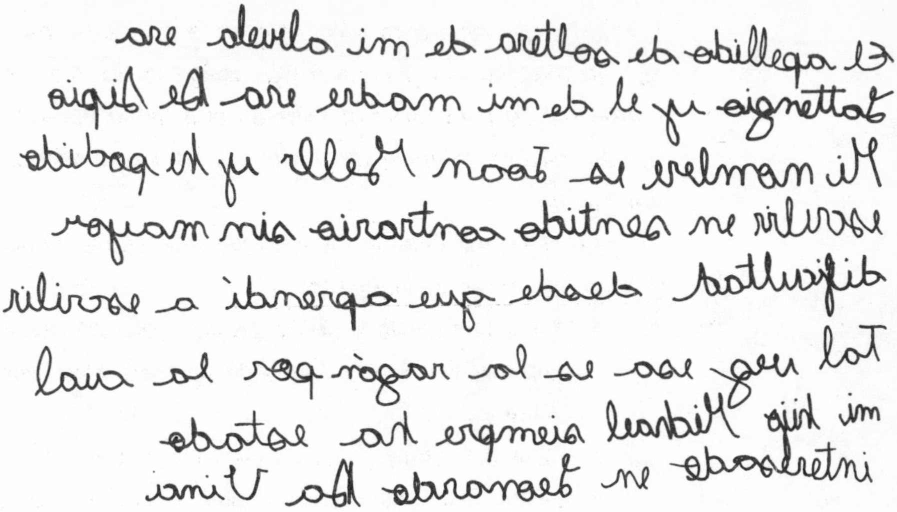

Un cruce lateral para refrescarse — Para renovar la atención mientras estudia, trabaja o lucha con un reto a la creatividad: échese para atrás y tóquese el pie derecho con la mano izquierda y después, el pie izquierdo con la mano derecha. Repita este ejercicio diez veces. O levante la rodilla izquierda y tóquese la mano derecha y después levante la rodilla derecha y tóquese la mano izquierda. Repítalo diez veces.

Aprenda malabares

Aprender a hacer malabares es una forma divertida de desarrollar la ambidestreza, el equilibrio y la coordinación mente-cuerpo. La biógrafa de Da Vinci, Antonina Valentin, asegura que el maestro era un malabarista. Este arte formaba parte de los espectáculos y las fiestas que organizaba para sus patronos e iba de la mano con su predilección por los trucos mágicos. Es más, el patrón básico para hacer malabares que usted aprenderá aquí es una *fantasie de vinci* — un nudo o símbolo del infinito.

Consiga tres pelotas (pueden ser pelotas de tennis) y trate de hacer lo siguiente:

1. Tome una pelota y pásela de aquí para allá, de una mano a la otra, formando un ligero arco justo sobre su cabeza.

2. Tome dos pelotas, una en cada mano. Lance la pelota de la mano derecha igual a como lo hizo cuando tenía una sola pelota; cuando llegue a su punto más alto, lance la pelota de la mano

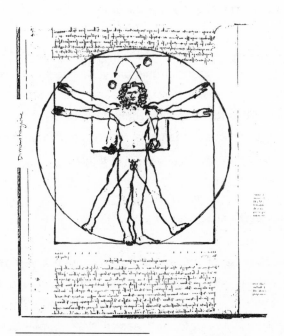

Malabarista de Da Vinci.

izquierda de la misma manera. Concéntrese en hacer lanzamientos suaves y deje caer ambas pelotas.

3. Repita el segundo paso, excepto que esta vez agarre la primera pelota y deje caer la segunda.

4. Repita el segundo paso, pero esta vez agarre ambas pelotas.

5. Ya está listo para intentarlo con tres pelotas. Tome dos pelotas con una mano y una con la otra. Lance la pelota que está al frente de la mano que tiene dos. Cuando llegue a su punto más alto, lance la pelota de la otra mano. Cuando llegue a su punto más alto, lance la pelota restante. ¡Deje caer las tres pelotas!

6. Repita el quinto paso, pero esta vez agarre la pelota que lanzó primero.

7. Repita el quinto paso, pero esta vez agarre las primeras dos pelotas. Si agarra las primeras dos y se acuerda de botar la tercera, *notará que ya no le queda sino una pelota en el aire*, y usted ya sabe qué hacer con una pelota. Agarre la tercera y habrá logrado hacer su primer malabar. ¡Es hora de celebrar!

Sobra decir que cuando haya logrado su primer malabar querrá seguir experimentando con múltiples otros. Mientras sigue practicando, concéntrese en la soltura y en la dirección de los lanzamientos y relájese cuando las pelotas caigan. Si se concentra en los lanzamientos y sigue respirando con tranquilidad, el éxito será inevitable.

CORPORALITA EN EL TRABAJO

El estado del cuerpo influye en la mente. Si el cuerpo está tieso y rígido, o flojo y flácido, la mente seguirá por ese camino. El lenguaje está lleno de expresiones que demuestran dicha relación, tales como "Ella no quiere cambiar su *posición* ante este asunto", y dice la Biblia: "Entiesaron los cuellos para no oír la palabra del Señor".

La palabra "corporación" viene del latín *corpus*, que significa "cuerpo". La mayoría de los entes corporativos son excesivamente rígidos y están dominados por hábitos inconscientes. En muchas reuniones, por ejemplo, la gente se sienta alrededor de una mesa durante horas, más o menos en la misma posición, y trata de generar ideas nuevas y de resolver problemas. Y después se preguntan: "¿Por qué estaremos atascados?"

En varias organizaciones se han iniciado sesiones de masaje de yoga y de aikido para ayudar a la gente a descubrir una mayor flexibilidad física y mental. Además de estas disciplinas, usted podría hacer el siguiente ejercicio para avivar la próxima reunión o sesión de ideas (si está solo, podría hacerlo frente a un espejo). El objetivo es mover tantas partes del cuerpo como le sea posible, de formas diferentes y al mismo tiempo. El ejercicio pretende ayudarlo a cambiar las posiciones cuerpo-mente habituales, al obligarlo a moverse de formas completamente nuevas.

Busque un compañero y párese frente a él. Usted va a copiar los movimientos de su compañero. Su compañero puede empezar, por ejemplo, por levantar la mano y darse golpecitos en la cabeza, dejándola caer después a un costado del cuerpo. Copie el movimiento y siga haciéndolo mientras espera a que su compañero inicie el siguiente movimiento. Éste podría ser golpear el pie izquierdo con la mano izquierda. Copie este movimiento *sin dejar de hacer el anterior*. A continuación su compañero levanta los hombros. Repítalo sin dejar de hacer los dos movimientos anteriores. Después, añade un ruido como de pollo o el tema de una canción conocida. Repita el sonido y continúe con los movimientos anteriores. Después rota la cabeza en un círculo amplio, y así sucesivamente.

Intente hacer por lo menos cinco movimientos diferentes a la vez, los más absurdos y raros que le sea posible. Después cambie de posición e invéntese movimientos aún más tontos que los que acaba de hacer, para que su compañero los repita. Cambie de pareja y hágalo todo de nuevo. Este ejercicio aumenta dramáticamente la risa y la diversión. Lo ayudará a sacudirse los viejos patrones de comportamiento, liberará cantidades de energía y despertará la posibilidad de establecer nuevas conexiones.

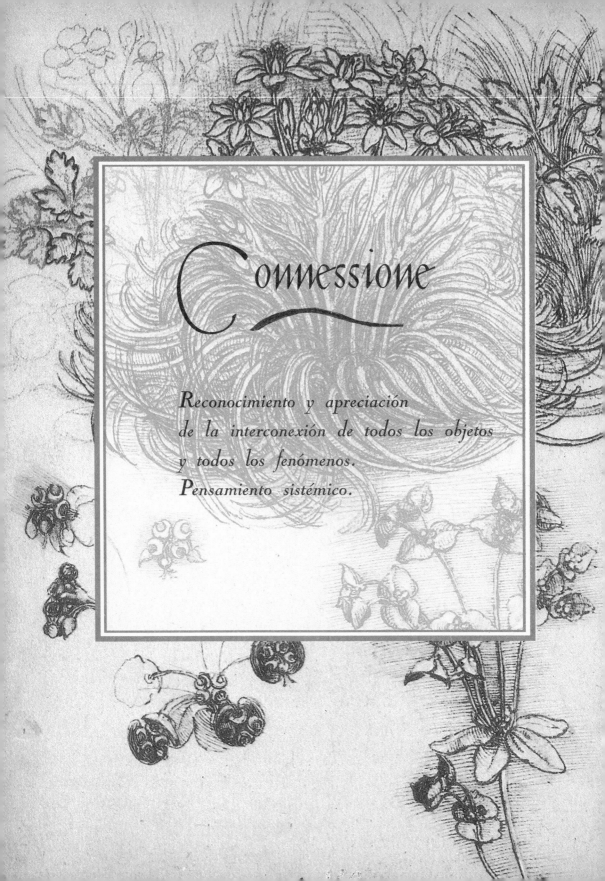

Connessione

*Reconocimiento y apreciación
de la interconexión de todos los objetos
y todos los fenómenos.
Pensamiento sistémico.*

Cuando se lanza una piedra a un pozo, el agua forma una serie de círculos cada vez más amplios. Si usted evoca esa imagen en su mente y a continuación se pregunta cómo cada una de las ondas afecta a la siguiente y a dónde va esa energía, estará pensando como el maestro. Ese círculo que se expande hasta el infinito es una metáfora del principio de la connessione, evidente en las frecuentes observaciones de Leonardo sobre los patrones y las conexiones en el mundo que lo rodeaba:

- "En el momento en que la piedra golpea la superficie del agua, forma círculos a su alrededor que se esparcen hasta que se pierden; de la misma manera, el aire, al ser golpeado por una voz o un sonido, también inicia un movimiento circular, de forma que aquel que está más distante no puede oírlo".

- "Los movimientos en la superficie del agua se parecen a los del cabello, que tiene dos movimientos, uno que se desprende del peso del cabello y otro de las ondas y los rizos. De la misma manera, el agua tiene sus rizos turbulentos, una parte de los cuales siguen la fuerza de la corriente principal y la otra parte obedecen al movimiento de la incidencia de reflexión".

- "Al nadar en el agua el hombre aprende cómo vuelan los pájaros en el aire. La natación ilustra el método de vuelo y demuestra que si el peso es mayor encontrará mayor resistencia en el aire".

- "Las corrientes de los ríos ayudan a formar las montañas. Las corrientes de los ríos destruyen las montañas".

- "Cada parte está dispuesta a unirse con el todo, para así poder escapar a su propio estado incompleto".

Como un poema, cuya totalidad es mayor que la suma de sus partes, la siguiente lista davinciana de "cosas por hacer" evoca el espíritu de la curiosità y de la connessione:

Mostrar cómo se forman y se disuelven las nubes,

cómo se eleva el vapor de agua desde la tierra hasta el aire,

cómo se forma la bruma y se espesa el aire,

y por qué una ola parece más azul que otra;

describir las regiones atmosféricas,

y las causas de la nieve y el granizo,

cómo se condensa el agua y se endurece hasta convertirse en hielo,

y cómo se forman nuevas figuras en el aire,

y nuevas hojas en los árboles,

y carámbanos en las piedras en los lugares fríos...

Muchos de nosotros nos hemos topado con alguna variable del siguiente acertijo retórico, diseñado para estimular a los lectores a pensar en términos de connessione: "Si una mariposa mueve las alas en Tokio, ¿se afectaría el clima en Nueva York?" Los teóricos en sistemas contemporáneos siempre contestan a esta pregunta clásica con un entusiasta "¡Sí!" Hace cinco siglos Leonardo, el primer pensador sistémico, escribió lo siguiente: "El mundo cambia de posición a causa del peso de un pajarito que descanse sobre él".

Con frecuencia Leonardo anotaba estas extraordinarias observaciones en los márgenes de sus cuadernos. A través de los años muchos estudiosos lo han criticado por el desorden de sus cuadernos, que no cuentan con tabla de contenido, índices o resúmenes. Aparentemente garrapateaba sus notas al azar, cambiaba de un tema a otro y se repetía con frecuencia. Pero los defensores del maestro señalan que el sentido de las relaciones que tenía Leonardo era tan incluyente, que sus observaciones resultan igualmente válidas sin importar la forma como se relacionen unas con otras. En otras palabras, no necesitaba organizarlas por categorías o formular resúmenes, porque se daba cuenta de que todo estaba conectado entre sí.

Uno de los secretos de la creatividad sin igual de Leonardo fue la costumbre de combinar y conectar elementos dispares para formar nuevos diseños. Vasari narra un incidente de la niñez de Leonardo, cuando se le pidió que pintara el escudo de un campesino. Ansioso por idear una imagen que "aterrorizara a quienquiera que se la topara", el joven Leonardo reunió en su habitación toda clase de "reptiles, lagartijas, grillos, culebras, mariposas, cigarras, murciélagos y otras extrañas especies de esta clase, y usando diferentes partes de esta colección creó el más horrible y aterrador monstruo, con un aliento ponzoñoso que encendía el aire".

Uno de los dragones de Leonardo

Vasari añade que cuando Leonardo develó su creación ante su padre, quien la había encargado, Piero se sintió tan conmovido y asombrado ante el milagroso talento de su hijo que resolvió darle al campesino otro escudo, para así poder vender el trabajo de su hijo por cien ducados a un mercader florentino (quien a su vez lo vendió al duque de Milán en trescientos ducados).

Muchos años después Leonardo escribió una breve guía llamada "Cómo hacer que un animal imaginario parezca real". En ella aconsejaba: "Si deseáis por tanto que uno de vuestros animales imaginarios parezca natural —supongamos que se trata de un dragón— usad de cabeza la de un mastín o perdiguero, para los ojos, los de un gato, para las orejas, las de un puercoespín, para la nariz, la de un galgo, con las cejas de un león, las sienes de un gallo viejo y el cuello de una tortuga de agua". Cuando vivía en el Belvedere en el Vaticano, Leonardo hizo un cuerno, una barba y unas alas para una lagartija viva. La guardó en una caja especial y, según Vasari, "se las mostraba a sus amigos, haciéndolos huir aterrorizados".

Los dragones de Leonardo son una espléndida metáfora de su receta creativa de combinación y conexión. Estudió la esencia de la belleza en miles de caras humanas y después combinó los diferentes elementos observados para crear rostros perfectos en sus pinturas. Sus ideas sobre la acústica surgieron de las conexiones que estableció con sus observaciones del agua. En una página de sus cuadernos, Leonardo compara la incidencia de los rayos de luz y la dirección en la que viajan, la fuerza de la percusión, la voz de un eco, las líneas de un imán y el movimiento del olor.

Muchos de sus inventos y diseños surgieron de la combinación juguetona e imaginaria de diferentes formas naturales. Aunque es imposible hacer suficiente énfasis en la seriedad y la intensidad que Leonardo invertía en sus estudios, también se divertía jugando, como lo demuestra su predilección por los chistes, los acertijos y los dragones enjaulados.

Según Freud, "De hecho el gran Leonardo siguió comportándose como un niño toda la vida... No dejó de jugar ni siquiera cuando se convirtió en adulto y ésa era otra de las razones por las cuales sus contemporáneos lo consideraban con frecuencia extraño e incomprensible". La seriedad de Leonardo lo llevó a penetrar la esencia de las cosas, y su amor por el juego le permitió establecer conexiones originales, sin precedentes.

Para Leonardo, la connessione se iniciaba en el amor por la naturaleza y se intensificaba con la investigación de la anatomía humana y animal. Sus estudios de anatomía comparativa incluyen disecciones de

LEONARDO Y LA FILOSOFÍA ORIENTAL

A pesar de las especulaciones de los estudiosos alrededor de un posible viaje de Leonardo al Oriente, no hay evidencia histórica concreta que nos permita afirmar que dicho viaje ocurrió. No obstante, algunos de los conceptos formulados por el maestro constituyen la esencia misma de gran parte de la sabiduría asiática. Bramly compara algunos de sus escritos con los koan Zen. La *Mona Lisa* es la afirmación suprema del principio del yin y el yang. Él fue el primer pintor occidental que convirtió el paisaje en el punto central de una obra de arte, cosa que se practicaba regularmente en el Oriente. El vegetarianismo de Leonardo y su prédica del desapego en relación con los objetos materiales, recuerdan el hinduismo y eran extremadamente inusuales en Florencia o en Milán en el cinquecento. También formuló, en términos occidentales, ecos de la doctrina budista del vacío: "La Nada no tiene centro y sus límites son la nada". Y añadió: "Entre las grandes cosas que encontramos entre nosotros, la existencia de la Nada es la más importante... en lo que se refiere al tiempo su esencia habita entre el pasado y el futuro y no tiene nada del presente. Esta nada tiene la parte igual al todo y el todo a la parte, lo divisible a lo indivisible, y es siempre la misma cantidad, ya sea que la dividamos o que la multipliquemos o que sumemos o restemos de ella..."

caballos, vacas, cerdos y muchos otros animales. Se fijaba en las diferencias y establecía las conexiones entre la lengua de un pájaro carpintero y la mandíbula de un cocodrilo. Relacionaba las patas de una rana, las garras de un oso, los ojos de un léon y las pupilas de un búho, con los de un hombre. Es evidente que sus estudios abarcaban mucho más de lo estrictamente necesario para dotar a un pintor con el conocimiento requerido para hacer una representación exacta. Leonardo estudió el cuerpo humano como un sistema total, un patrón coordinado de relaciones interdependientes. En sus palabras: "Hablaré de las funciones de cada parte en todas las direcciones, poniendo ante vosotros una descripción de toda la forma y toda la sustancia del hombre".

Leonardo se refirió a sus estudios de anatomía como una *"cosmografica del minor mondo"*, "una cosmografía del microcosmos". Su conocimiento de las proporciones naturales del cuerpo se refleja en sus estudios de arquitectura y de planeación urbana. Su comprensión del cuerpo creó la base de la metáfora de su percepción de la tierra como un sistema viviente. Escribió:

> Los antiguos llamaron al hombre el microcosmos y el término fue sin duda bien escogido: porque así como el hombre está compuesto de tierra, agua, aire y fuego, así mismo lo está el cuerpo de la Tierra. Así como el hombre tiene huesos que son el apoyo y la estructura para los músculos, así la Tierra tiene rocas que son el apoyo del suelo; así como el hombre lleva un lago de sangre en el cual se inflan y desinflan los pulmones durante la respiración, así el cuerpo de la Tierra cuenta con el océano, que crece y disminuye cada seis horas en una respiración cósmica; así como las venas emanan de ese lago de sangre y se ramifican por todo el cuerpo humano, de la misma manera el océano llena el cuerpo de la Tierra de infinidad de venas de agua.

Anticipándose quinientos años a la teoría del universo holográfico del físico David Bohm (que plantea que cada uno de los átomos del universo contiene el "código genético", de la misma forma como una hebra de ADN contiene todo el código genético de un individuo), Leonardo escribió: "Todos los cuerpos en el aire luminoso se esparcen en círculos y llenan el espacio circundante con similitudes infinitas de sí mismos y todos aparecen en todos y todos en cada una de las partes". Y añadió: "Éste es el verdadero milagro, que todas las formas, todos los colores, todas las imágenes de cada una de las partes del universo se concentren en un solo punto". La tesis de Bohm incluye el concepto de un "orden incluyente", una "estructura profunda" de conexiones que une al universo. En 1980 Bohm escribió: "Todo está incluido en todo". Cinco siglos antes, Leonardo había dicho: "Todo viene de todo, y todo está hecho de todo, y todo regresa a todo".

Leonardo sondeó las infinitas sutilezas de la naturaleza con su lógica, su visión, su imaginación y el inexorable deseo de conocer la verdad y la belleza. Pero a medida que aprendía más, en su calidad de discípulo de la experiencia, más profundos se tornaban los misterios, hasta que finalmente concluyó que "la naturaleza está llena de causas infinitas que la experiencia nunca ha demostrado". Allí donde la ciencia llegaba a su límite el arte tomaba la delantera, explica Bramly, quien escribió que Leonardo se sentía "tan atónito y agobiado por los misterios que podía contemplar, pero no penetrar... [que] puso a un lado su escalpelo, su brújula y su pluma y una vez más levantó su pincel".

Ésta es la razón por la cual debemos volver a las pinturas y dibujos del maestro en busca de la máxima expresión de la connessione. El ojo astuto verá las relaciones que se extienden a lo largo de toda su obra; por ejemplo, podemos detectar su idea de un patrón universal u "orden incluyente", en detalles de trabajos tan diversos como el *Bautismo* de Verrocchio (en los cabellos de la cabeza del ángel), *La Virgen y el Niño*

La estrella de Belén

Estudio de El diluvio

Remolino

Cabello

con santa Ana (en la agrupación de las figuras), la *Mona Lisa* (en el paisaje) y en sus descripciones del *Diluvio* (en los torrentes de agua).

Muchos estudiosos han establecido innumerables vínculos entre la filosofía natural de Leonardo y su arte, pero es mejor descubrirlos uno mismo. El siguiente pensamiento de Platón podría resultar inspirador:

> Pues aquel que procede con corrección... debería empezar a frecuentar formas bellas en su juventud... y de ellas deberían surgir pensamientos justos; y muy pronto percibirá por sí mismo que la belleza de una forma es similar a la belleza de otra y que la belleza en todas sus formas es una y la misma.

LA CONNESSIONE Y USTED

Si ha leído hasta este punto lo más probable es que usted sea un buscador de relaciones, como Leonardo. Físicamente, queremos la salud, el afecto y el éxtasis de la unión sexual. Emocionalmente, anhelamos la sensación de pertenencia, la intimidad y el amor. Intelectualmente, buscamos patrones y relaciones que nos permitan entender los sistemas. Y espiritualmente, rogamos por la unión con la Divinidad.

El propósito de este capítulo es darle las herramientas prácticas para tejer un tapiz aún más bello de connessione en su mundo. Pero primero, pensemos un poco en la autoevaluación de la página siguiente:

Connessione: Autoevaluación

- ❏ Los asuntos ecológicos me interesan.
- ❏ Disfruto de los símiles, las analogías y las metáforas.
- ❏ Con frecuencia veo relaciones que otras personas no ven.
- ❏ Cuando viajo, me llaman más la atención las similitudes entre las personas que las diferencias.
- ❏ Mi actitud hacia la dieta, la salud y la sanación es "holística".
- ❏ Mi sentido de la proporción está bien desarrollado.
- ❏ Soy capaz de articular la dinámica de los sistemas —los patrones, las conexiones y las redes— en mi hogar y en mi trabajo.
- ❏ He formulado con claridad las metas y las prioridades de mi vida, y éstas se integran con mis valores y con mis propósitos.
- ❏ A veces experimento una sensación de conexión con toda la Creación.

Connessione:
Aplicación y ejercicios

Contemplación de la totalidad

¿Qué significa para usted la totalidad? Trate de expresar su concepto de totalidad en un dibujo, un gesto o una danza. ¿Experimenta la totalidad en su vida cotidiana? ¿Y la desconexión? Describa la diferencia. ¿Cuáles son las diferentes partes o elementos que conforman su personalidad? ¿Experimenta conflictos entre las diferentes partes de su ser? En otras palabras, ¿el cuerpo, la mente y las emociones a veces están en desacuerdo? Si es así ¿cuál de ellas tiende a dominarlo? Describa la dinámica de su cabeza, su corazón y su cuerpo, y después intente hacer un diagrama.

Haga una sesión de escritura en corriente de conciencia acerca de la siguiente observación: de Leonardo "Cada parte está diseñada para unirse con el todo, que de esa manera podrá escapar de su estado incompleto". ¿Cómo se puede aplicar esta afirmación a usted?

Dinámica familiar

La psicología contemporánea hace énfasis en la importancia de comprender la "dinámica sistémica" de la familia, para así entender mejor al individuo. En la búsqueda de la totalidad y el autoconocimiento, usted ten-

> Para Leonardo, un paisaje, como un ser humano, formaba parte de una enorme máquina que debía ser comprendida parte por parte y, de ser posible, en su totalidad. Las rocas no eran sólo siluetas decorativas. Eran parte de los huesos de la tierra, con una anatomía propia originada por algún cataclismo sísmico remoto. Las nubes no eran rizos al azar de un pincel en manos de un artista celestial, sino la congregación de goticas formadas por la evaporación del mar, que pronto caerían de nuevo hacia los ríos en forma de lluvia.
>
> – Kenneth Clark

drá ideas valiosas si se detiene a pensar en los siguientes interrogantes acerca de su familia:

+ ¿Qué papel desempeña cada persona?
+ ¿Estos papeles son interdependientes? ¿Cómo?
+ ¿Qué beneficios se desprenden de la distribución de papeles en la familia? ¿Cuáles son los costos?
+ ¿Qué pasa con esta dinámica cuando están bajo estrés?
+ ¿Qué patrones han sobrevivido a más de una generación?
+ ¿Qué fuerzas primarias exteriores afectan la dinámica familiar?
+ ¿Cómo era esta dinámica hace un año? ¿Hace siete años? ¿Cómo ha cambiado? ¿Cómo será dentro de un año? ¿Dentro de siete años?
+ ¿Cómo se ve afectada su forma de participar en otros grupos por los patrones de funcionamiento que aprendió en su familia?
+ En la medida en que los anteriores interrogantes generen ideas, intente dibujar un diagrama que represente a su familia como un sistema.

La metáfora del cuerpo

La metáfora favorita de Leonardo —el cuerpo humano— lo puede ayudar a explorar la dinámica de su sistema familiar:

+ ¿Quién es la cabeza?
+ ¿Quién es el corazón?

- ¿Está la cabeza equilibrada con el cuerpo?
- ¿De qué calidad es el alimento que recibe?
- ¿Qué tan bien digiere y asimila este alimento?
- ¿Qué tan eficazmente procesa los desechos?
- ¿Cómo está su circulación? ¿Están escleróticas sus arterias?
- ¿Cuál es su columna vertebral?
- ¿Cuáles son sus sentidos más agudos? ¿Cuáles los más lentos?
- ¿Sabe la mano derecha lo que hace la mano izquierda?
- ¿Cómo está de salud? ¿Padece males crónicos, dolores que van en aumento o una enfermedad que haya puesto su vida en peligro?
- ¿Está haciendo algo para entrenarse físicamente, para ser más fuerte, más flexible, más garboso?

FABRIQUE DRAGONES

La habilidad de ver relaciones y patrones, y de hacer combinaciones y conexiones poco usuales es la esencia de la creatividad. Los maravillosos dragones de Leonardo, así como muchas de sus innovaciones y diseños, surgieron de las conexiones caprichosas que estableció entre cosas que aparentemente no estaban relacionadas. Si presta atención a cosas que a primera vista no están relacionadas e idea diferentes formas de unirlas, desarrollará los poderes davincianos.

Conessione en el trabajo

El movimiento que busca impulsar la creación de "organizaciones inteligentes" y la "calidad total" pretende aplicar el pensamiento conectivo al trabajo. Peter Senge, autor de *The Fifth Discipline: The Art and Practice of the Learning Organization* [La quinta disciplina: arte y práctica de la organización inteligente], afirma enfáticamente que los sistemas complejos, rápidamente cambiantes, exigen de nosotros que cultivemos "...la disciplina de ver totalidades... un marco de trabajo que nos permita ver interrelaciones más que cosas, patrones de cambio en lugar de momentos aislados". En un giro deliciosamente davinciano, Senge añade que "la realidad está hecha de círculos, pero vemos líneas rectas".

Usted puede fortalecer la percepción de los círculos y la capacidad de liderar la creación de una "organización inteligente", si pone en práctica el principio de la connessione en las organizaciones en las cuales está involucrado. Escoja una organización y medite sobre los mismos interrogantes que se planteó en el ejercicio de la dinámica familiar (si ha escogido una organización grande, puede reemplazar "individuo" con "departamento", "grupo de trabajo" o "unidad de negocios"). Después intente dibujar un diagrama que represente la dinámica sistémica de su organización. Por último, piense en la organización o corporación desde la perspectiva de las preguntas formuladas con la metáfora del cuerpo.

Por ejemplo, ¿qué relación podría haber entre Internet y la pesca?

Que ambas reúnen en una red toda clase de elementos dispares.

¿Entre una alfombra persa y la psicoterapia?

Que las alfombras persas tienen patrones complejos que se repiten, como la psique.

¿Entiende la idea? Ahora trate de encontrar tres o cuatro relaciones entre cada uno de los siguientes pares de cosas. Este ejercicio es un buen calentamiento para las sesiones de ideas individuales o en grupo. Diviértase.

- ✦ Una hoja de roble y una mano humana
- ✦ Una carcajada y un nudo
- ✦ Un plato de sopa minestrone y los Estados Unidos
- ✦ Las matemáticas y *La última cena*
- ✦ Una cola de cerdo y una botella de vino
- ✦ Una jirafa y la ensalada de repollo
- ✦ Los bocetos del *Diluvio* y la hora de mayor tránsito
- ✦ Un puercoespín y un computador
- ✦ Los guerreros samurai y el juego del ajedrez
- ✦ La "Rhapsody in Blue" [Rapsodia en azul] de Gershwin y la lluvia
- ✦ Un tornado y el pelo rizado
- ✦ La economía global y un hongo portobello
- ✦ Los malabares y su carrera profesional
- ✦ La estrella de Belén y el principio de la connessione.

Para comprender los sistemas, debe pensar en cómo funcionan esos sistemas en circunstancias extremas. Puede aprender mucho sobre la dinámica familiar en ocasiones como una boda, una enfermedad grave, un nacimiento o un funeral. La *verdadera* visión y los valores de una organización se descubren realmente después de un informe financiero particularmente malo, una crisis ética o un cambio inesperado en el mercado.

Diálogos imaginarios

Hace un tiempo la prensa se burló de Hillary Clinton por su diálogo imaginario con Eleanor Roosevelt. Pero las "conversaciones" con nuestros modelos de identificación resultan una forma muy eficaz de entender y ganar perspectiva. El gran poeta italiano Petrarca la recomendó y se practicaba con entusiasmo en la Academia de Lorenzo de' Medici.

Escoja un problema que quiera solucionar o un tema que quiera comprender con más profundidad. Además de meditar sobre los puntos de vista del maestro, también puede imaginar la perspectiva de sus modelos de identificación, de sus "anti-modelos" o quizás de algunos de los grandes pensadores de la historia. Si quiere que el proceso sea más divertido y que estimule su creatividad, imagine discusiones sobre el problema o el tema entre diferentes personajes, del pasado o del presente, reales o imaginarios.

Imagine un diálogo sobre el tema entre, digamos,

- ✦ el David de Miguel Ángel y el San Juan de Leonardo
- ✦ Winona Ryder y Margaret Thatcher
- ✦ la figura del "canon de proporción" y Jane Austen
- ✦ Muhammad Ali y Mona Lisa
- ✦ Miles Davis y Verrocchio
- ✦ Cristo y Buda
- ✦ Bill Gates y Lorenzo el Magnífico
- ✦ Cualquier combinación de personajes que usted prefiera.

Ir a los extremos para encontrar conexiones

¿Cómo se relaciona *La última cena* de Da Vinci con su estudio del *Diluvio*? En una ocasión el maestro acompañó a un hombre moribundo, consolándolo a medida que experimentaba una muerte tranquila y fácil. Momentos antes de que el anciano exhalara su último aliento, Leonardo comenzó una autopsia visual, fascinado por la anatomía de esa partida tan apacible. En su búsqueda de la verdad, y con la necesidad de entender la esencia de los sistemas naturales, Leonardo iba a los extremos. Sus estudios anatómicos del coito, su cena para los personajes deformes y grotescos de la ciudad, su boceto de Bandinelli en la horca, sus máquinas de guerra fantasmagóricas, muestran el conocimiento intuitivo que tenía Leonardo para entender que es necesario explorar o imaginar los eventos en condiciones extremas, para poder entender los sistemas. *La última cena* de Leonardo se distingue entre las muchas que le precedieron, por el enfoque extremo del drama — el momento preciso en el que Cristo proclama, "Uno de vosotros me traicionará". Sus estudios sobre el diluvio universal, el fin del mundo debido a una inundación, representan las fuerzas de la naturaleza que conspiran para crear la destrucción extrema.

Pensamiento original (de los orígenes)

En el capítulo de la sensazione recomendé hacer una pausa antes de cenar, para permitir que todo el ser consciente participara del proceso. Además de ampliar la percepción del sabor de la comida, esta práctica le permite estar regularmente en sintonía con el principio de la connessione. Antes del primer bocado, debería reflexionar sobre los orígenes de la comida que va a disfrutar. Por ejemplo, ayer por la noche un amigo y yo disfrutamos de un gran plato de linguine con ajo, aceite de oliva, pimienta negra y queso pecorino, y una ensalada de crujiente lechuga romana, tomates frescos, perejil y pimentones rojos asados, todo ello con aceite de oliva, jugo de limón, ajo y más pecorino. Esta cena, típica de un martes por la noche, se volvió especial gracias a un par de copas de Falesco Montiano 1995, un voluptuoso merlot italiano importado por Leonardo LoCasio. Antes de comer, hicimos una pausa para dar gracias y reflexionar sobre los orígenes de la bendición que estábamos a punto de recibir. El siguiente mapa mental representa algunas de nuestras ocurrencias sobre el origen de nuestros alimentos.

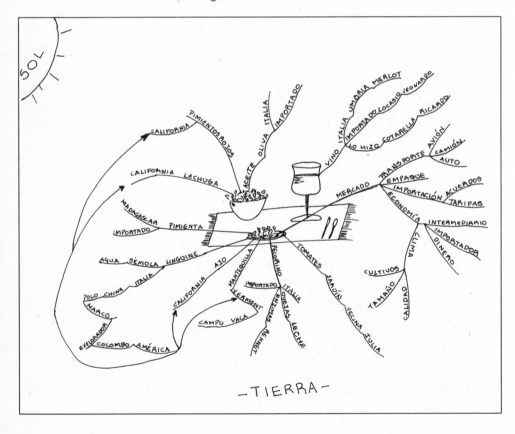

Pensar sobre el origen de las cosas es una forma espléndida de apreciar la connessione. Buckminster Fuller, el moderno genio renacentista, era conocido por cautivar a su audiencia con sus fascinantes presentaciones improvisadas. En vez de preparar una conferencia, Fuller invitaba a los miembros de la audiencia a sugerir un tópico —cualquier cosa. En una sesión típica, un estudiante universitario le sugirió que hablara de un vaso de icopor. Fuller mantuvo hechizado al público durante las siguientes dos horas, mientras hablaba de los orígenes del vaso: los avances en la ingeniería química que llevaron al invento del icopor, las fuerzas económicas y sociales relacionadas con su manufactura y las implicaciones culturales y ambientales.

Además de reflexionar sobre el origen de los alimentos, usted podría pensar en todos los elementos necesarios para la creación de cualquiera de los siguientes objetos:

+ Este libro
+ La ropa que lleva puesta
+ Su reloj
+ Su computador
+ Su cartera o billetera
+ O el objeto que prefiera. Si hace este ejercicio de vez en cuando y explora en profundidad los orígenes de las cosas, no podrá menos que darse cuenta de que "todo está relacionado con todo lo demás", como lo dijo el maestro con tanto énfasis.

Meditación sobre el microcosmos y el macrocosmos

La exploración de Leonardo sobre el origen de las cosas lo condujo a un profundo reconocimiento de la relación entre el microcosmos y el macrocosmos. Esta relación, intuida y expresada por diversas culturas en todas las épocas, es objeto de serias consideraciones por parte de la ciencia contemporánea. Heisenberg, Mandelbrot, Prigogine, Pribram, Sheldrake, Bohm, Chopra, Pert y muchos otros han preparado el escenario para que el antiguo dicho "Tal como es arriba es abajo" sea finalmente comprendido por la ciencia moderna. Esta comprensión incita a una profunda experiencia de la connessione. Tal como la neurocientífica Candace Pert afirmó con énfasis: "Tal como es arriba es abajo. Pensar otra cosa es sufrir, experimentar las tensiones de la separación de nuestros orígenes, de nuestra verdadera unión".

Mientras se concentra, involucrando todo su ser consciente en el flujo de su respiración, haga una pausa y medite sobre su relación con el microcosmos y con el macrocosmos. Empiece por reconocer el trabajo coordinado de sus sistemas digestivo, endocrino, epitelial (la piel), óseo y muscular, nervioso, circulatorio e inmunológico. Después trate de recrear en su mente la armonía entre los tejidos y los órganos que conforman los siguientes sistemas: los huesos, los intestinos, los músculos, el estómago, la sangre, los nervios, el páncreas, el hígado, el corazón y los riñones. Luego siga adelante, hacia el nivel celular, y piense en los billones y billones de células que conforman sus órganos y sus tejidos. Más profundamente, en el nivel molecular, imagine la forma como las moléculas se unen en diferentes combinaciones para formar células, y las relaciones entre los átomos que conforman sus moléculas. Profundice aún más, hasta el nivel subatómico, compuesto de aproximadamente .001% de materia y 99.999% de vacío.

La unión de todos estos subsistemas es la que hace que usted sea posible. Y usted es, a su vez, un subsistema de una red familiar, social, profesional y económica. Reconstruya en su mente el papel que desempeña en estas redes. Piense en sus conexiones con los sistemas de flujo de información: los cables, los satélites, las redes de fibra óptica y los chips de computador que conspiran para reunirlo a usted con millones de otras mentes a través del teléfono, el computador, la televisión, la radio y su material de lectura. Véase a usted mismo en el contexto de los sistemas geopolíticos, como residente de una ciudad o de un pueblo, como parte de un estado, provincia o región que es a su vez un subsistema de la nación. Después visualice su papel en el ecosistema de su biorregión y de su planeta. Mire hacia su planeta a través de los ojos de los astronautas, como una parte del sistema solar, de una galaxia en un universo que se expande y se contrae y compuesto aproximadamente de .001% de materia y 99.999% de vacío.

Connessione para padres

A medida que aumenta su percepción de los patrones familiares gracias a los ejercicios de la dinámica familiar y la metáfora del cuerpo, plantéese las siguientes preguntas: ¿Cómo puedo poner en práctica mi naciente comprensión de los sistemas familiares para ser un padre más amante y comprensivo? ¿Cómo puedo evitar heredarles a mis hijos los asuntos pendientes y los vestigios inconscientes de la dinámica familiar en la cual crecí?

En un plano menos profundo, los ejercicios que se explicaron en "Fabrique dragones" y "Diálogos imaginarios" se pueden adaptar fácilmente para niños y son perfectos para el cultivo de la creatividad infantil. El ejercicio para el pensamiento original es particularmente útil a la hora de cultivar la sensación que deben tener nuestros hijos de que "todo está relacionado con todo lo demás".

Meditación sobre la connessione

El ritmo frenético de nuestra vida puede hacer que perdamos contacto con el microcosmos y el macrocosmos. Es difícil recordar verdades cósmicas cuando estamos tratando de cumplir con un plazo de entrega, o recogiendo el desorden que dejan nuestros hijos o abriéndonos paso a través del tránsito de la hora pico. El siguiente ejercicio sencillo de meditación le ofrece otra posibilidad de experimentar la connessione en su vida cotidiana.

Encuentre un lugar tranquilo y siéntese en el piso, con los pies apoyados en el suelo y la espalda recta —sienta cómo se alarga su columna. Cierre los ojos y concéntrese en el flujo de su respiración. Fíjese en la sensación del aire entrando por las aletas de la nariz cuando inhala. Exhale por la nariz y sienta cómo el aire fluye hacia afuera. (También puede respirar por la boca, si está un poco congestionado.) Siga atento al flujo de su respiración, sin tratar de modificarla. Quédese allí de diez a veinte minutos, pensando solamente en su respiración. Si su mente divaga, tráigala de vuelta a la sensación inmediata de la respiración.

La mayoría de las personas experimentan una calma y un bienestar significativos con esta meditación. La respiración siempre sucede *ahora* y nuestras preocupaciones y ansiedades suelen estar ligadas con el pasado o el futuro. Adicionalmente, el ciclo de la respiración lo relaciona con los ritmos de la creación, el flujo de las mareas, el paso de la noche al día. Usted comparte el aire que respira con todos los seres vivientes. Con sus seres amados, con el gato o el perro, con gentes de diversas convicciones políticas: todos respiramos el mismo aire. Los viejos que suspiran en Azerbaijan, las niñas recién nacidas que lloran en Myanmar, los ejecutivos que ríen a carcajadas en Wall Street, los adolescentes que gritan en las playas caribeñas, los amantes que jadean durante el éxtasis y los pordioseros que piden limosna en Calcuta: todos compartimos el mismo aire.

Sentarse tranquilamente y meditar en el flujo de la respiración durante veinte minutos le hará mucho bien. Pero no siempre es fácil encontrar veinte minutos. Así que cada vez que se acuerde, a lo largo del día, preste toda su atención a la respiración. En los días particularmente agitados, trate de hacer una pausa una o dos veces al día y sea plenamente consciente de su respiración durante, por lo menos, siete inhala-

> "Descubrió a... Dios en la milagrosa belleza de la luz, en el movimiento armonioso de los planetas, en la complicada disposición de los músculos y los nervios en el cuerpo humano y en esa inefable obra maestra que es el alma humana".
>
> — SERGE BRAMLY SOBRE LA ESPIRITUALIDAD DE LEONARDO

ciones. Cuando esté muy ocupado, trate de respirar conscientemente por lo menos una vez al día. Estos oasis de conciencia lo ayudarán a conectarse con usted mismo, con la naturaleza y con la creación entera.

La cronología-río de la vida

En los libros de historia con frecuencia aparecen cronologías de eventos sobresalientes que han marcado una época o la vida de un personaje importante. Una cronología personal puede ser una herramienta maravillosa para ver la vida en conjunto. Haga una cronología de su vida con todos los eventos que considere significativos, personal y globalmente.

Después de haber hecho un esbozo de la cronología de su existencia, piense en la vida como si fuera un río. Visualice una fuente, quizás en los cristales nevados de la cima de una montaña. Su destino, en esta vida, es el océano.

Describa las represas, los diques, los remolinos, las corrientes y las caídas de su vida hasta este momento. ¿En dónde están las confluencias principales con otros ríos y cuerpos de agua? ¿Qué tan profundo es el río? ¿Qué tan puro? ¿Alguna vez se congela, o se seca, o se desborda? ¿Fluye subterráneamente en algún trecho? ¿Rebosa de vida y es fuente de sustento para quienes habitan en sus orillas? Observe bien el curso de su vida. Leonardo escribió: "En los ríos, el agua que tocamos es lo que queda de lo que ya pasó y el comienzo de lo que viene: así sucede con el presente".

Use su capacidad de decisión para dirigir, en este preciso instante, el curso y la calidad del río de la vida.

"Piense hasta el final"

Es difícil creer la afirmación de Vasari de que en su lecho de muerte Leonardo se mostró lleno de arrepentimiento y se disculpó "ante Dios y ante el hombre por haber dejado tanto sin hacer". Sin embargo, sabemos con certeza que el maestro escribió, en un momento de desesperación, *"Dimmi se mai fu fatto alcuna cosa?"* ("Decidme si alguna vez se ha hecho algo".) Si bien dejó mucho sin terminar, ni siquiera Leonardo, agonizante en brazos del rey francés, pudo haber imaginado el alcance de su propio legado.

Leonardo era el "hombre idea" por excelencia. Aunque sus habilidades en todas las áreas no tienen igual, no era en la puesta en práctica de los proyectos donde radicaba su mayor fortaleza. No obstante, a medida que envejeció y se volvió consciente de su propia mortalidad, comenzó a dar mayor importancia a establecer metas claras y a seguirlas hasta el final. En sus últimos años, escribió una y otra vez "Llevémoslo hasta el final" y "Pensemos primero en el final". Incluso hizo un dibujo de sus metas personales.

Usted puede plantear y alcanzar sus metas con mayor eficacia si se atiene a seis normas precisas, las normas CREMA, según las cuales todas nuestras metas deben ser:

C—*Cronológicamente limitadas* — Haga un cronograma claro para el logro de sus metas.

R—*Realistas y relevantes* — Fíjese metas ambiciosas pero alcanzables; en palabras de Leonardo, "No debemos desear lo imposible". Las metas deben tener alguna relevancia en el panorama general de sus propósitos y valores.

E—*Específicas* — Defina con exactitud y en detalle lo que quiere lograr.

M—*Mensurables* — Decida de antemano cómo va a medir su progreso y, lo que es más importante, cómo sabrá que ha alcanzado la meta.

A—*Asumidas con responsabilidad* — Comprométase con el logro de sus metas y asuma responsabilidad personal por ello. Cuando fije metas con un equipo, deje en claro la responsabilidad de cada persona.

Pero, antes de embarcarse en este último ejercicio, prepare el escenario para "pensarlo hasta el final". Tenga en cuenta el legado que quiere dejar. En el cuaderno, escriba su panegírico ideal desde el punto de vista de la familia, los amigos, los compañeros de trabajo y los miembros de la comunidad. ¿Cómo quisiera que lo recordaran?

Haga un mapa mental maestro de su vida

Uno de los propósitos de este libro es proporcionarle las herramientas para que pueda vivir como si su vida fuera una obra de arte. El ejercicio que viene a conti nuación lo ayudará a lograr esta meta a través de la elaboración de una obra de arte sobre su vida.

En este último ejercicio mirará su vida —el propósito, las metas, los valores y prioridades— desde la perspectiva de la connessione. Resulta demasiado fácil vivir la vida sin reflexionar seriamente sobre lo que queremos. Obviamente todos pensamos en nuestra carrera, nuestras relaciones y nuestras finanzas de vez en cuando. Y mucha gente dedica bastante tiempo a formular las visiones, las metas y las estrategias en el trabajo. Pero casi nunca pensamos en nuestras metas personales y cómo se compaginan unas con otras.

Éstas son las ventajas de hacer un mapa mental maestro de su vida:

+ Al dejar por escrito las metas, las prioridades y los valores, usted podrá ver la presencia o la ausencia de connessione en su vida.
+ A medida que amplíe su comprensión de cómo todo en la vida está relacionado con todo lo demás, tendrá la capacidad de sobreponerse a la falta de coordinación, los conflictos y los puntos ciegos que interfieren con el logro de sus metas y la realización de sus sueños.
+ Si logra representar las metas y prioridades con imágenes y palabras, concentrará sus poderes de arte y scienza y su visión creativa se llenará de energía.

Para sacar el mayor provecho posible de este ejercicio

potencialmente definitivo en su vida, recomiendo que le dedique un mínimo de una hora diaria durante siete días. Los siete días no tienen que ser consecutivos, pero debe tratar de terminar el ejercicio antes de que se cumplan tres semanas. Instale el equivalente del estudio del maestro, pero en lugar de pinceles y bastidores use marcadores de colores y pliegos de papel. Puede trabajar rodeado de música que lo inspire y de sus aromas favoritos.

Primer día: bosquejo del panorama general de sus sueños

- ◆ *Cree su propia "Impresa" (emblema)* — Una *impresa* era el logotipo personal de los académicos, nobles y príncipes en el Renacimiento. Diseñe su propia impresa o logotipo personal. Tómese su tiempo, hasta que desde adentro surja una imagen resonante. Este emblema debe convertirse en la imagen central del mapa mental de su vida.

- ◆ *Haga un mapa de sus metas con "Sprezzatura" (despreocupación)* — Dibuje su *impresa* en el centro de un pliego de papel. De la imagen central saque algunas líneas y, sobre cada una de ellas, escriba una palabra clave o dibuje un símbolo para cada una de las principales áreas de su vida, tales como la gente, la carrera, las finanzas, el hogar, las posesiones, la espiritualidad, la diversión, la salud, la vocación de servicio, los viajes, el aprendizaje y el yo. (Use los términos que prefiera para referirse a estas áreas y siéntase libre de añadir o suprimir algunas de las categorías sugeridas aquí.) En esta primera versión del panorama general de su vida debe primar la *sprezzatura o despreocupación*. Pregúntese "¿Qué quiero?" en cada una de estas áreas.

Mire su primer borrador y pregúntese lo siguiente: "¿He incluido todas las áreas que son importantes para mí?" Si pudiera tener, hacer o ser cualquier cosa, ¿cuál sería?"

Segundo día: exploración de las metas

Empiece por dibujar su *impresa* en el centro de un nuevo pliego. Ha llegado el momento de elaborar un mapa más organizado de sus metas, que incluya imágenes vívidas y multicolores de las principales áreas de su vida. Cada una de éstas (làs finanzas, la salud, etc.) debe irradiar palabras claves o dibujos que expresen sus metas en mayor detalle. Explore cada rama en profundidad:

- ✦ La gente — ¿Cuáles son las relaciones más importantes para mí? ¿Cuáles son las cualidades ideales de mis relaciones?
- ✦ La carrera — ¿Cuál es mi meta profesional final? ¿Cuáles son las metas parciales? ¿Cuál es mi trabajo o mi carrera ideal?
- ✦ Las finanzas — ¿Cuánto dinero necesito para llevar a cabo todas mis otras metas y apoyar mis prioridades?

- El hogar — ¿Cómo es mi ambiente ideal para vivir?

- Las posesiones — ¿Qué cosas materiales son importantes para mí?

- La espiritualidad — ¿Qué clase de relación quisiera establecer con Dios? ¿Cómo puedo volverme más susceptible a la gracia?

- La salud — ¿En qué condición física quisiera estar? ¿Qué clase de energía quiero tener?

- La diversión — ¿Qué me proporcionaría el mayor deleite?

- La vocación de servicio — ¿Qué contribuciones quisiera hacerles a los demás?

- Los viajes — ¿A dónde quiero ir?

- El aprendizaje — Si pudiera aprender cualquier cosa, ¿qué sería?

- El yo — ¿Qué clase de persona quisiera ser? ¿Qué cualidades quisiera cultivar?

Recurra a todos sus sentidos para crear una imagen vívida de lo que quiere lograr en cada área. Es posible que quiera elaborar un mapa mental separado para algunas de sus metas principales (o para todas). Después podría volverlas a mezclar en el mapa mental maestro de su vida, que empieza a aparecer.

Tercer día: aclare sus valores esenciales

Sus metas representan su reacción al interrogante básico "¿Qué quiero?" La comprensión de los valores surge de su consideración del interrogante "¿Por qué lo quiero?" Examine cada una de sus metas, teniendo en mente las siguientes preguntas: "¿Por qué quiero esto?", "¿Por qué es importante?" y, por último, "¿Qué aportará a mi vida la realización de esta meta?"

Así mismo, pregúntese: "¿Qué tanto de lo que yo deseo ha sido determinado por mi acondicionamiento —por los mensajes de mis padres, de mis guías espirituales, de mis maestros? ¿Qué tanto de lo que deseo ha sido determinado por mi reacción o rebelión contra mi acondicionamiento? ¿Qué tanto de lo que realmente deseo surge de mi esencia, independientemente de mi acondicionamiento o mi reacción?"

Mientras considera las motivaciones profundas que subyacen a sus metas, sus valores esenciales comienzan a perfilarse con claridad. Este ejercicio fue diseñado para acentuar ese perfil. La lista que viene a continuación contiene algunas palabras claves que representan valores (por favor siéntase libre de añadir sus propias palabras claves a la lista). Lea toda la lista y esté atento a su reacción a cada palabra clave. ¿Cuáles resuenan con más fuerza? Seleccione las diez primeras y después póngalas en orden de importancia.

amistad	humor
amor	imaginación
aprendizaje	independencia
autenticidad	integridad
aventura	justicia
belleza	lealtad
capacidad para el juego	libertad
caridad	liderazgo

Mapa mental de una vida en sus primeras etapas.

compasión

competencia

comunidad

conciencia

condición

conocimiento

creatividad

crecimiento

dinero

disciplina

diversidad

diversión

ecología

enseñanza

espiritualidad

espontaneidad

estabilidad

excelencia

excitación

expresión

familia

ganar

generosidad

gentileza

honestidad

humildad

moda

naturaleza

novedad

orden

originalidad

pasión

patriotismo

perfección

perspicacia

placer

poder

realización

reconocimiento

religión

respeto

responsabilidad

sabiduría

seguridad

sensibilidad

serenidad

sutileza

tiempo

trabajo

tradición

verdad

Reflexione sobre su lista de diez valores. ¿De qué forma se reflejan sus valores en sus metas? ¿Qué áreas de su vida constituyen la expresión más auténtica de sus valores? ¿Qué áreas lo alejan de aquello que valora?

LOS VALORES DE LEONARDO Y
SUS CONSEJOS PARA LA VIDA

Además de su sabiduría artística y científica, Leonardo ofreció su consejo y observaciones y percepciones acerca de una amplia gama de temas, incluidos la ética, las relaciones humanas y la satisfacción espiritual. Quizás usted quiera acogerse a la conducción del maestro mientras elabora el mapa mental de su vida:

Sobre el materialismo y la ambición

"No os prometáis cosas a vosotros mismos ni hagáis cosas que os causen sufrimiento material cuando os veáis privado de ellas".

"Feliz es el estado visto por el ojo de su señor".

"El ambicioso, a quien no le bastan ni la dádiva de la vida ni la belleza del mundo para contentarlo, padece la penitencia de que la vida con ellos se malgaste y que no posea ni los beneficios ni la belleza del mundo".

"Aquel que más posee es el que más teme perder".

Sobre la ética y la responsabilidad personal

"La justicia exige poder, percepción y voluntad".

"No podemos tener un dominio ni mayor ni menor que el que poseemos sobre nosotros mismos".

"Quien no castiga el mal recomienda que se haga".

"Quien camina derecho casi nunca se cae".

"El hombre sólo es merecedor de alabanza o de culpa en relación con aquellos actos que puede hacer o abstenerse de hacer". (Leonardo tomó prestado este pensamiento de Aristóteles.)

Sobre las relaciones

"Solicita consejo de aquel que se gobierna bien a sí mismo".

"El recuerdo de los beneficios es frágil en comparación con el de la ingratitud".

"Critica a un amigo en privado pero alábalo ante los demás".

"La paciencia nos protege del insulto así como las ropas nos protegen del frío".

Sobre el amor

"Disfrutar — amar algo por sí mismo y por ninguna otra razón".

"El amor de algo es el fruto de nuestro conocimiento de él y crece a medida que nuestro conocimiento se profundiza".

Y a Leonardo le gustaba citar el antiguo adagio latino que dice "*Amor vincit omnia*", "El amor lo vence todo".

A continuación, cree una imagen o un símbolo que represente cada uno de sus valores esenciales.

Cuarto día: medite sobre su propósito

Algunas personas parecen haber nacido con un claro sentido de su propósito en la vida. Leonardo, por ejemplo, siempre organizó su vida en torno a la búsqueda de la verdad y de la belleza. La mayoría de nosotros, sin embargo, necesitamos largos períodos de reflexión para poder entender el significado y el propósito de nuestra vida. El secreto del descubrimiento del propósito de su vida es mantener vivo este interrogante en la mente y el corazón hasta que surja una revelación. Mientras espera, los siguientes ejercicios lo harán más susceptible a encontrar la revelación:

+ Hacer una sesión de flujo de conciencia por escrito sobre el tema "¡Cuál *no es* mi propósito!" le ayudará a definir el "espacio negativo" que rodea a aquello que *sí es* su propósito.
+ Trate de escribir, lo mejor que pueda, una "Declaración de propósitos" en veinticinco palabras o menos. Después reescríbalo una vez al mes hasta que pueda sentir cómo la energía concentrada sacude su cuerpo cuando lo lee.
+ Sabrá que lo ha logrado cuando todas las células de su cuerpo digan "¡Sí!".

Quinto día: evalúe la realidad que lo rodea

Examine las principales áreas de su vida y evalúe su condición actual lo más objetivamente posible. Para tener más perspectiva, busque la ayuda de alguien en quien confíe. Pregúntese:

+ La gente — ¿Cómo son mis relaciones en este momento?

+ La carrera — ¿En qué estado se encuentra mi carrera?

+ Las finanzas — ¿Cuál es mi estado financiero? ¿A cuanto ascienden mis activos, mis deudas, mis ingresos, mi ingreso potencial?

+ El hogar — ¿Cómo vivo?

+ Las posesiones — ¿Qué tengo?

+ La espiritualidad — ¿Cuál es mi relación con Dios?

+ La salud — ¿En qué condición física estoy? ¿Qué clase de energía tengo?

+ La diversión — ¿Estoy disfrutando de la vida?

+ La vocación de servicio — ¿Qué contribuciones hago a los demás?

+ Los viajes — ¿A dónde he ido?

+ El aprendizaje — ¿Cuáles son los peores vacíos en mi educación?

+ El yo — ¿Qué clase de persona soy? ¿Cuáles son mis fortalezas y mis debilidades?

+ Los valores — ¿Qué diferencia hay entre los valores que quisiera tener y los que, a juzgar por mis acciones y mi comportamiento, tengo en este momento?

Sexto día: busque conexiones

Haga un nuevo mapa mental que incluya todas sus metas y que se ramifique hacia sus valores y propósitos. Dibuje con cuidado su emblema y las otras imágenes, de tal forma que el resultado sea lo más vívido y lo más bello posible. Después de representar sus metas, sus valores y sus propósitos en un pliego de papel, cuelgue el mapa mental maestro, que empieza a surgir, en una pared de su casa o en su oficina. Después medite sobre las siguientes preguntas:

- ✦ ¿Hay palabras claves que se repiten en el mapa mental? ¿Sugieren un tema?
- ✦ ¿Mis metas son relevantes para mis valores y propósitos?
- ✦ ¿Mi vida está bien proporcionada (mis metas, mis valores y mis propósitos se complementan entre sí)? El maestro escribió lo siguiente al respecto: "La proporción no se encuentra tan solo en los números y en las medidas sino también en los sonidos, los pesos, los momentos y los lugares y en todos los poderes que existen". Hágase la siguiente pregunta: ¿Cómo afecta mi carrera, a mi salud y a mi nivel de energía? ¿Mi salud y mi energía, cómo influyen en mis relaciones? ¿Mis relaciones, como expresan mi espiritualidad? ¿Qué relación hay entre mi espiritualidad, mis finanzas y mis posesiones? ¿Cómo influyen mis finanzas en mi actitud hacia los viajes y el aprendizaje? ¿Trato de mantener el equilibrio entre el altruismo y la diversión?

- ¿Cuáles son mis prioridades?
- ¿Mi forma actual de trabajar, de relacionarme, de amar, de relajarme y de organizar mi tiempo y mi dinero contribuye a la realización de mis metas y al logro de mis propósitos?

Cuando haya terminado su evaluación de la conexión entre sus metas y su vida actual y la proporción entre ellas, trate de responder a las siguientes preguntas: ¿Dónde se encuentran las brechas más profundas entre lo que quiero y lo que tengo? ¿Estoy bien encaminado hacia el logro de mis metas más importantes? ¿Qué ajustes debo hacer para lograr que mi vida sea más equilibrada?

Y ahora la pregunta más importante para los artistas de la vida: **¿Estoy dispuesto a sostener la tensión creativa entre mis ideales y mi realidad actual?** Sobra decir que resulta mucho más fácil sostener esa tensión si contamos con una estrategia para cerrar la brecha.

Día séptimo: estrategias para el cambio

Usted puede definir las metas y la visión a través del examen de la pregunta "¿Qué quiero?"

Aclara los valores y los propósitos a través del examen de la pregunta "¿Por qué lo quiero?"

E idea una estrategia al responder a la pregunta "¿Cómo voy a conseguirlo?"

Empiece a trabajar hacia atrás a partir de su panegírico ideal, revise sus metas y piense en las inversiones y los recursos necesarios para lograr cada una de ellas.

- ✦ Ahora convierta su mapa mental de vida en un plan quinquenal. Después haga una versión anual.
- ✦ Cuando haya terminado su plan anual con base en su mapa mental, revise sus metas y asegúrese de que éstas se ciñen a las seis normas CREMA planteadas anteriormente. Después invéntese una oración afirmativa que acompañe cada una de las áreas principales de su vida.
- ✦ Ahora decida qué medidas tomará esta semana, hoy mismo, para alcanzar sus metas.
- ✦ Al comienzo de cada semana, invierta de veinte a treinta minutos en la elaboración de un mapa mental de las metas, las prioridades y los planes de la semana. Si lo prefiere, asígnele un color a cada una de las áreas de su vida. Esto le permitirá tener acceso visual inmediato a la información sobre el éxito que haya tenido en la tarea de equilibrar sus prioridades.

- ✦ Mire su mapa mental como un todo: ¿Su semana es un arco iris equilibrado o una mancha monocromática? ¿En sus planes asignó tiempo suficiente a sus relaciones, su salud, su desarrollo espiritual y personal?
- ✦ Mientras examina su mapa semanal, pregúntese cómo cada una de las actividades planeadas contribuye a la realización de sus propósitos y de sus valores.
- ✦ Por último, haga todos los días un mapa mental de su plan diario. Si puede dedicar diez o quince minutos al empezar el día, o la tarde anterior, a hacer un mapa mental de sus metas y de sus prioridades, la

Fije su rumbo hacia una estrella

Ni siquiera las más meticulosas estrategias funcionan de acuerdo con un plan preestablecido. Pero los mejores improvisadores no se limitan simplemente a capotear el temporal: empiezan con un plan bien elaborado y se van adaptando con gracia a las circunstancias cambiantes.

Usted es el capitán de su barco, quién lo duda, pero no puede controlar el clima. A veces la navegación es tranquila, pero a veces hay tormentas y huracanes Leonardo aconsejó: "Aquel que fija su rumbo hacia una estrella, no tendrá que cambiarlo". Fije su rumbo hacia una estrella, y prepárese para navegar a través de una tormenta y eludir icebergs que no estaban en el mapa.

Desde 1975 he visto cómo miles de personas usan la cartografía mental para aclarar sus metas y realizarlas. Con el tiempo he refinado el proceso y obviamente lo he aplicado a mi propia vida. En 1987, cuando cumplí treinta y cinco años, dediqué muchas energías a elaborar mi mapa mental maestro, pensando en lo que querría haber logrado cuando cumpliera cuarenta. La buena fortuna me sonrió y casi todo lo que visualicé —profesional, financiera y personalmente— se hizo realidad. Cuando cumplí cuarenta repetí el ejercicio, concentrándome en los siguientes cinco años, y una vez más mis sueños prácticamente se volvieron realidad. Ahora tengo cuarenta y cinco y estoy empezando el proceso una vez más.

Sobra decir que la cartografía mental no me ha protegido mágicamente de los desencantos, la angustia y el dolor que forman parte de la vida de todos; he tenido mi cuota de tormentas y huracanes. Pero el proceso ha demostrado ser invaluable para mantenerme en ruta hacia una estrella. Y espero que también lo sea para usted.

connessione formará parte de su actitud hacia el logro de los retos cotidianos.

Una revisión davinciana

Mire su mapa mental de vida desde la perspectiva de los siete principios davincianos:

Curiosità — ¿Me estoy formulando las preguntas correctas?

Dimostrazione — ¿Cómo puedo mejorar mi capacidad de aprender de mis errores y de mi experiencia? ¿Cómo puedo desarrollar mi independencia de pensamiento?

Sensazione — ¿Qué plan tengo para agudizar mis sentidos a medida que envejezca?

Sfumato — ¿Cómo puedo fortalecer mi capacidad de sostener la tensión creativa para aceptar las principales paradojas de la vida?

Arte/Scienza — ¿Hay equilibrio en mi hogar y en mi trabajo entre el arte y la ciencia?

Corporalita — ¿Cómo puedo alimentar el equilibrio entre el cuerpo y la mente?

Connessione — ¿Cómo se relacionan todos los elementos anteriores? ¿Cómo se conecta todo con todo lo demás?

Vuelva a revisar los cuestionarios de autoevaluación de cada uno de los capítulos anteriores y pregúntese si sus respuestas se han ido modificando a medida que lee este libro.

Conclusión:

El legado de Leonardo

En una de las escasas expresiones de sus sentimientos personales, impregnada de la gran metáfora platónica de la caverna, Leonardo escribió: "Llevado por mi anhelo impaciente, deseoso de ver la gran confusión de las diversas formas extrañas creadas por la ingeniosa naturaleza, vagué durante un rato por entre los farallones en sombras y llegué a la entrada de una gran caverna. Me quedé allí durante un rato, estupefacto e ignorante de la existencia de una cosa así, con la espalda doblada y la mano izquierda descansando sobre la rodilla, y con la derecha haciendo sombra sobre los ojos y los párpados bajos, semicerrados, me inclinaba una y otra vez para aquí y para allá para ver si podía discernir cualquier cosa adentro; pero esto me fue negado por la gran oscuridad interior. Y después de quedarme allí un rato, dos cosas surgieron en mí, el temor y el deseo: el temor de la oscura y amenazante caverna y el deseo de ver si había cosas milagrosas adentro".

La esencia del legado de Leonardo es la inspiración del triunfo de la sabiduría y la luz sobre el temor y la oscuridad. En su búsqueda incesante de la verdad y la belleza logró reunir el arte y la ciencia gracias a los buenos oficios de la experiencia y la percepción. Su síntesis sin par de lógica e imaginación, de razón y fantasía, ha inspirado y confundido a los académicos a través de los siglos y se ha convertido en un reto

---

La ninfa Matelda, del Paraíso de Dante, *de Leonardo da Vinci. Dante escribió una frase en el* Paraíso *que se aplica muy bien a la atracción casi magnética que sentían los discípulos hacia el maestro:* "Che mi ligasse con si dolci vinci?" *"¿Quién me habrá ligado con tan dulces lazos?"*

para los pensadores. El gran maestro de la ciencia y el arte se ha convertido en un mito. En una era de especialización y fragmentación, Leonardo da Vinci brilla como un faro de plenitud, recordándonos el verdadero significado de haber sido creados a imagen y semejanza de nuestro Creador.

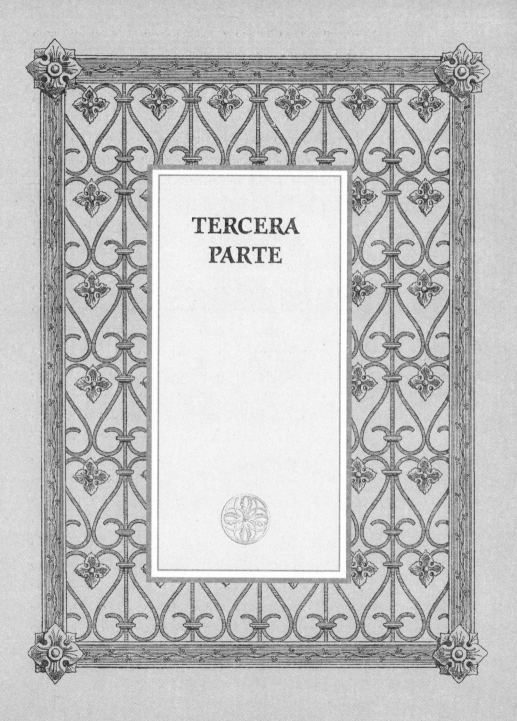

TERCERA
PARTE

Curso de dibujo

para principiantes

de Leonardo da Vinci

*L*eonardo hizo énfasis en el hecho de que el dibujo era no sólo la base de la pintura sino del aprender a ver. Para el maestro, el dibujo era mucho más que ilustración; era la clave para comprender la creación y la creatividad. De manera que para los aspirantes a davincianos aprender a dibujar constituye la mejor forma de agudizar la capacidad de ver y de crear.

Mucha gente es reacia a experimentar con el dibujo porque están convencidos de que no tienen vocación "artística". Lo sé porque yo fui uno de ellos. En la escuela elemental a la que asistí había "clase de arte" dos veces por semana. Yo la odiaba. No tenía talento y me sentía humillado cuando la maestra criticaba mis torpes intentos de dibujar un avión o una casa. Crecí con la convicción de que no sabía dibujar y de que no era "artístico" y durante años ésta resultó ser una profecía que se cumplía a sí misma. Más tarde, como parte de mi programa de entrenamiento renacentista, comencé a tomar lecciones de dibujo. Descubrí —y espero que a usted le suceda otro tanto— que dibujar es divertido y que amplía maravillosamente nuestra perspectiva de la vida.

"¡Oh necesidad admirable! ¡Oh acción poderosa! ¿Qué mente puede penetrar tu naturaleza? ¿Qué lengua puede expresar esta maravilla? Ninguna, con certeza. Es aquí donde el discurso humano se eleva hacia la contemplación de la divinidad".
—Leonardo sobre el milagro del ojo humano

Las siguientes siete presunciones básicas lo prepararán para disfrutar al máximo del dibujo y progresar rápidamente:

1. *Usted puede dibujar*. Si puede ver, puede dibujar. Dibujar es fácil, natural y divertido. Como cualquier otra habilidad, todo lo que necesita es el deseo de aprender, la concentración y la práctica.

2. *El propósito del dibujo es el descubrimiento*. Los dibujos de Leonardo son reflexiones sobre sus experimentos con la vista. Son intentos de descubrir la naturaleza de las cosas. Acérquese al dibujo con una actitud de jubilosa expectativa ante el descubrimiento.

3. *El dibujo es para usted*. Leonardo no dibujaba para complacer a los demás. Dibujaba porque le gustaba hacerlo. Y a juzgar por el hecho de que la mayoría de sus dibujos se encuentran en sus voluminosos e inéditos cuadernos, daba más valor al proceso de dibujar que al producto terminado. A medida que aprenda a dibujar descubrirá que esta actividad le proporciona percepciones cada vez más profundas y más placer en el proceso.

4. *Es posible que usted no sepa realmente cómo se ven las cosas*. Para descubrir algo nuevo usted debe estar dispuesto a abandonar lo viejo. Uno de los más fuertes impedimentos del dibujo es el "código de las apariencias" que hemos desarrollado para representarnos las cosas. "Lo conozco como la palma de mi mano" quiere decir "Ya no lo miro porque he creado una imagen en mi mente que me basta". Pero si usted hace una pausa en este momento y realmente mira la palma de su mano dominante —la mano con la que hace las cosas— es posible que note algo nuevo... las delgadísimas líneas que atraviesan la piel formando un diseño asimétrico. O una cicatriz minúscula, o un lunar, o las venas bajo la piel, o las sombras de los dedos al moverse. Quizás vea sutiles gradaciones de color que no había notado antes. Ahora mire su mano no dominante. ¿Percibe las diferencias entre las dos manos? Éstos son los elementos que pasamos por alto cuando recordamos la fotografía que tenemos grabada en la mente, en vez de recurrir a la experiencia inmediata de ver, como lo hacía Da Vinci.

5. *No lleve a su "crítico de arte" a los ejercicios de dibujo*. Su "crítico de arte" interior puede ser muy útil a la hora de decidir cuál de sus obras debe incluir en la próxima exposición, pero para el principiante la crítica resulta un poco prematura. Es más, los artistas experimentados saben

que la suspensión de la crítica es esencial para el proceso creativo. Mientras esté experimentando con los siguientes ejercicios, suspenda sus juicios sobre la calidad del dibujo. Desista de las etiquetas de "bueno" y "malo" y limítese a dibujar.

6. *Un instructor sería de gran ayuda.* ¿Cuándo fue la última vez que fue a una clase de arte? A menos que haya hecho gala de un talento especial, lo más probable es que haya recibido su última lección de arte a los diez años. ¿Se imagina que le hubiéramos dado el mismo tratamiento a otros temas? "Lo siento, pero usted no parece tener mucho talento para la historia, así que vamos a parar en la Edad Media". La mayoría de las técnicas de dibujo son sencillas y fáciles de aprender pero necesitan de ciertas instrucciones. Así que la receta para este curso de dibujo es la siguiente: usted asume una actitud experimental positiva, añade la atención, la práctica y los elementos insustituibles de su expresión personal, y este capítulo le ofrece una serie de instrucciones simples, paso a paso, que lo ayudarán a desarrollar su habilidad y lo divertirán.

7. *El dibujo es un proceso de toda la vida para ver con frescura.* Los artistas "establecidos" siempre andan en busca de la frescura y de la "mente del principiante". Si no dibuja desde hace mucho tiempo, entonces el "artista" que hay en usted aún es joven y está fresco, lleno de energías. Su "mente de principiante" hará que este proceso exploratorio sea mucho más divertido. Sea paciente con usted mismo y recuerde que el dibujo de hoy señala el progreso de mañana.

Herramientas del oficio

Es posible que usted ya tenga muchos de estos elementos. Si no es así, en una tienda de arte encontrará lo que le falte. Reúna los siguientes implementos:

Papel

1. *El papel periódico* es ideal para hacer bocetos.

2. *Una libreta de apuntes grande* para bocetos le servirá para el resto de los ejercicios. Cuanto más grande, mejor.

3. *Su cuaderno.* Leonardo sabía que la inspiración estaba en todas partes, así que siempre llevaba un cuaderno consigo. Muchos de los ejercicios que vienen a continuación lo alejarán de las paredes de su espacio de trabajo y lo llevarán hacia el mundo exterior. Uno nunca sabe cuándo se encontrará con la inspiración, pero a medida que practique estos ejercicios descubrirá que eso ocurrirá con más y más frecuencia. Así que lleve su cuaderno a todas partes, como lo hacía Leonardo.

Implementos de dibujo

◆ *Grafitos.* La finura o la suavidad de las líneas depende de los grados de suavidad del grafito. Consiga tres grafitos con diferentes grados: 2B, 3B y otro que usted prefiera. Pruébelos y escoja el que más le guste.

◆ *Lápiz pastel conté.* Estos lápices están hechos de grafito o pigmentos, greda y agua, que se mezclan hasta formar una pasta, se moldean como un lápiz y se hornean. Vienen en cuatro colores principales: sanguina (cuatro tonos de rojo), sepia, blanco y negro (suave, mediano y duro). Los lápices pastel conté funcionan bien con muchas clases de papel. Producen tonos definidos y líneas suaves. El efecto es similar al del autorretrato en tiza roja de Leonardo.

- *Lápiz carboncillo*. El carboncillo produce líneas oscuras e intensas que se pueden difuminar para lograr efectos atmosféricos.

- *Instrumentos de tinta*. Hay muchas variedades: bolígrafos de punta fina, rapidógrafos, plumones, plumones con puntas de pincel. Experimente con varios; los plumones son divertidos y fáciles de usar para hacer bocetos (asegúrese de que sean lavables). Escoja un bolígrafo de punta fina que le acomode y también un estilógrafo o un tiralíneas con un par de plumillas diferentes. La plumilla será lo que más se acerque a la experiencia de Da Vinci. (Necesitará tinta para sus plumillas; pida ayuda a los vendedores de la tienda de implementos de arte).

- *Pinceles*. El pincel es considerado una herramienta avanzada pero a veces es difícil resistirse a su trazo. Así que tenga a la mano uno o dos pinceles (junto con acuarelas o tintas). Recuerde que cualquier cosa que haga una línea es un instrumento de expresión: el lápiz labial en el espejo, el dedo del pie en la arena y el aeroplano en el cielo son "herramientas del oficio".

- *Su favorito*: experimente con lápices, lápices pastel conté, carboncillos, creyones o crayolas, pasteles, plumones con punta de pincel o plumas de caligrafía. Es importante jugar con diferentes elementos para que pueda encontrar lo que más le gusta.

Implementos para desdibujar

- *Borrador*. El borrador de goma blanco es eficiente y limpio. Pero no crea que lo usará mucho. El borrador rosado del extremo del lápiz es de hecho una herramienta útil para difuminar las líneas definidas... Juegue con él y lo verá.

+ *Líquido corrector.* No se moleste en usarlo.
+ *Dedo.* Otra gran herramienta para difuminar.

Guías

+ Una regla es útil para trazar una perspectiva.
+ Una regla T lo ayudará a dibujar ángulos perfectos.

PREPARACIÓN

CREE UN AMBIENTE QUE ESTIMULE LA MENTE

El estudio de Leonardo era una colección de tesoros para los sentidos —estaba lleno de música, flores y hermosos aromas. A la manera del maestro, busque un refugio pacífico, bello y bien iluminado para sus prácticas de dibujo.

DIBUJE CON EL CUERPO Y LA MENTE

Dibujar es una actividad que incluye el cuerpo y la mente. Usted aprenderá más rápidamente y se divertirá más si hace un par de ejercicios de calentamiento de la mente y el cuerpo antes de empezar a dibujar. Todos los ejercicios del capítulo de la corporalita son de gran

ayuda en la preparación para el dibujo. También re-
sultarán particularmente útiles para sintonizar su cuerpo y su mente con el dibujo los malabares y los demás ejercicios para la ambidestreza, así como el procedimiento para alcanzar el estado de reposo equilibrado. Así mismo, podría hacer los ejercicios de enfocar de cerca y de lejos, el del ojo y la palma y el de
los "ojos blandos", del capítulo de la sensazione, y el
de la meditación sobre la connessione, del capítulo res-
pectivo.

Practique además los siguientes calentamientos
para el dibujo. Fíjese en que cada uno de ellos lo pre-
para para una forma diferente de dibujar.

Calentamiento 1:
Arco iris de cuerpo completo

¿Qué partes del cuerpo usa usted para dibujar?

La mayor parte de la gente mira hacia la mano y
dice, "la mano". Pero ésa es sólo la punta del iceberg.
El dibujo más satisfactorio y expresivo involucra activamente a todo el cuerpo. La mano está conectada con
el brazo, el brazo está conectado con el tronco y éste
se apoya en los pies, que están sobre el piso. Para
lograr que todo el cuerpo se involucre activamente en
el dibujo, intente lo siguiente:

+ Empiece por dibujar circulitos en el espacio con
  cada uno de los dedos.
+ Después mueva las manos en círculos alrededor de
  la muñeca.

- Siga con círculos más grandes con el antebrazo.
- Y por último haga círculos gigantes girando todo el brazo.
- Ahora repita todos estos círculos, sólo que esta vez imagine que el color brota del piso, atraviesa su tronco y sale por las puntas de los dedos. Llene el universo de arco iris magníficos.

Calentamiento 2: Automasaje

Siéntese cómodamente y disfrute de unas cuantas respiraciones profundas. Ahora empiece a masajear la mano dominante. Masajee los dedos, los nudillos, la palma y la muñeca, y siga hacia arriba por el antebrazo y el brazo hasta llegar al hombro. Explore la estructura profunda del hueso, el músculo y el tendón. Haga lo mismo con el otro lado. Termine con un masaje suave de la cara, el cuello y el cuero cabelludo, concentrándose en liberar las tensiones acumuladas en la frente y la mandíbula.

Calentamiento 3: Garabatear

¿Quién dice que debemos hacerlo bien la primera vez? Nosotros, por supuesto. Hacer garabatos nos ayudará a despojarnos de esa convicción:

- Consiga una hoja de papel y garabatee las formas, las líneas y las texturas de sus sentimientos en este momento. Si está un poco ansioso, exprese su ansiedad libremente en el papel. No se detenga

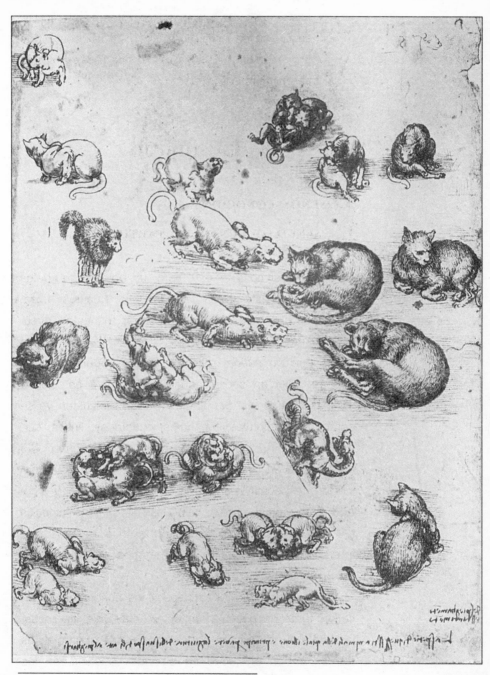

Bocetos de uno de los cuadernos del maestro.

hasta que todas sus tensiones estén en el papel y su cuerpo esté relajado y libre para dibujar.

◆ En una etapa más avanzada, podría hacer garabatos de su música favorita.

E<small>L</small> <small>DIBUJO</small>

D<small>ISEÑOS CONOCIDOS</small>:
U<small>N SENCILLO PUNTO DE PARTIDA</small>

Mire cualquier cosa — este libro, un objeto que cuelga de la pared o está afuera de la ventana. Cualquier cosa. A medida que mira, trate de encontrar triángulos, círculos, cuadrados, líneas, curvas o puntos. ¿Hay alguna forma que *no pueda* reducirse a estas figuras?

He aquí un secreto que lo ayudará a apreciar la simplicidad esencial del dibujo: *Todo* lo que usted ve se compone de círculos, triángulos, cuadrados, líneas, curvas y puntos (no necesariamente en ese orden). El especialista en Da Vinci, Martin Kemp, habla de la convicción de Leonardo según la cual "la complejidad orgánica de la naturaleza viva, hasta las más ínfimas minucias de la forma móvil, se basa en el rico e inacabable interjuego de los motivos geométricos en el contexto de la ley natural".

Los triángulos, los círculos y los cuadrados deben ser el tema de observación de un día. Deje las líneas, las curvas y los puntos para otro día. Note cómo estas formas entran en juego en su vida cotidiana, en los rostros de la gente, en la arquitectura que lo rodea, en los muebles, en el arte, en la naturaleza. Anote sus impresiones en el cuaderno.

Entretanto, tome una hoja de papel y dibuje rápidamente las siguientes figuras:

(Fíjese que no son perfectas... Éste no es un curso de dibujo mecánico; nuestras figuras deben ser orgánicas.)

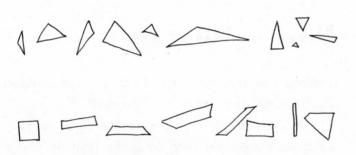

(Un "cuadrado" es cualquier cosa con cuatro ángulos.)

Cualquier dibujo es una combinación de estos sencillos
elementos esenciales.

Nuevas maneras de ver

Creemos que sabemos cómo mirar, pero tal como lo
dijo Leonardo: "La gente mira sin ver..."

Ver para dibujar implica mirar las cosas como si
nunca las hubiéramos visto antes. En lugar de confiar
en el reconocimiento y en la objetivización —"Ésta es
una manzana", por ejemplo—, el artista empeñado en
dibujar debe dejar a un lado el concepto "manzana" y
ver las cualidades de su tema de una manera más
elemental: como figuras, colores y texturas.

He aquí unos cuantos ejercicios para explorar esta
forma de ver:

Primer ejercicio para ver: Dibuje al revés

Dibujar las cosas al revés nos libera de las percepciones habituales. Mire las líneas y las formas que vienen a continuación. Copie en un pedazo de papel estas líneas y formas tal como las ve.

Las reglas son:

a) Siga pensando que no sabe qué es esto mientras dibuja.

b) No voltee el libro hasta que termine.

c) Todavía no ha terminado.

d) Haga una pausa y mire a su alrededor con ojos "blandos" y frescos.

e) Después de haber copiado todo lo que ve, voltee el papel y descubra lo que ha dibujado.

Segundo ejercicio para ver:
Dibuje con la otra mano

Ahora devuélvase y dibuje de nuevo el retrato de Leonardo da Vinci, con su mano no dominante. Tome nota del efecto que tiene sobre su percepción, su conciencia y su sensibilidad, el hecho de dibujar al revés y dibujar con la "otra mano". Si estos ejercicios le producen una sensación ligeramente desconocida, eso quiere decir que está ingresando al universo de los artistas.

¿Qué cambió entre la primera vez que hizo el retrato y la segunda?

Use su mano no dominante para dibujar esta imagen.
Las reglas son:
a) Mientras dibuja, diga en voz alta lo que ve/lo que está dibujando.
b) No cambie de mano.

Tercer ejercicio para ver: Luz y oscuridad

Una de las grandes contribuciones de Leonardo al arte fue el desarrollo del claroscuro, del contraste entre la luz y la oscuridad para lograr un efecto dramático.

Antes del Renacimiento, los artistas generalmente hacían énfasis en la luz y excluían la oscuridad. Los artistas principiantes cometen este error con mucha facilidad. En el arte, como en la vida, es indispensable enfrentar valerosamente las sombras de la paleta más oscura. La figura adquiere su forma, su dimensión y su profundidad gracias a la riqueza de estas sombras y de la oscuridad que la rodea. El maestro afirmó: "Las sombras tienen sus límites en ciertos puntos que se pueden determinar. Quien ignore estos puntos producirá una obra sin relieve; y el relieve es la cima y el alma de la pintura".

Estos sencillos ejercicios profundizarán su valoración del claroscuro en la vida cotidiana.

+ **Busque las sombras**. Las sombras deben ser el tema de un día. Fíjese en los cambios que sufre la calidad de la sombra con el movimiento del sol a lo largo del día. Anote sus impresiones en el cuaderno.

+ **Recoja impresiones de la oscuridad y de la luz**. Camine por el parque o siéntese en su café favorito y observe a la gente que pasa. Mientras mira cómo el mundo sigue su curso, entrecierre un poco los ojos para que todo parezca impresionista. Trate de ver el mundo solamente en términos de luz y de oscuridad, como si sus ojos fueran una cámara que filma una película en blanco y negro.

El secreto para percibir la luz y la oscuridad es buscar la oscuridad. Cuando se pregunte "¿Qué es la oscuridad?", la luz aparecerá en relieve. Con un poco de práctica se acostumbrará a mirar el mundo de esta manera.

Cuarto ejercicio para ver: Configuraciones caleidoscópicas

Al igual que en el ejercicio de la luz y la oscuridad, empiece entrecerrando un poco los ojos en medio de un ambiente interesante. Pero esta vez pregúntese, "¿De qué forma es el rojo por aquí?" "¿Y el azul?" "¿Y el verde?" Y así...

Mientras busca los colores/formas, el mundo a su alrededor irá adquiriendo una cualidad deliciosamente escultural, colorida y caleidoscópica. Disfrútelo.

Quinto ejercicio para ver: El marco del artista

El universo parece infinito pero la página es finita y a veces eso puede parecer una limitación. Como artista, usted aprenderá a usar en su provecho la definición que la página le impone.

Forme una L con cada mano alejando el pulgar noventa grados del dedo índice. Use estos ángulos para construir un marco imaginario. Mientras espía los temas potenciales de observación y dibujo, ensaye a mirarlos a través del "marco" de sus manos.

Experimente con un marco más grande o más pequeño, muévalo a la derecha o a la izquierda, arriba o abajo. Disfrute de su capacidad de escoger y enmarcar el objeto enfocado.

Sexto ejercicio para ver: editar y atraer

El uso magistral de la ambigüedad por parte de Leonardo hace que nuestra atención no pueda despegarse del cuadro. Más tarde Cézanne ideó su propia versión de este proceso de atracción desdibujando todo aquello que no era objeto de su pintura. Aquí es donde quizás reside el poder fundamental de un artista: en su capacidad para escoger el área en la que se va a en- focar y en editar, retirar y oscurecer todo lo demás, volviéndolo secundario por cualquier medio que tenga a su disposición.

"Enmarque" un objeto, sin recurrir a sus manos esta vez. Mientras lo hace, deje que todo lo que no sea ese tema comience a desvanecerse; enmudezca todo el color y todas las formas circundantes. Cubra con un fino velo todo lo que no sea el centro de su atención.

Deje que sus ojos se ablanden. Cuando sus alrededores estén completamente desenfocados, estará listo para una nueva intimidad con su tema.

Los contornos:
Dibuje de afuera hacia adentro

El contorno es la forma exterior, la "topografía" de su objeto.

Primer ejercicio del contorno: Dibuje con el tacto

Mire un objeto cercano. Escoja algo como una planta, un libro, una taza o un asiento.

- ✦ Primero dibuje la superficie de su objeto con el dedo índice.
- ✦ Después, con el brazo estirado, mueva el dedo, pero esta vez sólo *imagine* que está tocando la superficie del objeto.
- ✦ A continuación, sin recurrir al dedo físico, *imagine* que su mirada es el dedo y que su dedo-mirada está tocando el borde exterior del objeto. Esto es más que un boceto porque el objeto es tridimensional, de manera que usted está realmente trazando un mapa de la superficie del objeto en cuestión con su tacto-mirada (este "borde exterior" es el *contorno*).
- ✦ Ahora usted está listo para dibujar con el tacto. Dibuje el borde exterior del objeto con su dedo-mirada, pero en esta ocasión la punta del lápiz sobre el papel será una extensión de su tacto-mirada imaginado.

Las reglas son:

a) Mantenga los ojos fijos en el objeto mientras traza el mapa de su superficie con su dedo-mirada.

b) Muy lentamente, pasee la mirada alrededor del contorno.

c) La punta del lápiz debe moverse sobre la página a la misma velocidad que sus ojos se mueven a lo largo del contorno.

d) Piense sólo en el punto que está dibujando al tacto en cada momento, sin tener en cuenta ninguna otra parte del dibujo, ni pasada ni futura.

e) Convénzase de que realmente está tocando el objeto con su mirada.

f) No levante el lápiz ni mire la página hasta que haya terminado el contorno.

Lo más probable es que el dibujo terminado no se parezca al objeto, pero pondrá al descubierto cualidades escondidas de su textura y su volumen. Este ejercicio de dibujar con el dedo es una introducción cinestésicamente plena al contorno.

Segundo ejercicio del contorno: ¿Recuerda su mano?

Hace poco meditamos sobre la idea de conocer algo como la palma de la mano. Después exploramos la mano. De manera que en este momento usted debería conocerla bien, ¿no es verdad? Muy bien. Ahora, sin mirarse la mano, cierre los ojos y recréela en su mente. Después dibuje de memoria el contorno de su mano en una hoja de papel.

Cuando termine, compare su dibujo con el objeto real. No piense en términos de bueno o malo. Más bien pregúntese en qué se parece y en qué difiere.

Tercer ejercicio del contorno: Dibuje su mano con el tacto

Ahora observe su mano no dominante. Imagine que su mirada lenta e inquisitiva es el tacto. Dibuje la mano con el tacto. Recuerde que dibujar con el tacto es un proceso de cartografía sensorial tridimensional (es más que sólo un boceto). Tampoco se deje engañar por las sombras; el objeto se sentirá igual si lo "toca" a la luz o en la oscuridad. Siga las reglas para dibujar al tacto que aparecen en el primer ejercicio del contorno.

Cuarto ejercicio del contorno: Contorno de la mano

Ahora ya está listo para dibujar el contorno de la mano. Es igual que dibujar al tacto, excepto que en esta ocasión usted puede mover la vista entre el objeto y el papel. Y puede levantar del papel la punta del lápiz.

Ahora intente dibujar el contorno del objeto inicialmente escogido para el ejercicio de dibujar con el tacto.

DIBUJE EL MOVIMIENTO

Al sondear las profundidades de la naturaleza, Leonardo se dio cuenta de que todo cambia y se mueve constantemente. Sus dibujos poseen un dinamismo interno que expresa esta cualidad fundamental de movimiento, incluso en objetos que aparentemente están quietos.

En la mayoría de los ejercicios previos se requiere de una aproximación pensativa, lenta, meditabunda. Para dibujar el movimiento nuestra aproximación debe ser más rápida, más dinámica.

Primer ejercicio del movimiento: Objetos que caen

+ En este ejercicio, observe el "movimiento esencial" de un objeto a medida que cae. Deje caer pañuelos de papel, una bufanda, servilletas, hojas, una pluma... y mírelas caer. Lo ideal sería que pudiera sentarse al lado de una cascada durante unas horas; en su defecto, abra una llave y mire cómo corre el agua. "Los objetos que caen" debe ser tema de un día. Su meta debe ser tener al final del día tres observaciones nuevas sobre los cuerpos que caen. Anote sus impresiones en el cuaderno.

+ Después trate de dibujar las "huellas" del movimiento de un objeto que cae. Imagine cómo se sentirían estas huellas sobre su propio cuerpo. Leonardo sugirió lo siguiente: "Haga unas cuantas siluetas de cartón con formas diversas y arrójelas por el aire desde una terraza; después dibuje los movimientos de cada una de ellas en las diferentes etapas del descenso". El famoso *Desnudo descendiendo una escalera*, de Marcel Duchamp, se inspiró en este ejercicio inventado por Da Vinci para aprender a ver.

Segundo ejercicio del movimiento: Movimiento quieto

De manera descuidada y precipitada, dibuje la esencia de un objeto en reposo tal como un corbatín, una cortina, un perro dormido o un zapato viejo.

Versión de un artista de un teléfono que suena.

Tercer ejercicio del movimiento: Personas en movimiento

Busque un buen lugar en un sitio público —las estaciones de trenes y los aeropuertos son ideales— y mire a la gente moverse. Practique el siguiente ejercicio, sugerido por el maestro: "Manténgase alerta a las figuras en movimiento... y anote las líneas principales rápidamente: con eso quiero decir poner una O en lugar de la cabeza y líneas rectas o dobladas en el lugar de los brazos y otro tanto con las piernas y el tronco".

Dibujo en movimiento del autor contando una historia.

Figuras en movimiento: líneas principales.

La sustancia de adentro hacia afuera: Sombreado & volumen

Una marca en un pedazo de papel es un fenómeno bidimensional. El reto del artista consiste en expresar dos dimensiones en tres o más. El sombreado y el volumen son claves para esta transformación.

Primer ejercicio de sombreado: Luz en una esfera

Dibuje unos cuantos círculos y experimente con diferentes ángulos de luz y de sombra, así:

Segundo ejercicio de sombreado: Una manzana al sol

Este ejercicio se puede desarrollar con una manzana o con cualquier otra figura básica. Para que un objeto refleje su "sustancia realista", las sombras deben tener sentido en relación con la luz. ¿Recuerda que en el ejercicio de luz/oscuridad usted entrecerró los ojos y empezó a distinguir los diferentes grados de luz y oscuridad? Es el momento de aplicar esa percepción a su manzana.

Ponga la manzana en una superficie limpia cerca de usted. (Podría ser sobre una bandeja de un solo color, o un pedazo de papel, una mesa, un mantel: cualquier cosa que no lo distraiga.) Ahora, moviendo su mirada entre la manzana y el papel, haga un boceto del contorno de la manzana sobre la bandeja.

(Notará que aunque es la misma manzana, nunca se ve igual desde otro ángulo, o bajo una luz diferente.)

Ahora busque cuál es la principal fuente de luz y dónde está (a veces hay más de una; escoja la fuente dominante y, si es posible, apague las demás.) Una vez más, entrecierre los ojos para distinguir la luz y la oscuridad en la manzana. ¿Las tiene? Confirme que la oscuridad (la sombra) esté del otro lado de la fuente de luz. Si no lo está, mire de nuevo.

◆ Indique en el papel de dónde viene la luz con un solecito. Con un lápiz suave, comience a sombrear las partes oscuras de su manzana. El sombreado es un proceso aditivo, así que sombree en "capas" delgadas, como lo hacía Da Vinci.

A medida que sombrea, entrecierre los ojos una y otra vez. Le ayudará a aclarar qué tan oscuras son realmente las sombras.

Tercer ejercicio de sombreado:
Tabla de valores

En dibujo, el valor no se refiere a la cantidad de dinero que este cuadro podría recoger en una subasta. El valor se refiere, más bien, a la profundidad de la sombra.

MÁS ILUMINADO	MEDIO ILUMINADO	MEDIO OSCURO	MÁS OSCURO

Al pie de su página haga una tabla de valores parecida a ésta.

Cuarto ejercicio de sombreado:
Valores en una esfera

Vuelva atrás a su dibujo sombreado de una esfera. Revise la tabla de valores y mire su esfera y la tabla entrecerrando los ojos para ver cómo corresponden sus sombras a los valores establecidos. En las figuras sombreadas que vienen a continuación, por ejemplo, los diferentes niveles de "oscuridad" se pueden reducir aproximadamente a estas cuatro categorías. Este ejercicio desarrollará su capacidad de distinguir entre los diferentes valores y le permitirá organizar las sombras en grupos simples. Posteriormente podrá afinar más la variación entre valores.

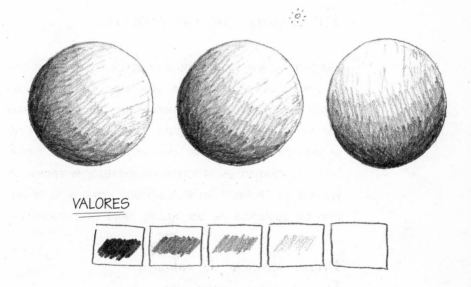

VALORES

Quinto ejercicio de sombreado: Más fruta

Tome un par de manzanas y de peras (su textura suave le permitirá concentrarse en el dibujo de las sombras y no en los diseños superficiales) y acomódelas en una bandeja. Decida qué fuente de luz va a conservar y márquela con un solecito en la esquina de la página. Mire el diseño general de las frutas en la superficie. ¿Hay unas sobre otras? Cuando entrecierra los ojos, ¿cuáles sobresalen? ¿Que patrones tienen los diferentes valores?

Ahora "enmarque" las frutas. Después dibuje la naturaleza muerta que tiene frente a usted con sombras y contornos. (Recuerde hacer una pausa de vez en cuando para observar su trabajo desde la distancia.)

El volumen de las fuerzas

Las técnicas de sombreado que acaba de aprender son muy eficaces, pero si quiere expresar la plenitud de las cosas de adentro hacia afuera debe complementarlas con un secreto especial para crear profundidad. Este secreto consiste en darle volumen a la figura, o modelarla. El volumen es la forma de expresar la sensación visceral de "bulto". Sin él, parecería como si la sensación de sustancia de las figuras fuera sólo maquillaje.

Primer ejercicio de volumen: Una manzana muy roja

Para sacar el mayor provecho posible de este ejercicio, haga de cuenta que es un niño de cuatro años que acaba de encontrar un creyón rojo.

Después busque una manzana roja y brillante. Póngala frente a usted, a una distancia razonable y en un sitio bien iluminado. Imagínese que está construyendo un reservorio de ese mismo color rojo en su tintero imaginario... Deje que éste se llene de color hasta que el rojo se vea definitivamente jugoso y borboteante de vida. Ahora tome un plumón rojo o un creyón y dibuje un punto rojo sobre el papel.

Naturaleza muerta simple.

Piense en la manzana como en una sustancia viviente cuyo corazón usted busca con su color rojo. Empiece a llenar la manzana de color de adentro hacia afuera. Las partes más rojas deben ser verdaderamente rojas y los bordes exteriores, que aparentemente no "contienen" tanto color, deben reflejar lo propio. Este ejercicio le dará las bases fundamentales para lograr el volumen.

Segundo ejercicio de volumen: Esculpir

En este ejercicio queremos sentir lo mismo que experimenta un escultor que moldea la greda. Así que imagínese que usted es el escultor y que ya tiene la cantidad adecuada de greda para esculpir su objeto. Ahora déle forma a su escultura presionando la greda allí donde la figura original tiene una concavidad y moldeando las curvas.

Escoja un objeto, preferiblemente uno viviente (un perro o un gato, un esposo o esposa, un hijo, un amigo), y dibuje su forma usando el extremo plano de un lápiz conté negro en vez de la punta, como hemos hecho antes.

Perro que duerme con volumen.

Allí donde la forma se curva hacia adentro, presione el lápiz sobre el papel con más fuerza (para lograr un tono más oscuro); y allí donde la forma se curva hacia afuera, más cerca de usted, deje que el lápiz se eleve ligeramente, apenas tocando el papel. Imagine que está "moldeando" este dibujo.

Tercer ejercicio de volumen: Anatomía de una manzana

Éste es un experimento davinciano avanzado por medio del cual queremos averiguar, científicamente, qué hay en el corazón de una manzana y cómo se estructura esa masa para darle forma.

Tome tres manzanas brillantes y suculentas. Levante una y después otra y déles la vuelta con la mano, sintiendo su peso, su estructura, su conformación. Observe su color como si estuviera usando una lupa. Fíjese en los diseños de la superficie. ¿En qué se diferencian entre sí? Tome notas en su cuaderno de lo que está observando. Fíjese después en los arcos de cada contorno, en las sutiles variaciones que hacen que esta manzana sea única, diferente de la imagen común que se nos viene a la mente cuando pensamos en una "manzana".

Si ya conoce sus manzanas íntimamente, está listo para la autopsia. Es la hora de disecar (operación conocida también como "tajar") las manzanas para examinar su estructura interna. Parta una manzana por la mitad horizontalmente, parta la otra por la mitad verticalmente, y parta la otra en diagonal para tener tres perspectivas diferentes.

Después acomode las manzanas en una bandeja. Ponga la bandeja sobre una superficie y prepárese para dibujar este estudio de la "esencia". Ubique la fuente de luz. Entrecierre los ojos para medir el valor. Notará que las superficies crean diferentes planos para el reflejo de la luz. Ya está listo para su naturaleza muerta con corazones.

Cuando la termine, dibuje una manzana completa. Su nuevo dibujo debe reflejar su conocimiento de la manzana de adentro hacia afuera.

Perspectiva

Las sombras y el volumen le dan dimensión y profundidad a un objeto y la perspectiva lo pone en un contexto.

Primer ejercicio de perspectiva: Horizontes lejanos

El maestro invirtió muchas horas en la observación del horizonte lejano. Escribió lo siguiente:

- ✦ "Entre objetos de igual tamaño, aquél que esté más lejos del ojo parecerá más pequeño".
- ✦ "Entre varios cuerpos, todos del mismo tamaño y ubicados a la misma distancia, aquél que esté más iluminado parecerá a la vista más cercano y más grande".
- ✦ "Un objeto oscuro se verá proporcionalmente más azul porque hay mas atmósfera luminosa entre él y el ojo, como sucede con el color del cielo".

Antes de Leonardo, los objetos en primer plano y en segundo plano en una pintura tenían dimensiones, valores y colores similares. Inicie su exploración de la perspectiva estudiando el horizonte lejano y acercándose un poco más cada vez. La perspectiva debe ser tema de un día y no olvide registrar sus impresiones en el cuaderno.

Segundo ejercicio de perspectiva: La superposición

¿Cuál es primero? El que está adelante. El objeto que se sobrepone a otro siempre parece estar al frente. El principio es tan elemental que podríamos pasarlo por alto. Esta simple observación hace que la comunicación visual de la relación entre los objetos sea incuestionable. Los cuatro grupos de la página siguiente, por ejemplo, contienen las mismas cuatro cajas suavemente dibujadas. No sabemos cuál es su posición en relación con las otras. Sin embargo, al dibujar las cajas con diferentes superposiciones parecerá que unas se alejan y otras se acercan.

Primero dibuje la línea de una caja en particular. Después dibuje las líneas de la segunda caja (omitiendo las que parezcan estar "detrás" de la primera caja). Siga con la tercera y con la cuarta, repitiendo la operación.

Luego haga otro dibujo y escoja una caja diferente para que aparezca al frente. Fíjese que la superposición impone el tamaño. Ni siquiera importa que una de las cajas sea más pequeña o más grande; dependiendo de su posición en relación con las otras, podría aparecer más cerca o más lejos.

Tercer ejercicio de perspectiva:
Mi papel se interpone entre mi objeto y yo

Cuando usted ha "enmarcado" su objeto, puede sentirse un poco confundido al tratar de mantener la misma perspectiva, sobre todo si tiene en cuenta que la superficie sobre la cual está dibujando probablemente está sobre una mesa o ligeramente inclinada en un caballete. Olvídese de la ubicación real del papel o de la tela. Imagine *siempre* que el papel o la tela se yergue verticalmente entre usted y el objeto que quiere dibujar. Imagine que puede ver a través del papel o de la tela y que lo único que realmente hace es copiar las líneas. Cuando esté dibujando algo refiérase siempre a ese papel o a esa tela imaginarios que hay entre usted y su tema.

Cuarto ejercicio de perspectiva:
Pequeño-lejos... grande-cerca

Todos hemos notado lo pequeñas que se vuelven las personas a gran distancia. Automáticamente usamos esta variación en el tamaño para calcular la distancia. En el ejercicio de la superposición usted aprendió que la posición relativa puede transmitir mucha información. Pero cuando ya conocemos la secuencia de los objetos, el tamaño se convierte en el siguiente factor de información. En el dibujo que sigue, por ejemplo, ¿qué sucede a medida que los árboles se vuelven más pequeños?

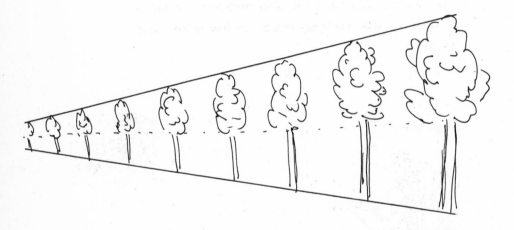

En los siguientes ejercicios aprenderá el punto crucial de la perspectiva: la línea del horizonte y el punto de fuga.

Quinto ejercicio de perspectiva: Línea del horizonte

Con su regla, dibuje una línea horizontal que atraviese el papel: ésa será la línea del horizonte. Dibuje la línea a diferentes alturas en la página.

Es esencial establecer la línea del horizonte porque a medida que los dibujos se vuelven más complejos, el horizonte puede quedar cubierto de montañas, edificios o árboles, pero en una pintura todo se dibuja en relación con esta línea.

Sexto ejercicio de perspectiva: Punto de fuga

Retome sus dibujos de la línea del horizonte y, con un lápiz, ponga un punto cerca del centro. Ese punto es el punto de fuga (PF).

Dibuje dos líneas que vayan desde ese punto hasta las esquinas inferiores del papel. Notará que tiene en frente lo que parece ser una amplia calle que se abre ante usted. Fíjese en las diferentes impresiones que producen una y otra calle según la línea del horizonte.

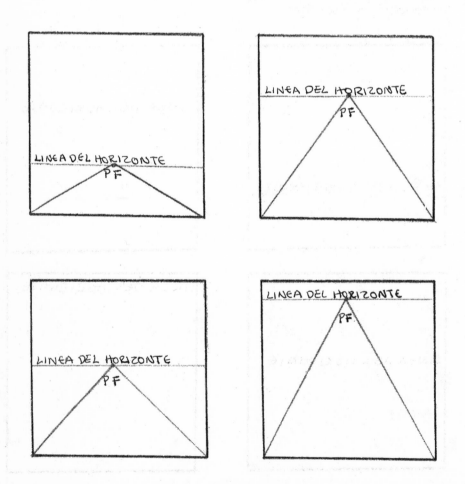

Séptimo ejercicio de perspectiva: Un cuadrado en perspectiva

Con su regla, dibuje una línea horizontal suave y punteada. Marque el punto de fuga. Después dibuje un triángulo, un cuadrado y un círculo en el espacio del marco. Después vuelva estas figuras tridimensionales, siempre en dirección del punto de fuga.

Aléjese un poco para ver si sus figuras tienen sentido.

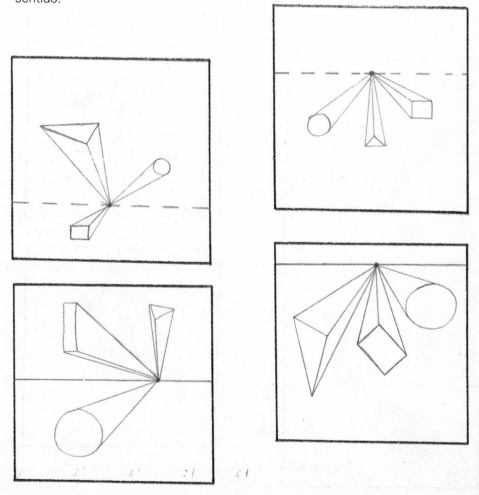

Escoja el dibujo que le haya quedado mejor y marque allí la fuente de luz con un solecito. Haga una pausa para "sentir" la dirección de la luz como si usted fuera el objeto que va a sombrear. Con un lápiz suave, sombree las figuras tridimensionales allí donde no les da la luz (recuerde que debe dibujar las sombras en capas).

Cuando haya dominado este ejercicio, practique con otras figuras y formas.

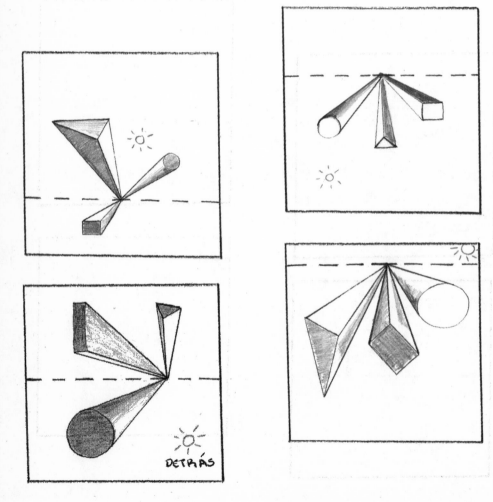

Octavo ejercicio de perspectiva: Una calle interesante

Dibuje la línea del horizonte con la regla, tal como lo hizo antes, y marque el punto de fuga (PF). Partiendo del punto de fuga, dibuje líneas hacia las esquinas superiores e inferiores del marco:

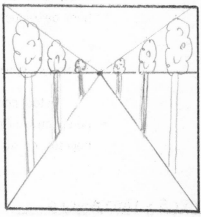

Ahora, en orden descendente, dibuje una hilera de árboles a lo largo de la calle.

Al otro lado de la calle, haga un par de edificios "cuadrados", con la misma técnica que usó en el ejercicio de las figuras tridimensionales. Recuerde que todas las líneas verticales (de arriba para abajo) deben ser paralelas. Recuerde también que su punto de fuga debe tener un techo imaginario que será su guía a la hora de reducir el tamaño.

Noveno ejercicio de perspectiva: El paisaje

Usted podrá profundizar su reconocimiento de la perspectiva si mira un paisaje durante largo rato. Haga bocetos en su cuaderno.

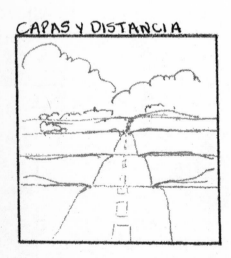

CAPAS Y DISTANCIA

VALOR CANBIO-DISTANCIA

Dibujar de memoria

Primer ejercicio para dibujar de memoria: Recuerdo de las caras/usted

De memoria, sin mirar en el espejo, dibuje su cara. Fírmelo. Póngale la fecha. Sonría.

Segundo ejercicio para dibujar de memoria: Recuerdo de las caras/un amigo

Piense en alguien cercano a usted. Traiga a su mente el rostro de esa persona y empiece a observarlo con ojos de artista. Fíjese en las formas esenciales y en la relación entre los rasgos. ¿Cuáles son los rasgos más sobresalientes? ¿Dónde hay simetrías y dónde asimetrías?

Piense en el contorno. ¿Las mejillas son prominentes? ¿Retroceden rápidamente? ¿Cuán profundos son los ojos? ¿Dónde se encuentran las montañas y los valles del rostro? Imagine que lo está tocando y que los dedos dibujan el contorno del rostro. Recuerde que su mirada mental debe fluir permanentemente por toda la cara; no se "pierda" en un solo rasgo.

Ahora haga un dibujo de memoria de la cara.

Después estudie el rostro de su amigo. Tome nota de las cosas que no aparecieron en su recuerdo. Con cada dibujo de memoria, su capacidad de observación se enriquecerá y se refinará.

"*Cuando deseéis aprender de memoria algo que habéis estudiado, seguid el siguiente método: cuando hayáis dibujado alguna cosa tantas veces que os parece que la conocéis de memoria, intentad dibujarlo sin el modelo: pero preparad un boceto del modelo sobre un vidrio delgado y liso y ponedlo sobre el dibujo que habéis hecho sin el modelo. Fijaos en qué puntos se separan vuestro dibujo y el boceto y allí donde descubráis que os habéis equivocado, fijadlo en la mente para no cometer el mismo error de nuevo. Podéis incluso regresar con el modelo para repetir aquellas partes en donde os equivocasteis, tantas veces como sea necesario para fijarlas en vuestra mente*".

—LEONARDO DA VINCI

Tercer ejercicio para dibujar de memoria: Una nariz para estudiar

En "aprender a ver", Leonardo sugirió el siguiente ejercicio: "Primero hay que aprender de memoria las diferentes clases de cabezas, ojos, narices, bocas, mentones, gargantas y también cuellos y hombros. Fijaos por ejemplo en las narices: las hay de diez tipos: rectas, bulbosas, cóncavas, prominentes por encima o por debajo del centro, aquilinas, regulares, simiescas, redondas y puntiagudas. Estas mismas categorías se pueden aplicar a los perfiles. Vistas de frente, las narices son de doce tipos diferentes: gruesas en la mitad, delgadas en la mitad, con la punta ancha y angostas en la base, angostas en la base y angostas en la punta, anchas en la base y de ventanas anchas o angostas, anchas o bajas, con las aberturas visibles o tapadas por la punta. Así mismo, encontraréis una gran variedad en los otros rasgos, de los cuales debéis hacer estudios basados en la naturaleza y fijarlos en la memoria".

Siguiendo las instrucciones del maestro, las caras deberían ser tema de un día. Otro día podríamos dedicarnos a las narices. Haga bocetos de las diferentes clases de nariz, de frente y de perfil. Dedíquese después a las bocas, los ojos, etc.

Cuarto ejercicio para dibujar de memoria: Estudio del rostro

Después de haber estudiado rostros y rasgos durante un buen tiempo, intente hacer un estudio del rostro de un amigo, preferiblemente del mismo cuyo rostro dibujó de memoria en el ejercicio precedente. Siga los siguientes pasos:

Mire a su amigo como si estuviera viéndolo por primera vez.

Piense en su rostro en términos geométricos. Busque triángulos, círculos y cuadrados. Fíjese en las líneas, las curvas y los puntos.

Si su amigo lo permite, golpee su cara suavemente con las puntas de los dedos, explorando el contorno y la textura.

"El amante se siente atraído por el objeto amado de la misma forma como el sentido se ve atraído por lo que percibe".

—Leonardo da Vinci

Estudio de perfiles de Leonardo, *de la Colección Windsor.*

Estudio del rostro de Francesco Sforza.

Dé un paso atrás y haga un lento dibujo de la cara de su amigo con el tacto.

Estudie después las sombras y los tonos. Haga un rápido boceto en el que se reflejen los valores observados.

Con un lápiz suave, haga un dibujo "escultural" abstracto del rostro de su amigo. Dibuje la profundidad y la riqueza de lo que ve.

Haga un boceto rápido del rostro de su amigo con su mano no dominante.

Por último, haga un dibujo que combine todo lo que ha aprendido en este ejercicio del estudio del rostro.

Quinto ejercicio para dibujar de memoria: Estudio de usted mismo

Ponga en práctica todos los pasos del ejercicio anterior en un estudio de su propio rostro visto en el espejo.

El "Curso de dibujo para principiantes de Da Vinci" fue diseñado para fomentar un amor eterno por el arte de "aprender a ver". Dibujar, a la manera del maestro, es hacer el amor con el mundo a través de los ojos. Nos permite saborear la seducción del color, la lozanía del volumen, el romance de la luz y la oscuridad. Practique, experimente, déjese llevar, respire y diviértase. Para sacarle el mayor partido posible a su relación con sus dibujos, fírmelos todos, póngales la fecha y guárdelos. Sus dibujos se convertirán en una muestra fascinante de la forma como evoluciona su visión del mundo.

Il Cavallo:

Renacimiento de un sueño

En 1977 la revista *National Geographic* publicó un artículo titulado "The Horse That Never Was" [El caballo que nunca fue]. El artículo describía la concepción de Leonardo del monumento ecuestre de los Sforza y contaba la historia de la destrucción de su modelo en 1499. El piloto y coleccionista de arte Charles Dent leyó el artículo y concibió un sueño: construir el caballo de Leonardo —*Il Cavallo*— y dárselo a los italianos como un regalo de agradecimiento por los tesoros del Renacimiento.

Dent reunió a un equipo extraordinario de especialistas del Renacimiento, escultores, metalúrgicos y patrocinadores individuales y corporativos y se dispuso a trabajar para que su sueño fuera realidad. Él también se metió la mano al bolsillo e incluso vendió algunas de las piezas de su colección para conseguir fondos para "mantener al caballo bien alimentado", como le gustaba decir. A medida que el proyecto adquirió impulso comenzó a atraer la atención de los medios de comunicación en todo el mundo y en agosto de 1992 el taller de fundición Tallix Art logró crear un modelo de tamaño natural de *Il Cavallo*. Irónicamente Charles Dent murió cuando el caballo se encontraba en la misma fase de producción —el modelo terminado y aclamado pero aún sin fundir— en la que estaba cuando fue destruido por los arqueros gascones. Pero antes de morir, un grupo de sus amigos y patrocinadores le prometieron que llevarían el proyecto a buen término.

Los visionarios colegas de Dent, trabajando a través de una organización sin ánimo de lucro que él creó en 1982 llamada Leonardo Da Vinci's Horse, Inc. [El caballo de Leonardo da Vinci], LD-VHI, han logrado mantener al caballo vivo. Y el 10 de septiembre de 1999 —

quinientos años después del día en el que el modelo original fue destruido— *Il Cavallo* será descubierto en Milán. El siguiente comunicado de
LD-VHI resume la idea del proyecto.

> Las metas de este proyecto son honrar el genio de Leonardo da
> Vinci y hacerle un homenaje con la construcción del colosal caballo
> basado en sus dibujos, y agradecer a todos los italianos con el regalo
> de *El Caballo,* en nombre del pueblo americano, por enriquecer cada
> uno de los aspectos de nuestra sociedad. Este regalo será un recono-
> cimiento al inmenso legado cultural, artístico y científico del Rena-
> cimiento italiano, legado que en los Estados Unidos de hoy sigue
> inspirando nuestra curiosidad, nuestra imaginación y nuestra creati-
> vidad.

Recreación del modelo del caballo de los Sforza basado en los bocetos de Leonardo
da Vinci.

El Caballo se basa fielmente en los dibujos originales de Leonardo que se encuentran en Inglaterra, España, Italia y Francia, y se ciñe al espíritu de Leonardo y del Renacimiento.

En un contexto más amplio, el significado de *El Caballo*, como el de la Estatua de la Libertad, sobrepasa las fronteras nacionales. Durante los próximos mil años *Il Cavallo* será un símbolo de la permanencia enfrentada a la destrucción de la guerra y de la amistad entre las naciones. Si usted quiere participar en este proyecto histórico, escriba a Leonardo da Vinci's Horse Inc., P. O. Box 396 Fogelsville, PA 18051-0396, Estados Unidos. Teléfono (610) 395 4060. Nos vemos en Milán...

LEONARDO DA VINCI
CRONOLOGÍA: SU VIDA Y SU ÉPOCA

1452	15 de abril	Nace Leonardo.
1453		Caída de Bizancio.
1469		Nace Maquiavelo/Muerte de Piero de' Medici; Lorenzo el Magnífico y Julio asumen el liderazgo en Florencia.
1473		Nace Copérnico/Leonardo es admitido al gremio de los pintores.
1475		Nace Miguel Ángel.
1480		Nace Magallanes.
1481		Leonardo trabaja en la *Adoración de los Magos*.
1483		Nace Rafael.
1488		Nace Tiziano.
1490		Leonardo funda su propio taller.
1492		Colón llega al Nuevo Mundo.
1497		Leonardo trabaja en *La última cena*.
1498		
1499		El modelo ecuestre de los Sforza es destruido.
1500		
1504		Miguel Ángel termina el *David*; se le pregunta a Leonardo dónde sería el mejor lugar para exponerlo.
	9 de julio	Muere el padre de Leonardo, y deja diez hijos y dos hijas.
1506		Termina la *Mona Lisa*.
1507		
1508		
1512		Miguel Ángel termina el techo de la Capilla Sixtina.
1513		
1516		Leonardo abandona Italia y se dirige a Amboise.
1519	23 de abril	Fecha de la última voluntad y testamento de Leonardo.
	2 de mayo	Muere Leonardo.

AGRADECIMIENTOS

Grazie a todas las personas que participaron en la evolución de los ejercicios davincianos, y a los lectores que ofrecieron su valiosa opinión sobre el manuscrito: Ann-Marie Botton, Jolie Barbiere, Dr. Rudy Bauer, Stacy Forsythe, Michael Frederick, Ruth Kissane, Cathy Raines, John Ramo y al Dr. Dale Schusterman.

Grazie a los "cognoscenti" de la apreciación musical: Audrey Elizabeth Ellzey, Dr. Roy S. Ellzey, Joshua Habermann, Murray Horwitz, Dr. Elain Jerdine y Stacy Forsythe.

Grazie al profesor Roger Paden, por asaltar en varias ocasiones la biblioteca de su Facultad en mi beneficio.

Grazie a mis clientes y amigos que mantienen el espíritu davinciano vivo en sus organizaciones, especialmente a Ed Bassett, Charlie Bacon, Bob Ginsberg, Dave Chu, Peter Cocoziello, Jim D'Angostino, Marv Damsma, Doug Durand, Gerry Kirk, Delano Lewis, Nina Le Savoy, Joseph Rende, Dr. Raj Sisodia y al equipo Lucent Idea Verse.

Grazie molto a mis padres, Joan y Sandy Gelb, quienes fueron la inspiración de mi aproximación davinciana a la vida. A Joan Arnold, por su edición detallada y su opinión constructiva. A sir Brian Tovey, por compartir sus conocimientos de Florencia y el Renacimiento conmigo. A mi maravillosa agente literaria, Muriel Nellis, y a su equipo, especialmente a Jane Roberts. Y a Tom Spain, por su visión davinciana y su brillante edición, y a su equipo en Delacorte, especialmente a Mitch Hoffman y Ellen Cipriano.

Grazie mille a cuatro personas que hicieron contribuciones excepcionales a este libro:

A Nusa Maal, por sus contribuciones en el Curso de dibujo, sus magníficas ilustraciones, y por ser líder en los principios de la inteligencia multisensorial.

Al *uomo universale* moderno Tony Buzan, por crear las cartografías mentales, la herramienta del pensamiento davinciano.

Al Gran Maestro Raymond Keene, O.B.E., por compartir su conocimiento profundo de la historia y del genio.

A Audrey Ellzey, por su apoyo invaluable en la investigación, y por su fidelidad davinciana a la verdad.

LECTURAS RECOMENDADAS

CURIOSITÀ

Adams, Kathleen. *Journal to the Self*. Nueva York: Warner Books, 1990. Contiene maravillosos ejercicios dirigidos a aumentar el conocimiento personal.

Fuller, Buckminster. *Critical Path*. Nueva York: St. Martin's Press, 1981. Percepciones de un *uomo universale* moderno.

Goldberg, Merrilee. *The Art of the Question: A Guide to Short-Term Question Centered Therapy*. Nueva York: John Wiley & Sons, 1998. Cómo aplica un terapeuta, de manera magistral, la curiosità.

Gross, Ron. *Peak Learning*. Los Ángeles: Jeremy P. Tarcher, 1991. Un manual para quienes dedican su vida al aprendizaje.

Progoff, Ira. *At a Journal Workshop*. Nueva York: Dialogue House, 1975. Progoff es pionera en la costumbre de escribir un diario como herramienta para el crecimiento personal.

DIMOSTRAZIONE

Alexander, F. M. *The Use of the Self*. Nueva York: Dutton, 1932. Una historia inspiradora sobre cómo aprender de la experiencia.

McCormack, Mark. *What They Don't Teach You at Harvard Business School*. Nueva York: Bantam, 1984. La dimostrazione en el mundo de los negocios.

Seligman, Martin. *Learned Optimism*. Nueva York: Knopf, 1991. Cómo aprender a recuperarse ante la adversidad.

Shah, Idries. *The Wisdom of the Idiots*. Nueva York: Dutton, 1971. Un libro sobre los "discípulos de la experiencia" Sufi.

Sensazione

Ackerman, Diane. *A Natural History of the Senses*. Nueva York: Vintage Books, 1991. El *Chicago Tribune* lo llamó "un afrodisíaco para los receptores sensoriales".

Campbell, Don. *The Mozart Effect: Tapping the Power of Music to Heal the Body, Strengthen the Mind, and Unlock the Creative Spirit*. Nueva York: Avon Books, 1997.

Collins, Terah Kathryn. *The Western Guide to Fêng Shui*. Carlsbad, Calif.: Hay House, Inc., 1996.

Cytowic, Richard. *The Man Who Tasted Shapes*. Nueva York: Putnam, 1993. La investigación creativa de un neurólogo sobre la sinestesia.

Gregory, R. L. *Eye and Brain: The Psychology of Seeing* (cuarta edición). Nueva York: Oxford University Press, 1990.

Rossbach, Sarah. *Interior Design with Fêng Shui*. Nueva York: Dutton, 1987. Un manual para crear "entornos que cultivan la mente".

Sfumato

Agor, Weston. *The Logic of Intuitive Decision Making*. Westport, Conn.: Greenwood Press, 1986. Agor muestra un estudio convincente del uso de la intuición en el manejo de la complejidad.

Gelb, Michael J. *Thinking for a Change: Discovering the Power to Create, Communicate, and Lead*. Nueva York: Harmony Books, 1996. Introduce el concepto de "pensamiento sinvergente". Un acercamiento para triunfar con el sfumato.

Johnson, Barry. *Polarity Management: Identifying and Managing Unsolvable Problems*. Amherst, Mass.: Human Resource Development Press, 1992. El concepto de Johnson sobre la "polaridad administrativa" es un excelente ejemplo de la aplicación del sfumato.

May, Rollo. *The Courage to Create*. Nueva York: Bantam, 1976. Una exposición primordial sobre la importancia de la tensión creativa dentro de la vida creativa.

ARTE/SCIENZA

Buzan, Tony. *Use Both Sides of Your Brain* (tercera edición). Nueva York: Penguin, 1989. Esta obra clásica de Buzan, publicada originalmente en 1971, lo impuso como el padre de la educación del desarrollo de "todo el cerebro". Es una guía invaluable para quien esté interesado en el equilibrio entre arte y scienza.

Buzan, Tony, y Barry Buzan. *The Mind Map Book: Radiant Thinking*. Londres: BBC Books, 1993. La biblia de la cartografía mental.

Wonder, Jaqueline. *Whole Brain Thinking*. Nueva York: Ballantine, 1985. ¿Se inclina usted más hacia el arte o la scienza? Wonder ofrece la oportunidad de evaluar cuál de las dos predomina en su cerebro.

CORPORALITA

Anderson, Bob. *Stretching*. Bolinas, Calif.: Shelter Publications, 1980.

Conable, Barbara y William. *How to Learn the Alexander Technique*. Columbus, Ohio: Andover Road Press, 1991. Los Conable introdujeron el concepto de la "cartografía corporal".

Cooper, Kenneth. *New Aerobics*. Nueva York: Bantam, 1970.

Fincher, Jack. *Lefties: The Origin and Consequences of Being Left-Handed*. Nueva York: Putnam, 1977. Una entretenida y bien documentada perspectiva general de la relación entre la mano y el cerebro.

Gelb, Michael. *Body Learning: An Introduction to the Alexander Technique*. Nueva York: Henry Holt & Company, 1987 (nueva edición, 1995). Una guía para desarrollar las cualidades davincianas de postura, presencia y gracia.

Gelb, Michael, y Tony Buzan. *Lessons from the Art of Juggling: How to Achieve Your Full Potential in Bussiness, Learning, and Life*. Nueva York: Harmony Books, 1994. Un enfoque único sobre las aplicaciones de la ambidestreza.

CONESSIONE

Kodish, Susan y Bruce. *Drive Yourself Sane: Using the Uncommon Sense of General Semantics*. Englewood, N.J.: Institute of General Semantics, 1993. Un trabajo accesible sobre los sistemas de pensamiento y la semántica general.

Lao-Tzu. *Tao Te Ching: A New English Version*, con introducción y notas de Stephen Mitchell. Nueva York: Harper & Row, 1988. El Taoismo refleja muchos de los descubrimientos del Maestro.

Russell, Peter. *The Awakening Earth: Our Next Evolutionary Leap*. Londres: Routledge & Kegan Paul, 1982. Una visión, desde la connessione, de la Tierra y la evolución humana.

Senge, Peter M. *The Fifth Discipline: The Art & Practice of the Learning Organization*. Nueva York: Doubleday, 1990. Guía al lector para que entienda y vea patrones, relaciones y sistemas en los negocios y en la vida diaria. Hay traducción al español.

Wheatley, Margaret. *Leadership and the New Science*. San Francisco: Berret-Koehler Publishers, 1992. Aplicaciones de la nueva física, para entender las organizaciones.

Curso de dibujo para principiantes de Leonardo da Vinci

Edwards, Betty. *Drawing on The Right Side of the Brain*. Los Ángeles: Jeremy P. Tarcher, 1979. El libro de Betty Edwards es un clásico en el campo del desarrollo de la educación del pensamiento con todo el cerebro.

Nicolaides, Kimon. *The Natural Way to Draw*. Boston: Houghton Mifflin, 1941. El mejor libro para aprender a dibujar.

El Renacimiento y la historia del arte y las ideas

Burke, Peter. *The Italian Renaissance: Culture and Society in Italy*. Princeton, N.J.: Princeton University Press, 1987.

Burkhardt, Jacob. *The Civilization of the Renaissance in Italy*. Nueva York: Boni, 1935.

Durant, Will. *The Story of Civilization*. Nueva York: Simon & Schuster, 1935.

Gombrich, E. H. *The Story of Art* (décimosexta edición). Londres: Phaidon Press, 1994. Si usted sólo va a leer un libro sobre la historia del arte, lea éste. Hay traducción al español.

Hibbert, Christopher. *The House of Medici: Its Rise and Fall*. Nueva York: William Morrow, 1974.

Janson, H. W. *History of Art*. Englewood Cliffs N.J.: Prentice Hall, 1982.

Jardine, Lisa. *Worldly Goods: A New History of the Renaissance*. Nueva York: Doubleday, 1996. El papel de la "cultura material" en el Renacimiento.

Manchester, William. *A World Lit Only by Fire: The Medical Mind and the Renaissance*. Boston: Little, Brown and Co., 1992. Uno de los libros de historia más entretenidos que leerá jamás.

Schwartz, Lillian (con Laurens Schwartz). *The Computer Artist's Handbook*. Nueva York: Norton, 1992. Un libro de arte para la era de la informática. Incluye los estudios novedosos del autor sobre la *Mona Lisa* y la *Última Cena*.

Tarnas, Richard. *The Passion of the Western Mind: Understanding the Ideas That Have Shaped Our World View*. Nueva York: Ballantine Books, 1991. Tarnas concluye que la mente occidental está a punto de encontrar una trasformación nunca antes vista: "Una sanadora y triunfante... reconciliación entre las dos grandes polaridades, una unión de opuestos: un matrimonio sagrado entre el largo dominio, y ahora alienación del hombre, y la larga supresión, y ahora ascendencia, de la mujer".

Tuchman, Barbara. *A Distant Mirror: The Calamitous 14th Century*. Nueva York: Ballantine Books, 1978.

Vasari, Giorgio (traducción de Julia Conway Bonadella y Peter Bonadella). *The Lives of the Artists*. Oxford: Oxford University Press, 1991.

LEONARDO DA VINCI

Beck, James. *Leonardo's Rules of Painting: An Unconventional Approach to Modern Art*. Nueva York: The Viking Press, 1979.

Bramly, Serge. *Discovering the Life of Leonardo da Vinci*. Nueva York: Harper Collins, 1991. La mejor biografía.

Clark, Kenneth. *Leonardo da Vinci*. Londres: Penguin Books, 1993 (nueva edición revisada, con introducción de Martin Kemp). Un recuento preciso del desarrollo del artista.

Constantino, María. *Leonardo*. Leicester, U.K.: Magna Books, 1994. Contiene las mejores ilustraciones.

Freud, Sigmund. *Leonardo da Vinci: A Study in Psychosexuality*. Nueva York: Vintage Books, 1961. En un famoso pasaje de sus anotaciones, Leonardo interrumpe sus observaciones sobre el vuelo de un buitre para hacer una anotación personal: "Pareciera que yo hubiera sido destinado desde antes para hacer un estudio tan profundo sobre el buitre, pues ahora recuerdo que cuando todavía estaba en la cuna, un buitre se me acercó, me abrió la boca con la cola y me golpeó varias veces con la cola rozando mis labios". A partir de este recuerdo y otros hechos confiables, Freud ofrece un análisis que es lectura esencial para quienes quieren entender a Leonardo (y a Freud). El análisis que hace Freud sobre Da Vinci no es, como se supone, un intento de reducir al genio a un caso de patología. Por el contrario, muestra el intento respetuoso y sensitivo de un genio por entender a otro.

Merezhkovsky, Dmitry. *The Romance of Leonardo da Vinci*. Nueva York: Garden City Publishing Co., 1928.

Philipson, Morris. *Leonardo da Vinci: Aspects of the Renaissance Genius*. Nueva York: George Brazilier, Inc., 1966. Trece visiones de estudiosos sobre el artista. La introducción breve de Philipson —"La Fascinación de Leonardo da Vinci"— es un elegante resumen del legado de Da Vinci.

Reti, Ladislao, ed. *The Unknown Leonardo*. Nueva York: McGraw-Hill, 1974. Este libro incluye artículos como "Leonardo and Music" y "Horology"; y contiene maravillosas ilustraciones.

Richter, Irma A., ed. *The Notebooks of Leonardo da Vinci*. Oxford: Oxford University Press, 1952. "World Classic Edition", 1980. Por medio de este libro, la hija de Jean Paul Richter hace de la obra del Maestro algo más accesible.

Richter, Jean Paul, ed. *The Notebooks of Leonardo da Vinci*. Nueva York: Dover Publications, Inc., 1970. (Publicado por primera vez en Londres en 1883, bajo el título *The Literary Works of Leonardo da Vinci*.)

Stites, Raymond. *The Sublimations of Leonardo da Vinci*. Washington, D.C.: Smithsonian Institution Press, 1970.

Vallentin, Antonina. *Leonardo da Vinci: The Tragic Pursuit of Perfection*. Nueva York: The Viking Press, 1938.

La naturaleza de la inteligencia y la genialidad

Boorstin, Daniel. *The Creators: A History of Heroes of the Imagination.* Nueva York: Random House, 1993.

Briggs, John. *Fire in the Crucible.* Los Ángeles: Jeremy P. Tarcher, Inc., 1990. El estudio de un estético sobre los matices de la genialidad.

Buzan, Tony y Raymond Keene. *Buzan's Book of Genius (And How You Can Become One).* Londres: Stanley Paul, 1994. Una examen sistemático sobre la naturaleza de la genialidad, con ejercicios prácticos para desarrollar inteligencias.

Dilts, Robert. *Strategies of Genius* (tomos 1-3). Capitola, Calif.: Meta Publications, 1995. Dilts, un pionero en programación neurolingüística, ofrece visiones brillantes de las mentes de Aristóteles, Walt Disney y Sigmund Freud, entre otros, incluyendo a Leonardo da Vinci.

Gardener, Howard. *Creating Minds: An Anatomy of Creativity Seen Through the Lives of Freud, Einstein, Picasso, Stravinsky, Eliot, Graham, and Ghandi.* Nueva York: Basic Books, 1993.

Gardener, Howard. *Frames of Mind: The Theory of Multiple Intelligences.* Nueva York: Basic Books, 1983.

Pert, Candace. *Molecules of Emotion.* Nueva York: Scribner, 1997. El recuento personal de una importante neurolingüista sobre su trabajo pionero acerca de la indivisibilidad del cuerpo, la mente, la emoción y el espíritu.

Restak, Richard M. *The Brain: The Last Frontier.* Nueva York: Warner Books, 1979. Una discusión completa y fácil de leer sobre la ciencia que estudia al cerebro.

Von Oech, Roger. *A Whack on the Side of the Head* (edición revisada). Nueva York: Warner Books, 1990. El clásico moderno sobre el pensamiento creativo.

LISTA DE ILUSTRACIONES

Leonardo da Vinci. *La Última Cena*. Santa María delle Grazie, Milán, Italia. Fotografía: Alinari/Art Resource, NY.

Leonardo da Vinci. *Estudio para el monumento de los Sforza*. Royal Library, Windsor, Inglaterra. Fotografía: Scala/Art Resource, NY.

Boltraffio. *Retrato de Ludovico il Moro*. Fotografía: Alinari/Art Resource, NY.

Leonardo da Vinci. *Dibujo de La Virgen con el Niño y santa Ana*. Fotografía: Scala/Art Resource, NY.

Versión de Pedro Pablo Rubens de *La Batalla de Anghiari*, de Leonardo da Vinci. Museo del Louvre, París, Francia. Fotografía: Giraudon/Art Resource, NY.

Anónimo. *Retrato de Nicolás de Maquiavelo*. Galeria de los Uffizi, Florencia, Italia. Fotografía: Alinari/Art Resource, NY.

Retrato de César Borgia. Accademia Carrara, Bergamo, Italia. Fotografía: Alinari/Art Resource, NY.

Jean Clouet. *Francisco I de Francia*. Museo del Louvre, París, Francia. Fotografía: Alinari/Art Resource, NY.

Leonardo da Vinci. *Paisaje fechado agosto 5, 1473, # 8p*. Gabinetto dei Disegni e delle Stampe, Florencia, Italia. Fotografía: Scala/Art Resorce, NY.

Rafael. *Detalle de Platón y Aristóteles. La Escuela de Atenas*. Sala de Rafael, Palacio Vaticano, El Vaticano. Fotografía: Alinari/Art Resources, NY.

Leonardo da Vinci. *Bocetos de máquinas de guerra (vol.73 1860 6 16 99)*. Museo Británico, Londres, Inglaterra. Fotografía: Alinari/Art Resource, NY.

Leonardo da Vinci. *Bocetos de máquinas de guerra*. Codex Atlanticus 9v-a. Fotografía: Art Resource, NY.

SEGUNDA PARTE

Curiosità

Leonardo da Vinci. *Estudio de Flores*. Academia, Venecia, Italia. Fotografía: Alinari/Art Resource, NY.

Leonardo da Vinci. *Máquina voladora-boceto tomado del Codex Atlanticus.* Biblioteca Ambrosiana, Milán, Italia. Fotografía: Art Resource, NY.

Leonardo da Vinci. *Dibujos de pájaros. E-fol 22-V 23-R.* Biblioteca del Instituto de Francia, París, Francia. Fotografía: Giraudon/Art Resource, NY.

Página de uno de los cuadernos de Leonardo da Vinci. The Royal Collection© Su Majestad la Reina Isabel II.

Sfumato

Leonardo da Vinci. *La Virgen de las Rocas.* Museo del Louvre, París, Francia. Fotografía: Alinari/Art Resource, NY.

Leonardo da Vinci. *Dos cabezas (No.423)* Gabinetto dei Disegni e delle Stampe, Florencia, Italia. Fotografía: Scala/Art Resource, NY.

Leonardo da Vinci. *San Juan Bautista.* Museo del Louvre, París, Francia. Fotografía: Giraudon/Art Resource, NY.

Leonardo da Vinci. *Mona Lisa (La Gioconda).* c. 1502-1506. Óleo, 97 x 53 cm. Museo del Louvre, París, Francia. Fotografía: Giraudon/Art Resource, NY.

Lillian Schwartz. *Yuxtaposición del autorretrato de Leonardo y la Mona Lisa.* Copyright © 1998 Computer Creations Corporation. Todos los derechos reservados. Reproducido con autorización.

Arte/Scienza

Leonardo da Vinci. *Mapa de Imola.* Fotografía: Scala/Art Resource, NY.

Mapas mentales. Ilustración: Nusa Maal.

Hemisferios. Ilustración: Nusa Maal.

Mapa mental de las reglas de los mapas mentales. Ilustración: Nusa Maal.

Aplicaciones de los mapas mentales. Ilustración: Nusa Maal.

Corporalita

Leonardo da Vinci. *Dibujo de las proporciones ideales de la figura humana,* de acuerdo con el tratado de Vitruvius del siglo I d.C. "De Architectura". Fotografía: Alinari/Art Resource, NY.

Leonardo da Vinci. *Vista trasera*. The Royal Collection © Su Majestad la Reina Isabel II.

Leonardo da Vinci Malabarista. Ilustración: Nusa Maal.

Connessione

Uno de los dragones de Da Vinci. The Royal Collection © Su Majestad la Reina Isabel II.

Leonardo da Vinci. *Estudio floral, probablemente es un estudio para la Virgen de las Rocas*. (Facsímil, el original se encuentra en la Colección Windsor, Inglaterra). Gabinetto dei Disegni e delle Stampe, Florencia, Italia. Fotografía: Scala/Art Resource, NY.

Leonardo da Vinci. *Cataclismo* (facsímil). Gabinetto dei Disegni e delle Stampe, Florencia, Italia. Fotografía: Scala/Art Resource, NY.

Leonardo da Vinci. *Remolino*. The Royal Collection © Su Majestad la Reina Isabel II.

Leonardo da Vinci. *Estudio para la cabeza de Leda*. (Facsímil, el original se encuentra en la Colección Windsor, Inglaterra). Gabinetto dei Disegni e delle Stampe, Florencia, Italia. Fotografía: Scala/Art Resource, NY.

Mapa mental de una cena. Ilustración: Nusa Maal.

El comienzo del mapa mental de una vida. Ilustración: Nusa Maal.

Conclusión: El legado de Leonardo

Leonardo da Vinci. *La ninfa Matelda del Paraíso de Dante*. The Royal Collection © Su Majestad la Reina Isabel II.

Tercera parte

El curso de dibujo para principiantes de Leonardo da Vinci
Curso de dibujo de Da Vinci. Ilustraciones: Nusa Maal.

Leonardo da Vinci. *Estudios y posiciones de gatos (no.12363).* Castillo Windsor. Fotografía: Art Resource, NY.

Leonardo da Vinci. *Estudios de Perfiles. v. 12276.* Royal Library, Windsor, Inglaterra. Fotografía: Alinari/Art Resource, NY.

Leonardo da Vinci. *Retrato de Francisco Sforza, hijo de Gian Galeazzo.* Gabinetto dei Disegni e delle Stampe, Florencia, Italia. Fotografía: Scala/Art Resource, NY.

El caballo: renacimiento de un sueño
Recreación del modelo del caballo Sforza, basado en los bocetos de Leonardo da Vinci. La fotografía es cortesía de Leonardo da Vinci's Horse, Inc.

SOBRE EL AUTOR

Michael J. Gelb es un hombre del Renacimiento moderno, fascinado por la esencia de la creatividad y el equilibrio de la mente y el cuerpo, y apasionado por despertar la totalidad del potencial humano. Después de graduarse de la Universidad de Clark en psicología y filosofía, pasó un año en Inglaterra en la Academia Internacional de Educación Continuada, donde estudió las tradiciones esotéricas del mundo con J. G. Bennett.

Mientras terminaba un entrenamiento de tres años como profesor de la técnica Alexander —un método para desarrollar la coordinación entre la mente y el cuerpo— Gelb obtuvo una maestría de Goddard College en re-educación psicofísica. Su primer libro, *Body Learning: An Introduction to the Alexander Technique*, fue resultado de su tesis de maestría y se publicó en 1981. Luego le siguió *Present Yourself: Captivate Your Audience with great Presentation Skills*.

Su exploración práctica del equilibrio entre la mente y el cuerpo lo condujo a una fascinación por el arte del malabarismo. Durante los años de postgrado, vivió de su trabajo como malabarista y apareció en el escenario con las bandas de los Rolling Stones y Bob Dylan. En 1994, Gelb y Tony Buzan publicaron el libro *Lessons from the Art of Juggling: How to Achieve Your Full Potential in Business, Learning and Life*. En 1996 introdujo el concepto de "pensamiento sinvergente" en el libro *Thinking for a Change: Discovering Your Power to Create, Communicate and Lead*. Sus programas de enseñanza auditiva, "Mapas mentales" y "Ponga su genio creativo a trabajar", distribuidos por Nightingale-Conant, también son bestsellers internacionales. Desde 1978, Michael ha trabajado con diversas organizaciones alrededor del mundo para optimizar el potencial humano. Algunos de sus clientes son: Amoco, AT&T, DuPont, IBM, Lucent Technologies, Merck, NPR y Xerox.

Gelb también es un estudiante apasionado de Aikido, en el cual es cinturón negro de tercer grado, y amante del ajedrez. Es coautor del libro *Samurai Chess: Mastering Strategy Through the Martial Art of the Mind,* del Gran Maestro de ajedrez Raymond Keene.

Otras de las pasiones de Gelb incluyen la cultura y el idioma italianos, coleccionar arte, el vino, la cocina y el juego japonés de Go.

Sobre el High Performance Learning Center® (hpl) [Centro de aprendizaje de alto rendimiento]

HPL es una firma de consultoría y entrenamiento en liderazgo, fundada por Michael Gelb en 1982, que guía a los individuos y a las organizaciones para que puedan definir y realizar sus mayores aspiraciones. Les ayuda a los líderes a construir un buen grupo de trabajo, rebosante de creatividad, comunicación y alineación organizacional. Como un catalizador del cambio creativo, HPL disminuye la distancia entre las visiones de calidad excepcional, servicio superior y desarrollo personal y la vida diaria. Sus programas más conocidos incluyen:

- Cómo pensar como Leonardo da Vinci
- Creación de mapas mentales y la solución creativa de conflictos
- Presentaciones de alto desempeño
- Instrucciones para el arte del malabarismo
- El Aikido en la vida diaria: una aproximación refrescante a la negociación y la resolución de conflictos interpersonales
- Ajedrez Samurai: Los secretos de la estrategia (con el gran Maestro Raymond Keene O.B.E.)
- El Seminario del Renacimiento ejecutivo.

Contacto

Michael J. Gelb, Presidente
The High Performance Learning® Center
7903 Curtis Street
Chevy Chase, MD 20815 U.S.A.
Teléfono: 1(301) 961-5805
Fax: 1(301) 961-5806
E-mail: DaVincian@aol.com
Página Web: http//www.monumental.com/hpl